MATA HARI

DU MÊME AUTEUR

ROMANS

Tous les désespoirs vous sont permis, Flammarion, 1973.
La Dent de rupture, Flammarion, 1975.
Les Soleils rajeunis, Le Seuil, 1973.
Clichy sur Pacifique, Le Seuil, 1979.
Une valse noire, Le Seuil, 1983.
L'Été provisoire, Mercure de France, 1983.
Charade, Mercure de France, 1984.
Bleu indigo, Grasset, 1986.
La Chambre andalouse, Grasset, 1989.
Anibal, Robert Laffont, 1991.
Le Voyageur de noces, Robert Laffont, 1992.
Une journée au point d'ombre, Robert Laffont, 1993.
Le Chagrin des Resslingen, Julliard, 1994.

NOUVELLES

Changement de cavalière, Le Seuil, 1978.
Le Damier de la reine, Mercure de France, 1983.
Triolet n° 9 : « Woolf-Bragance-Defromont », publié par Nouvelles/Nouvelles, 1991.

ESSAI

Virginia Woolf ou la dame sur le piédestal, Des Femmes, 1985.

ANNE BRAGANCE

MATA HARI

La poudre aux yeux

belfond

12, avenue d'Italie
75013 Paris

Si vous souhaitez recevoir notre catalogue
et être tenu au courant de nos publications,
envoyez vos nom et adresse, en citant ce livre,
aux Éditions Belfond,
12, avenue d'Italie, 75013 Paris.
Et, pour le Canada, à
Édipresse Inc., 945, avenue Beaumont
Montréal, Québec H3N 1W3.

ISBN 2.7144.3299.9

A Paule et Georges Brézout

Le premier baron

Vacante, oisive, amollie par la chaleur estivale, la foule s'étire le long de la voie où, déjà, le convoi a pris place. Dans la masse qui piétine, un enfant pleurniche et se plaint qu'il étouffe, un homme retire son canotier de paille, s'éponge le front tandis que là-bas, au-dessus de la mêlée, oscille la tache claire d'une ombrelle. Par familles entières, ils sont venus là poussés par le désœuvrement, et ils déambulent sur le quai, ils encombrent, il faut bien le dire, ils obstruent le passage que les voyageurs sur le départ doivent forcer pour atteindre les voitures. Adam Zelle est de ceux-là, qui s'impatiente, qui s'inquiète : ils ne doivent pas manquer ce train, le dernier de la journée pour Leeuwarden. Il jette un regard en arrière vers la jeune Margaretha qui marche dans son sillage.

– Dépêche-toi, petite ! Avance donc ! Vite, donne-moi la main !

Et ayant saisi la main de sa fille, il entreprend de fendre la foule des badauds, il joue des coudes, des épaules, il jouerait bien de sa canne pour frayer son chemin et écarter ces importuns, mais un reste de décence l'en empêche. Sacrée journée ! A-t-on idée, aussi, de s'embarquer pour un aller-retour entre Leeuwarden et Amsterdam un 7 août alors que toute la canaille citadine bague-

9

naude et se goberge dans les lieux publics ? Oui, mais ce 7 août est une date, un jour particulier : aujourd'hui, Margaretha a dix ans et Adam Zelle s'était engagé à l'emmener au zoo pour cet anniversaire. Pas de regrets, la promesse faite à l'enfant chérie, à l'enfant préférée, était chose sacrée, il se devait de la tenir.

La fillette, quant à elle, ne partage ni les inquiétudes ni l'agacement de son père : sur sa rétine éblouie s'est gravée l'image du paon qu'elle a si longuement admiré au zoo en début d'après-midi. Margaretha ne se doutait pas qu'un tel oiseau – est-ce bien un oiseau ? – pût exister. Tous les autres animaux qu'elle vient de découvrir, girafes, éléphants, singes ou fauves ont été éclipsés par la magnificence de ce paon occupé à faire la roue. A la remorque de son père qui l'entraîne vers le train, elle se demande déjà en quels termes elle va décrire l'oiseau somptueux à ses frères et sœurs, et elle craint que les mots ne lui manquent pour en rendre compte.

Elle ne voit pas la foule qui entrave leur marche, Margaretha, et, dans le brouhaha ambiant, elle n'entend ni les appels, ni les cris, ni la machine qui siffle en émettant un jet de vapeur. Devant ses yeux se déploie encore et encore l'éventail de plumes ocellées de bleu et d'or, et il faut que son père s'arrête soudain – ils ont enfin atteint leur wagon –, il faut qu'elle bute contre son dos pour comprendre qu'elle est dans la gare d'Amsterdam en ce 7 août 1886 et que le départ du train pour Leeuwarden est imminent.

Devant la portière, une dame très élégante, embarrassée de bagages volumineux et d'une petite fille toute vêtue de rose, se plaint à Adam Zelle de la désinvolture d'un porteur qui vient de la laisser en plan.

– Sous prétexte que le train va partir, il n'a pas consenti à porter mes sacs jusqu'au compartiment où j'ai mes réservations !

Qu'à cela ne tienne ! Adam Zelle éprouve un tel soulagement qu'il peut se montrer obligeant : avec un sourire, il s'empare des deux sacs de cuir, les hisse sur la plate-forme intérieure, puis il soulève la jeune demoiselle par les aisselles, la pose près des bagages et, se tournant galamment vers la mère, lui offre l'appui de son poing.

Margaretha, qui est très grande pour son âge, n'a pas à solliciter l'assistance de son père : un bond de ses longues jambes lui suffit pour rejoindre les voyageuses. Déjà, Adam Zelle a empoigné les deux sacs de l'inconnue et ouvre la marche vers le compartiment où le hasard a décidé qu'ils voyageraient de concert. Pépiante comme un colibri, la dame n'en finit pas de remercier l'heureuse providence qui a placé un tel *gentleman* sur son chemin, tandis que le susnommé s'emploie à caser les bagages dans les filets, se ruine en attentions diverses, propose à l'élégante de baisser les stores afin que le soleil couchant ne l'indispose pas, lui offre de s'installer près de la fenêtre...

— Ah ! monsieur, s'exclame-t-elle une fois qu'elle s'est assise à la place de choix, monsieur... ?

Alors Margaretha voit son père soulever son chapeau de paille — papa porte toujours des chapeaux de la plus belle qualité pour l'excellente raison qu'il est chapelier — et se pencher vers la dame avant de décliner son identité :

— Baron Adam Zelle, pour vous être agréable, chère madame.

— Oh !... baron ! Cher baron Zelle, merci mille fois...

Si la jeune Margaretha se moque des minauderies de l'élégante, elle s'étonne néanmoins que ce mot, baron, puisse produire sur elle un effet aussi considérable. Car aussitôt la dame s'est empourprée et se confond maintenant en excuses, accompagnant ses chatteries d'œillades qui glissent sous la voilette. Comme les grandes personnes sont étranges, qui peuvent s'émouvoir de si peu ! Baron ? Peuf ! C'est la première fois que la fillette entend Adam Zelle se présenter de la sorte, mais il doit avoir ses raisons : parce qu'elle éprouve une véritable vénération pour son père, parce que sa parole a pour elle force d'évangile, Margaretha l'approuve, se range à ses avis et se conforme à ses désirs quoi qu'il puisse arriver.

Lassée du babil de la dame, elle a cessé de l'écouter :

elle caresse le drap gris de l'accoudoir où son bras droit est appuyé, d'un doigt suit le galon de soie, et sent confusément que ce « baron », dont vient de s'affubler son père et dont elle ne sait pas ce qu'il signifie au juste, est bienvenu car assorti au luxe qui les entoure dans cette voiture de première classe. Les plafonds de la caisse, les parois et la frise sont garnis de ce même drap gris, si doux au toucher, qui couvre les sièges, les accoudoirs, et les rideaux, tout comme les stores qui se peuvent tirer à volonté, sont en soie. La soie prend la lumière de la même façon que les ocelles du paon magnifique, songe-t-elle.

— Et vous vivez toute l'année à Leeuwarden, monsieur le Baron ?

La voix maniérée, un peu haut perchée de la dame, confère de l'éclat au mot baron, le fait miroiter comme la soie, comme la roue resplendissante du paon. Adam Zelle tire son pantalon sur ses guêtres blanches et répond qu'il réside dans sa propriété sise aux environs de La Haye pendant la belle saison. Margaretha sait qu'il n'en est rien : jamais la famille Zelle n'a quitté Leeuwarden. Elle ne possède au demeurant pas d'autre maison que celle du 28 Groote Kerkstraat dont le rez-de-chaussée est occupé par la boutique du chapelier. Malgré la vieille connivence qui les lie, elle interroge son père d'un regard sans doute trop appuyé car le « baron » a vers elle un froncement de sourcils qui pour être très fugace n'en est pas moins très expressif : Tais-toi, ma chérie, ne me trahis pas, je t'expliquerai plus tard. Très bien. Elle ferme les yeux, elle n'a pas besoin d'explications, Margaretha, ni de justifications. Si elle ignore encore que baron est un titre — et en l'occurrence un titre usurpé —, elle comprend que tout cela est un jeu et ce jeu auquel elle participe par son seul silence lui plaît infiniment.

Bercée par le rythme des boggies et plus encore par les modulations chantantes de l'inconnue, Margaretha somnole et, dans sa tête qui ballotte un brin, se mêlent et s'échangent les mots et les choses qu'ils désignent, baron, paon, soie : à son insu, elle s'ouvre doucement à la beauté, à la frivolité, à la volupté. A son insu, en ce jour anniversaire où elle vient d'accomplir ses dix ans, elle a reçu le baptême du luxe et du mensonge qui gouverneront sa vie, comme gravés à jamais sur les tables de sa loi intime.

Lorsque le train atteint Leeuwarden, il fait nuit. Mais c'est une nuit d'été et la lune pleine blanchit les bâtiments, éclaire le décor aussi bien qu'un petit soleil, mieux assurément que les becs de gaz qui diffusent de loin en loin leur lueur pâlotte. La dame, toujours flanquée de l'enfant aux ruchés roses, emboîte le pas à son chevalier servant d'un jour, lequel s'est à nouveau chargé des bagages. Margaretha ferme le cortège.

Au sortir de la gare, l'élégante pointe sa main gantée vers un gracieux attelage qui stationne là, sur la droite.

— Ah ! Voici mon coupé... Monsieur le Baron, votre société m'a rendu exquis ce voyage qui promettait le pire. Grand merci encore.

Le « baron » Zelle s'incline sur la main délicate qu'on lui tend, la baise et, une fois redressé, pour faire bonne mesure, simule un petit accès d'irritation.

— Je n'ai pas votre chance, chère madame. Ma voiture est en retard. Mon bougre de cocher aura encore traîné en chemin !

La prestation d'acteur de son père inspire à Margaretha quelque amusement et peut-être bien de l'admiration. Oui, elle l'admire d'avoir mené cette comédie jusqu'au bout et sans une faute. Car la voiture que l'on prétend attendre n'existe pas, bien sûr, pas plus que le cocher.

Il y a encore quelques échanges, des politesses, puis le joli coupé s'éloigne en cahotant sur le pavé : Adam Zelle peut enfin souffler. Et il souffle, il rit même en entraînant sa fille vers les fiacres de location rangés face à la gare et qui attendent le client.

— Allons petite, à la maison !

Le cocher du premier fiacre est endormi sur son siège, enveloppé dans son carrick à triple collet qui déforme sa silhouette et l'apparente à un coléoptère monstrueux.

Quand Adam Zelle, du bout de sa canne, le touche à l'épaule, le bonhomme sursaute, s'ébroue, s'excuse.

– Quoi ?… Ah oui… Ah ! monsieur…

– 28 Groote Kerkstraat ! jette Adam Zelle, mais prenez votre temps, nous ne sommes pas pressés.

Il n'est pas pressé, il a deux ou trois choses à dire à sa fille et le temps de la course ne sera pas de trop. Il installe Margaretha sous la capote de cuir, prend place à son côté et l'attire contre lui.

– Petite, il ne faudra pas parler de cette rencontre à la maison, tu me comprends ?

Margaretha ne peut voir le visage de son père, il fait trop sombre dans la voiture. Elle perçoit seulement l'inquiétude qui perce dans les inflexions de sa voix. Elle hoche la tête.

– Tu ne diras pas non plus que nous avons voyagé en première classe, n'est-ce pas ? Ce sera notre secret.

Il ne fait aucune allusion au « baron », ce qui ne laisse pas de surprendre Margaretha. Pourtant, elle pressent qu'elle doit inclure d'office ce mot dans la complicité nouvelle qu'il cherche à établir entre eux, dans ce secret. Ne rien divulguer sur le voyage et la dame inconnue lui sera facile, elle veut bien promettre, mais quant à se retenir d'évoquer la splendeur du paon devant ses frères et sœurs, elle n'est pas sûre. Elle se tortille sur le siège, cherche à se dégager de l'étreinte de son père.

– Qu'y a-t-il, Margaretha ?

– C'est que… je me demandais si je pourrais parler du paon que nous avons vu au zoo.

Adam Zelle s'esclaffe, et son gros rire qui résonne comme un roulement de tonnerre emplit le petit habitacle.

– Mais bien sûr, ma chérie ! Tu pourras décrire tous les animaux que tu as vus.

– Non. Seulement le paon, dit-elle gravement.

Et dans ses yeux, l'oiseau fabuleux fait encore la roue, et dans la bouche, elle goûte une saveur nouvelle, délicieuse, celle d'un fruit inconnu, défendu : le secret.

Les petits Zelle ont tous le cheveu blond, l'œil bleu, un teint de porcelaine, et semblent sortis d'un même moule. L'étrangeté de Margaretha n'en est que plus remarquable, elle qui arbore une longue chevelure brune, une peau mate, des yeux foncés qui s'étirent vers les tempes à la manière des Asiates. Nul ne sait d'où elle tient ces caractéristiques physiques qui, à la maison, la distinguent si fort de ses frères et sœurs, et, à l'école, de ses camarades. Mais de ces particularités qu'elle saura si bien mettre à profit dans le futur, elle sait déjà user et abuser : chez les Zelle, elle tient tout son petit monde dans une sorte d'allégeance. Très tôt, elle a compris qu'elle exerçait un ascendant naturel sur ses cadets du seul fait de sa taille et de son aspect. Chaque jour, elle mesure mieux son pouvoir de séduction, elle y prend goût et se plaît à en vérifier la portée à la moindre occasion. La tendresse particulière que lui témoigne son père et qui pourrait engendrer jalousies et rivalités ne fait qu'ajouter à son prestige. A preuve, depuis hier qu'ils sont rentrés d'Amsterdam, les petits la considèrent bouche bée, comme si elle revenait d'un pays lointain, de la lune, qui sait ? Ils l'interrogent, la pressent de raconter ce qu'elle a vu, ce qu'elle a fait, mais elle résiste, elle prend un malin plaisir à les laisser languir. Au réveil, elle leur a promis une relation de son séjour dans la grande ville après le petit déjeuner. Mais, le moment venu, elle les a renvoyés à leurs jeux.

– Non, pas maintenant, j'ai ma leçon de piano.

C'est elle qui décide, selon son caprice, il en a toujours été ainsi. Et, bien qu'elle brûle de les éblouir avec sa description du paon, elle ne peut renoncer à ses prérogatives d'aînée et de favorite. Toute la matinée, elle voit les autres voleter autour d'elle comme autant de phalènes attirées par l'éclat d'une lampe. C'est là une sensation dont elle se délecte, qui vaut de différer le récit de l'escapade à Amsterdam. Elle convoquera ses frères et sœurs où et quand bon lui semblera : dans le salon du premier étage, dans l'arrière-boutique du chapelier, sur les bords du canal ou encore dans le jardin. Peu importe le lieu, dans tout décor elle peut installer un théâtre où se mettre en scène, l'essentiel est d'avoir un public et elle l'a, tout à sa dévotion.

Il est cinq heures de l'après-midi quand, enfin, elle sonne le rappel et rassemble les petits autour d'elle. Après réflexion, elle a choisi de donner son spectacle dans le jardin car il y a là des « accessoires » qui lui seront utiles. Elle les fait asseoir en rang d'oignons sur un rebord de pierre, le long d'une allée, et leur intime silence : elle ne veut pas de questions.

Et la puérile cérémonie commence : Margaretha est restée debout et, penchée sur une potée de géraniums, elle en détache un à un des pétales qu'elle applique à mesure sur ses ongles au moyen d'un peu de salive. L'opération est longue car certains pétales refusent de coller et elle doit s'y reprendre à plusieurs fois. Les petits prennent leur mal en patience, suivent chacun de ses gestes et se gardent bien de broncher. Quand les ongles sont couverts, elle passe à la décoration du dessus de sa main et procède de même, émaillant sa peau de taches rouges. Tout le temps qu'elle s'apprête ainsi, elle n'accorde pas un regard à ses spectateurs.

Elle fait deux pas en arrière, écarte devant elle les doigts de sa main « ornée », la droite, et semble à peu près satisfaite du résultat obtenu. Puis, comme un illusionniste de cirque qui cherche dans son public un comparse ou un faire-valoir, elle examine un à un ses frères et sœurs toujours alignés devant elle. Enfin, avec un coup de menton vers l'élu, elle ordonne :

— Jozef, viens ici !

Le petit Jozef a six ans, sa tête arrive tout juste à la poitrine de Margaretha lorsque, docile, il la rejoint et se place à son côté. Elle pose sa main ornée sur la tête de l'enfant et déclare avec emphase :

— Au zoo, j'ai vu un oiseau de la taille de Jozef.

L'information suscite des murmures dans le rang des enfants qui hésitent entre l'incrédulité et l'émerveillement. Les petits Zelle n'ont jamais vu d'oiseaux exotiques ailleurs que sur les planches ornithologiques de l'encyclopédie que leur père ouvre parfois pour eux sous la lampe, à la veillée. C'est Albrecht — il a un an de moins que Margaretha – qui trouve soudain l'audace de se jeter à l'eau pour exprimer son sentiment :

– Un oiseau aussi grand, ça n'existe pas.

Les lèvres de Margaretha se pincent en une moue méprisante et, manière de marquer qu'elle se sent outragée et ne saurait tolérer pareille offense, elle fait mine de se détourner.

– Si on ne me croit pas, j'arrête, je ne raconte rien !

– Si ! Si ! protestent les autres. Ne l'écoute pas. Nous, on te croit !

Après un regard de triomphe qui veut mortifier le contestataire si vite désavoué par la majorité – et y réussit –, Margaretha condescend à poursuivre.

– Cet oiseau a une petite couronne sur la tête et une longue queue qui balaie le sol derrière lui...

Elle s'interrompt, elle aime à mesurer ses effets. D'une chiquenaude sur la joue, elle renvoie le petit Jozef.

– Toi, retourne à ta place !

Car l'important quand on veut subjuguer un auditoire est de rester seule en scène et de mobiliser toute l'attention.

– Cet oiseau s'appelle un paon. Il ne vole pas...

Perplexité dans l'assistance qui écarquille les yeux. Dans son coin, Albrecht marmonne quelque protestation inaudible mais n'ose intervenir à nouveau à voix haute.

– Il fait mieux que voler. Il fait la roue. Regardez...

Au bout de sa main gauche qui est censée figurer le corps du paon, elle accole sa main droite à hauteur du poignet et écarte ses doigts de manière à en présenter la surface déployée et constellée de pétales. Elle précise en même temps :

– Sur sa queue, qu'il ouvre comme un éventail, il y a des taches bleues et dorées. Quand il fait la roue, son plumage est plus beau qu'un feu d'artifice.

Voilà au moins une comparaison qui évoque quelque chose à son petit public. Elle est assez fière de cette trouvaille. Car, si la disposition des pétales de géranium donne une idée approximative de la « décoration » du paon, leur couleur rouge est fâcheuse, au grand regret de Margaretha. A plusieurs reprises, jouant de ses

17

longues mains, de ses poignets, elle « fait le paon » et puis elle se lasse, consciente soudain que son mime ne peut rendre, ne rendra jamais justice à l'animal magnifique qu'elle a tellement admiré. Tant pis, elle change d'idée, elle élève ses bras au-dessus de sa tête, leur imprime des mouvements gracieux, elle devient ballerine, se met à esquisser des pas sous les yeux de ses frères et sœurs médusés : elle danse.

Mais un autre regard, que Margaretha ne soupçonne pas, accompagne ses évolutions. À une fenêtre du premier étage, en surplomb du jardin, une main a soulevé le rideau de guipure, un visage s'est collé à la vitre, celui de la mère. Antje Zelle est une femme de tempérament mélancolique et de complexion fragile que les grossesses successives et rapprochées ont laissée exsangue. Elle ne s'aventure à l'extérieur que lorsqu'elle y est contrainte et si elle descend au jardin trois ou quatre fois l'an, la chose prend figure d'événement. L'été, elle redoute le soleil, et pendant la mauvaise saison, qui dure ici de longs mois, elle se protège de l'humidité qui monte du canal en se calfeutrant près du grand poêle en faïence bleu et blanc, un livre ou un chat sur les genoux. La seule présence de ses enfants la fatigue et l'indispose. Ce n'est pas qu'elle s'en désintéresse ou qu'elle ne les aime point, mais ils sont si nombreux, si bruyants, elle ne peut faire face. Elle préfère les observer ainsi, de loin, à travers l'épaisseur d'une vitre : à distance, ils lui paraissent inoffensifs et même tout à fait charmants, ces blondinets qu'elle a engendrés. Car il ne lui viendrait pas à l'idée d'appliquer un tel qualificatif à Margaretha. En vérité, son aînée lui inspire des sentiments complexes, trouble mélange de peur et de fascination. Avec sa silhouette longiligne, sa peau ambrée, la flamme de son regard et cette aura qui l'entoure, qui tient en sujétion la couvée Zelle, Margaretha est une ensorceleuse plutôt qu'une fillette charmante. Il émane d'elle une énergie, une vitalité telles que, parfois, Antje se surprend à penser que Margaretha, en naissant, lui a ôté à elle seule la moitié de ses forces vives. Les autres n'ont fait que prendre ce qu'il en restait. Une lente, douloureuse saignée, voilà comment Antje Zelle endure la maternité.

Ses mains blanches jointes sur la crémone, son front appuyé au carreau, elle contemple la fille qui danse dans sa robe de coton, qui frappe de ses pieds chaussés de bottines le gravier de l'allée. Sa fille. Elle la voit lever les bras au-dessus de sa tête, joindre ses paumes comme en un geste de prière, ne sait pas identifier la nature de ces « larmes » rouges qu'elle entr'aperçoit sur la peau des mains, déjà elles se sont écartées, par une souple torsion des poignets Margaretha offre ses paumes au ciel, fléchit le buste, invente d'autres figures, la corolle de coton blanc virevolte, se déplace, s'envole, d'où tient-elle tant de grâce provocante et de légèreté ? Antje Zelle a le sentiment qu'elle ignore tout de cette fille-là, que pourtant elle a mise au monde. Elle la trouve belle, elle l'envie, elle l'admire. Pourtant, elle ne se reconnaît point en elle.

L'adieu à Leeuwarden

Adam Zelle retire ses lunettes cerclées d'or, en essuie les verres embués, les remet sur son nez, mais au bout de deux minutes il doit recommencer : dans l'affliction, il produit plus de vapeur que le canal qui coule devant la maison. Depuis des heures que son épouse gît sur le lit conjugal dans la rigidité de la mort, il n'est capable que de répéter ces deux ou trois gestes inutiles : retirer ses lunettes, les essuyer, les chausser à nouveau. Et il renifle, et il sanglote, son gros corps secoué de spasmes violents qui effraient les enfants alignés au fond de la chambre.

Les plus jeunes ne voient guère de différence notable entre la femme couchée là, immobile et blanche, presque diaphane, et celle qui fut leur mère. A son absence, à sa pâleur, à sa manière – à sa manie – de s'aliter au moindre malaise, à la plus légère contrariété, ils sont habitués depuis la petite enfance. L'absence d'Antje Zelle est devenue définitive, voilà tout. Ils ne comprennent pas que leur père puisse éprouver tant de chagrin de la disparition d'un fantôme.

Margaretha leur a dit qu'il fallait veiller la dépouille de leur mère jusqu'à l'heure du souper. Ils ne peuvent se défiler et, même s'ils ont faim, même s'ils attrapent des crampes à force de rester ainsi, debout et immobiles,

20

pétrifiés dans la pénombre de la chambre mortuaire, ils doivent se soumettre aux ordres de l'aînée : il y a des mois qu'elle pallie les défaillances maternelles et qu'elle régente la maisonnée.

Dans la pièce confinée où six cierges se consument, les roses, par dizaines – la défunte avait une prédilection pour ces fleurs –, développent un parfum si lourd qu'il corrompt l'atmosphère, charge l'air d'un poison irrespirable. Et là-bas, prostré dans la posture de la douleur, obstruant la ruelle du lit comme un paquet informe qui tressaute à chaque sanglot, Adam Zelle pleure toujours. Margaretha a soudain un haut-le-cœur, il lui faut de l'air, et libérer les petits : il est grand temps. A tâtons, elle cherche la main du plus proche – il se trouve que c'est Jozef –, la saisit et entraîne l'enfant hors de la chambre. C'est comme un signal : réflexe de survie ou geste de soumission, Josef a pris la main de son voisin de droite et ainsi de suite, ils ont formé une chaîne qui se glisse dans l'entrebâillement de la porte à la suite de l'aînée. Sur le palier, quand elle se retourne et les découvre ainsi tenus, Margaretha a un sourire attendri : ils lui évoquent ces rondes de poupées en papier que l'on obtient par découpage et qui décorent les classes enfantines.

Mais les petits Zelle ne sont pas des poupées, ne sont pas en papier : il faut les nourrir puis les coucher. Après, seulement, elle pourra songer à elle, aux dispositions dont son père lui a fait part ce matin et qui concernent son avenir.

– Si je n'écoutais que mon cœur, je te garderais ici, près de moi, lui a-t-il dit en préambule. Mais tu as déjà quatorze ans, Margaretha, ou plutôt tu n'as que quatorze ans, il est exclu que tu fasses office de gouvernante et que la charge de la maison pèse sur toi.

– Mais... Et les petits ?

– Ta tante Alix m'a proposé de prendre les deux plus jeunes, chez elle, à Arnhem. Pour les autres, qui resteront avec moi, j'engagerai une femme, ne t'inquiète pas. Pour l'heure, je ne songe qu'à toi, à ton éducation. Tu es douée, ma chérie, il faut cultiver ces dons. Je m'en

21

voudrais beaucoup si, par égoïsme, j'entravais leur épanouissement.

Malgré sa tristesse, il réaffirme cette préférence, ce souci qu'il a toujours eu d'elle. Le coude droit appuyé sur la table qui les sépare, il fourrage dans sa barbe, la caresse, la tiraille, tic qui lui vient chaque fois qu'il est embarrassé ou trop ému, Margaretha le sait bien. Qu'a-t-il à lui annoncer de si désagréable ou de si grave qu'il hésite encore et cherche ses mots ? Elle attend.

– J'ai envisagé toutes sortes de solutions, reprend-il, mais que je m'arrête à l'une ou à l'autre cela implique pour nous l'éloignement, la séparation… Je n'ai pas voulu prendre de décision avant de te consulter. Écoute, je me suis renseigné, on m'a parlé d'un pensionnat à La Haye qui accueille les jeunes filles de bonnes familles et assure leur éducation.

– La Haye !

Ce cri a jailli de la poitrine de Margaretha sans qu'elle ait pu le retenir. Elle le regrette aussitôt, baisse la tête.

– Oui, je sais, ma chérie, c'est très loin, mais je veux le meilleur établissement pour toi. Tu fréquenteras là-bas des demoiselles du beau monde, tu noueras des amitiés…

Il laisse la phrase en suspens, il ne va pas jusqu'au bout de sa pensée, mais elle la devine : il aspire à la voir se hisser au-dessus de sa condition, il veut pour elle une vie brillante, un destin hors du commun, et il l'estime dotée des capacités nécessaires pour combler ses ambitions, réaliser ses rêves. Adam Zelle, tout modeste boutiquier qu'il soit, n'a jamais renoncé à sa folie des grandeurs et ce choix de l'établissement le plus huppé de La Haye en témoigne. C'est un homme qui aime le luxe, la parade, et qui n'a jamais regardé à la dépense : Antje Zelle, qu'il ne pourra plus choyer, lui reprochait souvent de mener un train qui excédait leurs moyens. Mais à présent Antje n'est plus là pour le rappeler à la mesure et se plaindre de sa prodigalité. C'est Margaretha qui s'inquiète en son for intérieur : comment assumera-t-il les frais de son éducation à La Haye ?

– La pension sera très coûteuse, ose-t-elle remarquer au bout d'un moment.

– Ne te soucie pas de cet aspect des choses. Je me débrouillerai, a-t-il conclu.

Dès lors, elle a su qu'elle partirait et, même si elle en concevait quelque appréhension, elle n'était pas fâchée, au fond, de quitter Leeuwarden, cette petite ville paisible, trop paisible, assoupie au milieu de ses eaux plates et toujours voilée de brume.

Plus tard, dans la maison obscure et silencieuse, une chandelle à la main, elle est allée d'un lit à l'autre, s'est penchée sur les petits, et après s'être assurée qu'ils étaient bien couverts, qu'ils dormaient profondément, elle a enfin regagné sa chambre.

Elle s'est déjà déshabillée, a revêtu sa longue chemise de coutil blanc et va se coucher à son tour – elle se sent si lasse au bout de cette terrible journée – quand la pensée de son père la frappe comme un reproche. Il n'est pas descendu dîner : enfermé avec la morte, il doit pleurer encore. Vite, elle jette sur ses épaules une cape de lainage – il faut se prémunir contre l'humidité qui stagne dans les couloirs et vous transperce les os –, elle rallume sa chandelle et, l'élevant devant elle, ouvre sa porte sur les ténèbres.

Dans la chambre où repose le spectre pâle d'Antje Zelle, quatre cierges sur six se sont éteints et ceux qui brûlent encore achèvent de se consumer, creusant l'ombre de leur flamme tremblante et parcimonieuse. Debout sur le seuil, Margaretha cherche son père des yeux, le découvre enfin affalé contre le lit, mi-assis, mi-agenouillé, dans l'attitude grotesque où le sommeil l'a surpris. Elle avance, Margaretha, elle s'approche de ce corps lourd, terrassé par le chagrin et la fatigue, elle le contemple en silence, le cœur serré : les lunettes ont sauté et chevauchent le nez de travers, suivant la déformation de la joue qui s'appuie au matelas, le col de la chemise bée sur la poitrine couverte d'un friselis de poils noirs, les cheveux sont mêlés en broussaille, un filet de

23

bave s'écoule à la commissure des lèvres. Cette vision peu ragoûtante du père bien-aimé pourrait la révulser, mais non : tel qu'il est là, trahi, abandonné, il l'émeut, elle l'aime plus que jamais. Il va prendre froid, se dit-elle, et son regard parcourt la chambre en quête de quelque vêtement, repère une forme vague, là, sur un fauteuil : la pelisse d'Adam Zelle justement ! Elle s'en saisit, la déploie au-dessus de son père et doucement, très doucement, lui en enveloppe les épaules, en rabat les pans sur sa poitrine, son ventre, ses jambes. Après quoi, elle s'incline vers l'homme endormi, pose un baiser léger sur son front et murmure : « Bonne nuit, monsieur le Baron ! »

Hier est arrivé de La Haye un courrier qui contenait un descriptif complet et très précis du trousseau que les pensionnaires admises sont « impérativement » invitées à se procurer. Cette liste, qu'elle conserve depuis lors sur elle, pliée en quatre dans une poche de son tablier, Margaretha l'exhibe à tout moment et ne se lasse pas de la relire. Sans leur faire grâce de la moindre pièce qui composera son futur trousseau, elle en a déjà fait l'énumération à ses frères et sœurs, puis à Mme Nooten, la nouvelle gouvernante qui veillera désormais sur les destinées du foyer. Elle n'en finit pas de se la réciter, cette liste, elle la déclame à travers la maison de sa voix au registre très bas – une tessiture de contralto, un organe de tragédienne, affirme son père –, elle lui donne la forme, la force d'une cantilène et la débarrasse de toute trivialité.

– *Une demi-douzaine de pantalons.*
– *Une douzaine de mouchoirs.*
– *Serviettes et gants de toilette (nombre laissé à l'appréciation des postulantes).*
– *Trois corsets.*
– *Trois cache-corsets.*
– *Quatre jupons.*
– *Quatre guimpes.*

24

– *Bas de fil ou de coton.*
– *Deux chemises de nuit et leurs bonnets.*
– *Une paire de gants blancs.*
– *Une paire de gants bleu marine.*
– *Deux paires de bottines noires..*
La robe-uniforme ainsi que la cape de sortie seront fournies par l'établissement et ultérieurement facturées aux familles des jeunes filles.

En bas de page, un additif en caractères gras précise que chaque pièce du trousseau devra être marquée au nom de sa propriétaire.

Propriétaire ! Ce mot qui, de prime abord, lui a semblé quelque peu inadéquat, voire pompeux, commence à plaire à Margaretha : elle qui n'a jamais rien possédé en propre va donc se trouver « propriétaire » d'un joli lot de chiffons, comment ne s'en réjouirait-elle pas ? Dans la perspective de ces achats, son père lui a remis tout à l'heure une poignée de florins qu'elle a aussitôt serrés dans sa petite bourse en mailles d'argent. Ni lui ni elle n'ont idée du montant des dépenses à engager pour se fournir en pantalons, corsets, chemises, bas, etc. Mais dès demain Margaretha se rendra dans les boutiques de lingerie, chez le chausseur, chez le mercier, quelle fête ce sera, une grande première dans sa vie, elle s'en fait une joie à l'avance ! Et si la somme qu'elle détient se révèle insuffisante, elle demandera à son père d'autres florins : n'a-t-il pas promis de lui en donner autant qu'il faudrait ? Ne lui a-t-il pas assuré qu'elle arriverait à La Haye vêtue et équipée comme une princesse ?

Il y a une semaine à peine que la mère a été portée en terre. Margaretha a obtenu de son père l'autorisation de puiser dans la garde-robe de la défunte et, ce matin, alors qu'elle s'apprête à aller faire ses emplettes, l'idée lui vient d'essayer le manteau de taupé qu'Antje Zelle a si peu porté, elle qui ne sortait jamais que contrainte et forcée. Elle l'enfile, se plante devant le miroir en pied

25

de la chambre maternelle qui lui renvoie une image désobligeante, à la limite du grotesque : le manteau lui couvre à peine les mollets alors qu'il arrivait aux chevilles de sa mère, et il en va de même pour les manches, beaucoup trop courtes pour ses longs bras. C'est que, avec son mètre soixante-quinze, elle a déjà atteint sa taille adulte et dépasse d'une bonne tête toutes ses camarades et la plupart des femmes de son entourage. Déçue, furieuse, elle se débarrasse en hâte de son déguisement malencontreux, le jette à la volée, puis soudain se ravise : si le manteau est inutilisable, au moins pourrait-elle en prélever le collet en petit-gris et porter le manchon assorti ?

Un quart d'heure plus tard, la voici qui sort de la maison au bord du canal : drapée dans sa cape, le collet de fourrure autour du cou, les mains fourrées dans le manchon − elles serrent la bourse qui contient les florins −, elle a assez fière allure, Margaretha-Gertrud Zelle. Abusés par sa haute silhouette, ceux qui vont la croiser dans les rues de Leeuwarden la prendront pour une femme faite et une jolie femme, ma foi !

Elle est assez de cet avis, Margaretha, elle se sent, elle se sait agréable à regarder, et tandis qu'elle va − d'abord, s'occuper de la lingerie −, elle surveille sa démarche, balance les hanches, redresse le buste, et prend soin de porter haut sa tête couronnée de tresses brunes.

Dans la première boutique, quand on étale devant elle les pantalons, les jupons, les corsets, elle a un moment de perplexité : que choisir dans ce déballage affolant de lingerie où le simple calicot et le piqué voisinent avec la batiste la plus fine, les dentelles de Bruges et les points de Venise ? La vendeuse ne cesse de lui présenter et de déployer sous ses yeux des articles semblables quant à leur fonction mais qui diffèrent du tout au tout par la qualité et la préciosité des tissus, la finition du travail de couture. On lui montre pêle-mêle des dessous pour filles du commun et du beau linge digne de voiler la nudité d'une marquise : en fait, le tout-venant de la confection et l'exception du luxe. Elle hésite, Margaretha, ses mains palpent les étoffes, caressent des flots de broderie

26

anglaise, ses doigts se perdent dans les volants de malines et de valenciennes, son œil la porte à reconnaître la fanfreluche de prix et son goût à la préférer, mais elle craint de commettre une bévue en laissant voix à son inclination naturelle. Pas un instant, elle ne s'inquiète de la différence de coût qui doit forcément sanctionner la différence de qualité : elle est comme son père, elle ne sait pas compter, elle ne le saura jamais. La vendeuse, un sourire obligeant sur les lèvres, attend qu'elle se détermine. Histoire de s'accorder un répit, Margaretha sort de son réticule la liste qu'elle connaît pourtant par cœur et la consulte une fois encore : elle veut vérifier si elle comporte des instructions quant à la qualité du trousseau, justement. Doit-on opter pour la modestie et la simplicité plutôt que pour les falbalas et les soyeuses tentations ici proposées ? La direction du pensionnat reste muette sur la question. Ce constat a raison des derniers scrupules de la jeune fille : sa décision est prise, elle s'offrira ce que la boutique contient de plus beau. Sans plus atermoyer, elle désigne les pièces sur lesquelles elle a jeté son dévolu et, après qu'elle a payé, d'un air très crâne, s'adresse à la vendeuse.

– J'attends livraison de mes achats, cet après-midi, 28 Groote Kerkstraat.

Car Adam Zelle lui a dit un jour que les « dames » ne se chargeaient jamais de paquets mais se les faisaient livrer à domicile. Elle n'a pas oublié la leçon.

Deux jours ont suffi à Margaretha pour rassembler les pièces de son trousseau. Bien sûr, son parti pris de luxe a contraint Adam Zelle à débourser quelques poignées de florins supplémentaires mais il ne lui en a pas fait reproche, au contraire : il n'est pas homme à rechigner lorsqu'il s'agit de gâter sa fille, son espérance, son étoile.

Maintenant, il reste à respecter la dernière consigne, à savoir marquer tout ce linge au nom de sa « propriétaire », Margaretha-Gertrud Zelle. Mais comment faire ? La jeune fille ne sait pas broder et s'en trouve bien marrie. Cette incapacité l'agace, le problème du « marquage » l'obsède et lui paraît insoluble jusqu'au moment où elle songe à Mme Nooten, la nouvelle gouvernante. Seulement, Mme Nooten est déjà accablée par les tâches ménagères et les soins à donner aux enfants, jamais elle ne consentira à se charger d'une besogne qui n'entre pas dans ses attributions. Pour la circonvenir et si elle veut parvenir à ses fins, Margaretha va devoir mettre en œuvre toute sa séduction, en appeler à la compassion de la gouvernante, faire vibrer ses cordes sensibles. N'est-elle pas orpheline, après tout, et orpheline d'une mère coupable de défaillances ?

Pour entamer ses manœuvres d'approche, elle attendra l'heure propice, celle où, le soir venu, les petits couchés, la gouvernante peut s'accorder quelque récréation. Ces moments, Mme Nooten les occupe d'ordinaire à lire les gazettes ou à faire des réussites sur un guéridon, dans la salle commune.

Voilà, on n'entend plus un cri, plus un bruit dans la grande maison assoupie. Après le dîner, Adam Zelle a regagné son arrière-boutique où il brasse d'éternelles paperasses et passe ses soirées à mettre à jour son courrier commercial. La jeune fille se glisse dans la pièce où déjà Mme Nooten s'est installée devant son guéridon : elle se penche par-dessus l'épaule de la femme, examine les cartes étalées, ce jeu solitaire pour lequel elle n'éprouve aucun goût et qui ne l'intéresse pas le moins du monde. Mais elle dit tout autre chose et elle le dit avec une timidité feinte, sur un ton admiratif :

— Comme vous manipulez les cartes, c'est étourdissant ! Je n'y comprends rien, vous m'apprendrez, dites ?

— Il vous reste beaucoup de choses à apprendre, il me semble, bougonne la bonne femme.

Elle n'est pas à prendre avec des pincettes, ce soir, se dit Margaretha, mon affaire est bien mal emmanchée. Surtout ne pas la contrarier, passer plutôt à la supplique.

— C'est vrai, madame Nooten, j'ai encore beaucoup à apprendre... Par exemple, on ne m'a jamais enseigné la broderie et me voilà bien embarrassée avec ce trousseau qu'il faut marquer.

La carte que tient Mme Nooten reste en l'air, le bras

28

se fige, puis retombe : la carte vient en recouvrir une autre.

– Comment ? Vous ne savez pas broder, grandette comme vous êtes ? Que vous a donc appris votre mère ?

– Rien, madame. Elle avait trop peu de santé.

Margaretha se félicite de leurs postures respectives qui favorisent ses plans : la gouvernante assise, éclairée par le halo de la lampe, elle debout, le visage dans l'ombre, et sur ce visage un sourire fugace – car elle sent qu'elle a ferré son poisson –, un sourire que l'autre ne peut en aucun cas soupçonner.

– Ma pauvre petite !... C'est bien du malheur pour une famille quand la mère ne remplit pas ses devoirs.

– Elle ne pouvait pas, vous savez, elle était si fragile... Toujours malade, toujours couchée, les forces lui manquaient.

Bienheureuse Margaretha ! La rouée trouve sans effort les paroles qui grignotent le cœur de l'autre, les mots mêmes qui viendraient aux lèvres d'une fille aimante, refusant de porter un jugement sur sa mère, respectant sa mémoire et la défendant envers et contre tout. C'est bien, c'est très bien, c'est même gagné car, soudain, Mme Nooten repousse ses cartes, se tourne vers elle et, de sa voix bourrue – mais enrouée par l'émotion – ordonne :

– Alors ? Ne restez pas plantée là ! Qu'attendez-vous ? Allez donc chercher ce linge, nous allons nous y mettre tout de suite !

Le pensionnat est situé au bord d'une élégante avenue de la grande cité et ses bâtiments de brique brune forment un U qui enferme une grande cour dallée. A l'arrière s'étend un vaste et paisible jardin ; les bosquets sont taillés, les allées bien entretenues, pas une herbe folle qui vienne contrarier l'harmonie de l'ensemble. Telle est la perception qu'a Margaretha du lieu où elle va vivre désormais. Dans quelques mois, elle le verra tout autrement et la disposition des bâtiments ne lui évoquera plus un U mais un aimant dont les branches, ouvertes vers l'extérieur, sont destinées à attirer l'argent des parents assez riches et vaniteux pour confier leur progéniture à cette institution.

Dans les premières heures qui suivent son arrivée, elle se tient à l'écart et se contente d'observer la nuée de filles rieuses et jacassantes qui l'entoure. Elles sont une trentaine tout au plus, triées sur le volet. En ce jour de rentrée, il s'agit tout d'abord de procéder aux formalités d'admission et d'installation. On distribue aux jeunes filles une circulaire où sont imprimés les articles du règlement en vigueur et on les invite expressément à s'en imprégner. La lecture de ce texte hérisse aussitôt Margaretha, déjà elle se cabre contre une discipline et des pratiques qu'elle juge absurdes. Quoi ? Il lui faudra vivre une semaine en dortoir avant d'avoir une chambre qu'elle devra encore partager avec une autre ? C'est le principe de la maison, lui explique-t-on. La première semaine vécue en communauté a pour but de révéler des liens, des « affinités » dit-on ici, entre les pensionnaires : au bout de cette période probatoire où elles auront eu tout loisir de faire connaissance, les jeunes filles devront élire la compagne de leur choix, celle avec laquelle elles cohabiteront tout au long de l'année.

Sept jours durant, Margaretha ronge son frein et refuse de frayer avec quiconque : c'est déjà assez pour elle d'être contrainte à la promiscuité des nuits dans le dortoir. En classe, au réfectoire, ce ne sont qu'apartés, conciliabules, dérisoires complots induits par le calcul et fomentés dans le seul but d'élire une « favorite ». Toutes ces manigances en vue de la prochaine répartition des chambres répugnent à Margaretha. Il est hors de question pour elle de faire des avances, de se livrer à cette quête humiliante.

La réunion où chacune aura à énoncer son choix a été fixée après le déjeuner du vendredi, dans la salle du réfectoire. A l'heure dite, une fois les tables desservies, les pensionnaires attendent la directrice, Mme Viehüter, devant laquelle elles auront à exprimer leur préférence.

Des alliances, des complicités se sont déjà formées, et de tous côtés les rires fusent, les filles chuchotent, glous-

30

sent de plaisir et d'excitation. Pourtant, les rires s'éteignent, le silence s'installe aussitôt qu'apparaît Mme Viehüter. C'est une femme d'une cinquantaine d'années qui semble avoir renoncé depuis longtemps à toute prétention à la féminité : le cheveu gris et dru est coupé court, le visage sans fard, le vêtement strict, tout dans son apparence semble fait pour inspirer le respect, voire la crainte.

Son regard sévère plane un instant sur la petite assemblée puis elle annonce qu'elle ne suivra pas l'ordre alphabétique pour interroger les pensionnaires mais s'en remettra au hasard. Et déjà son doigt désigne une élève, une autre...

Quand, à son tour, Margaretha est invitée à désigner l'élue, elle se dresse de tout son haut et déclare :

– Je n'ai fait aucun choix.

La directrice tire sur les basques de sa jaquette, réflexe propitiatoire grâce auquel elle se barde dans son autorité. Puis elle esquisse deux pas en direction de Margaretha, s'arrête :

– Et pourquoi donc, miss Zelle ?

– J'estime que distinguer l'une de mes camarades serait offenser les autres.

Mme Viehüter hoche la tête, scrute la frondeuse avec une attention accrue.

– Voilà une réponse habile, miss Zelle, mais qui ne vous exempt pas de l'obligation de désigner quelqu'un. Le règlement exige que vous donniez un nom.

– Je regrette, madame, je n'en donnerai pas.

Elle dit cela avec un grand calme et beaucoup de détermination, les yeux plantés dans ceux de son interlocutrice.

Tant d'insolence dans le ton et de morgue dans l'attitude fait vaciller le regard de Mme Viehüter. Jamais une élève n'a eu le toupet de se comporter de la sorte en sa présence. Elle ne peut tolérer l'affront, il faut sévir dans la seconde, réduire la rebelle devant ses camarades, la mâter. La chasser. Déjà se forment sur ses lèvres les mots d'une condamnation sans appel, quand elle se souvient que M. Adam Zelle a réglé d'avance deux ans de pen-

31

sion pour sa fille : l'expulsion pure et simple n'est guère possible en pareil cas, il va falloir composer. Mme Viehüter s'accorde un petit temps — il ne faut pas que sa voix la trahisse — et, en lieu et place des foudres qu'elle s'apprêtait à abattre sur la jeune fille, demande simplement :

— Et si personne ne vous désigne, miss Zelle ?

— Eh bien, je resterai seule et je m'en porterai fort bien.

Mais Margaretha-Gertrud Zelle ne restera pas seule : la jeune Mary van Shoonbeke a exprimé son désir de l'avoir pour partenaire de chambre alors que la « consultation » prenait fin. Le regard de Mme Viehüter qui, depuis leur affrontement, évitait Margaretha de façon ostensible, est revenu sur elle :

— Alors, miss Zelle, qu'en dites-vous ?

— J'accepte, a répondu Margaretha.

Et elle a souri à Mary.

Car cette petite Mary lui plaît. Elle est sa cadette de deux ans et, avec ses boucles blondes, ses joues roses, ses yeux bleus et candides, on la croirait issue de la couvée Zelle. Oui, c'est cela, Mary lui rappelle ses frères et sœurs, elle en est un substitut, un condensé ravissant, sa compagnie l'aidera sans doute à surmonter la mélancolie qu'elle éprouve parfois d'avoir quitté la chère ribambelle sur laquelle elle régnait à Leeuwarden.

Le beau capitaine

La toute ravissante Mary van Shoonbeke est la fille unique d'un diamantaire d'Amsterdam. Elle a cet âge des élans passionnés où l'être vibre tout entier dans une tension éperdue vers un objet d'amour auquel se dévouer, auquel tout donner. Sitôt qu'elle a vu Margaretha Zelle, si grande, si belle, si différente des autres — ces dindes affectées et grassouillettes —, elle a su qu'elle l'avait trouvé. Que Margaretha ait eu le front de contrevenir à la règle avec un tel aplomb, une telle superbe, l'a confortée dans ce sentiment. Pourtant, jusqu'à la fin de la « consultation », jusqu'au moment où elle a prononcé le nom de l'élue, Mary a eu peur. Et si Margaretha refusait à nouveau, si elle la rejetait ? Mais, dieu merci, elle a accepté, elle a eu ce sourire que Mary n'oubliera jamais.

Le piédestal dressé par la jeune van Shoonbeke à son intention convient parfaitement à Margaretha : l'air des hauteurs est pour elle le seul qui vaille d'être respiré. Dans sa famille déjà on l'idolâtrait : elle est habituée à ce statut de divinité, elle a toujours été admirée, adulée par les siens. Mary van Shoonbeke a pris le relais, rien de plus naturel.

Jour après jour, semaine après semaine, mois après mois, elle assure son emprise sur sa compagne et sculpte sa propre statue qui domine la petite communauté de

33

l'institution. Ses dons naturels lui sont des atouts dont elle sait tirer le meilleur parti. La capacité de réplique qu'elle a montrée face à Mme Viehüter ne fait que s'affirmer et force la considération de ses professeurs qui préfèrent éviter tout différend avec elle. Au demeurant, pas un seul ne peut se plaindre de son assiduité au travail et de ses résultats : elle a une facilité singulière à assimiler les langues étrangères et, lorsqu'elle quittera l'établissement au bout de quatre ans, elle saura lire, écrire et parler le français, l'anglais, l'allemand et l'espagnol.

Chez les van Shoonbeke, on l'accueille lors des vacances scolaires car Mary ne saurait se passer d'elle et la prie de l'accompagner à Amsterdam chaque fois qu'elle va séjourner dans sa famille. Dans les premiers temps, il faut la supplier mais très vite Margaretha prend goût aux privilèges assortis au luxe dont elle jouit chez son amie. Les van Shoonbeke ont de la fortune et vivent sur un pied qu'elle aurait été bien incapable d'imaginer, là-bas, dans la modeste maison du chapelier, à Leeuwarden. Dans la grande demeure de Mary, elle dispose d'un charmant petit appartement que l'on prépare pour elle à chacune de ses venues : chaque fois, elle y trouve des brassées de fleurs, des bonbons, des fruits en corbeille et même du papier à lettres au chiffre des van Shoonbeke. Une petite femme de chambre est affectée à son service, qui lui parle à la troisième personne, qui vient chaque soir s'enquérir de ses désirs et recevoir ses ordres.

— Mademoiselle prendra-t-elle du thé, du café ou du chocolat pour son petit déjeuner ? Mademoiselle veut-elle que je lui prépare un bain ? Mademoiselle a-t-elle choisi la robe qu'elle portera demain ?

Et parce que « Mademoiselle » adore être traitée de la sorte, elle fait des caprices, son goût change tous les jours, tantôt elle a envie de thé, tantôt de chocolat, tantôt de café. Certains soirs, elle désire un bain, d'autres pas. L'essentiel est d'entendre la délicieuse litanie des questions et de laisser son humeur du moment y répondre. Lorsque la femme de chambre se retire, lorsqu'elle est apprêtée pour la nuit, « Mademoiselle » s'installe devant le bonheur-du-jour dans le salon contigu à sa chambre et écrit à son père sur le papier à lettres des van Shoonbeke.

> *Mon cher père,*
> *Encore une fois, me voici à Amsterdam pour la durée des vacances. Je n'ai guère à m'en plaindre, comme bien vous pensez. Mary et ses parents m'entourent des attentions les plus délicates et s'emploient à rendre mon séjour aussi agréable que possible. Je regrette seulement que vous ne puissiez voir la somptuosité du décor dans lequel je vis ici : nul doute que vous en seriez enchanté.*
> *Nous sommes arrivées il y a trois jours. Une surprise nous attendait devant la gare : un joli cabriolet stationnait là, cadeau de M. van Shoonbeke à Mary pour son anniversaire. La similitude des situations m'a rappelé la belle voyageuse qui vous tenait pour un gentleman et qui nous salua avant de monter dans son coupé, naguère, à Leeuwarden. Vous en souvenez-vous, cher petit papa ?*
> *Dès lors que l'on possède la richesse, la vie est une fête perpétuelle, le moindre de vos désirs est exaucé, et même devancé. Je m'en aperçois ici, parmi mes hôtes, et aussi au pensionnat où la plupart des jeunes filles viennent de familles nanties. Ceci est une remarque que j'écris au fil de ma pensée et non un reproche, mon cher papa, n'allez pas imaginer que je regrette d'être née dans une famille modeste et que je réagis en ingrate. Tout au contraire, je m'estime heureuse d'avoir un père tel que vous et je vous suis tous les jours reconnaissante de m'avoir envoyée à La Haye. Surtout, je mesure à chaque instant les sacrifices que vous avez dû consentir pour m'offrir la meilleure éducation et l'existence « dorée » dont je bénéficie depuis que je vis ici.*
> *N'oubliez pas de saluer de ma part Mme Nooten et embrassez fort ma petite ribambelle qui me manque tant. Dites-leur aussi que j'espère vous retrouver tous à la fin de l'année.*
> *Mille tendresses de votre fille affectionnée.*
> *Margaretha*

Margaretha ne croit pas si bien dire lorsqu'elle évoque les « sacrifices consentis » par Adam Zelle pour assurer son avenir. Le 16 février 1895, elle reçoit de sa tante paternelle un message dont le laconisme exaspère le caractère brutal et terrifiant : Adam Zelle est ruiné, il doit vendre la maison de Leeuwarden, il ne pourra plus assumer les frais de l'éducation de Margaretha.

A cette nouvelle, la jeune fille s'est toujours attendue et même préparée. Elle aurait préféré que son père la lui annonçât lui-même mais elle ne lui tient pas rigueur d'avoir délégué cette pénible mission à sa sœur ; elle devine quelles affres il doit traverser et l'humiliation qui est la sienne. Il faut qu'elle le rassure, qu'elle lui témoigne toute l'affection et la gratitude dont son cœur déborde. Vite, elle doit faire vite ! Par chance, Mary suit un cours de dessin facultatif et elle se trouve seule dans la chambre qu'elles partagent. Elle s'assoit à sa table de travail, arrache une feuille d'un cahier de classe – il n'est plus question d'utiliser le beau papier armorié des van Shoonbeke – et se met à écrire. Sa plume court vite, au rythme de la pensée émue, effusive, qui l'anime. Elle dit à son père qu'il ne doit pas se soucier d'elle, elle lui rappelle qu'elle a plus de dix-huit ans, qu'elle a presque achevé le cycle de ses études. Quelques mois de plus ou de moins n'y changeront rien, elle se sent forte, elle se sent prête à affronter la vie à l'extérieur. D'ailleurs, ajoute-t-elle, je vais bientôt me marier, vous ne m'aurez plus en charge et, pour la première fois, elle cite le nom de Rudolph Mac Leod.

Car si Adam Zelle lui a caché la mauvaise gestion de ses affaires et sa banqueroute, elle n'est pas en reste sur le chapitre de la dissimulation. Elle entretient des relations épistolaires avec le major Mac Leod depuis quelques semaines et seule Mary est dans le secret. Mary est même sa complice puisqu'elles ont découvert ensemble cette annonce matrimoniale dans le Nieuws van den Dag : *Capitaine de l'armée des Indes, quarante ans, en congé en Hollande, cherche jeune femme en vue mariage.* D'abord elles en ont fait des gorges chaudes, ce libellé les amusait follement. Mais l'esprit aventureux de Margaretha a voulu qu'elle pousse plus loin la plaisanterie : elle a répondu au capitaine Mac Leod, elle a même glissé dans l'enveloppe une photo où on la voit en pied, cambrant sa taille mince, et une autre qui cadre son étrange et beau visage...

Rudolph Mac Leod a réagi aussitôt : il désirait la rencontrer, il la priait de fixer un rendez-vous.

Mais si les pensionnaires sont autorisées à communiquer avec l'extérieur et que l'on n'exerce aucun contrôle sur leur correspondance, elles ne peuvent quitter l'institution sans avoir décliné au préalable les motifs qui justifient une sortie. Informer Mme Viehüter qu'elle souhaite rejoindre un galant recruté dans la colonne des annonces matrimoniales ? Cette seule idée a fait pouffer les deux jeunes filles, le fou rire qui les a prises leur a tiré des larmes mais Margaretha a dû en rester là : tant qu'elle n'aurait pas trouvé un moyen d'abuser la confiance de la directrice, impossible de rencontrer le beau capitaine. Car, naturellement et bien qu'il ait le double de son âge, elle l'imagine sanglé dans son uniforme de l'armée des Indes et donc paré de toutes les séductions. Elle l'imagine, elle le rêve, elle lui écrit : elle lui demande de patienter, elle lui explique qu'elle attend une opportunité pour le rejoindre.

Il y a trois semaines qu'ils échangent ainsi lettres et billets quand cette opportunité se présente enfin. Margaretha la voit aussitôt se profiler derrière l'affligeant message qu'elle vient de recevoir. Faute du règlement de ses frais de pension, il va lui falloir quitter l'institution et aller s'installer chez la sœur de son père, comme celle-ci le lui propose. Dictée par le strict sentiment du devoir, cette offre d'hospitalité est formulée sans chaleur, mais peu importe : par chance, sa tante Grethe vit à La Haye et, bien qu'elle ne l'aime guère, Margaretha estime que cette solution de repli en vaut une autre et vaut même mieux que toute autre puisqu'elle favorisera ses projets amoureux. Sitôt qu'elle se sera soustraite à la vigilance de Mme Viehüter et se retrouvera libre, elle fixera un rendez-vous au capitaine Mac Leod.

Bien sûr, dans cette lettre qu'elle écrit à Adam Zelle

et qu'elle veut consolante, réconfortante, Margaretha anticipe sur les événements et maquille la vérité : elle annonce tout de go qu'elle va bientôt se marier alors qu'elle ne connaît pas encore son prétendant, et ne dit rien de l'annonce matrimoniale. A quoi bon inquiéter son père déjà accablé de soucis ? Margaretha a été dressée à bonne école, à la haute voltige de l'affabulation : Adam Zelle lui a enseigné que le mensonge était bel et bon dès lors qu'il ne portait pas à conséquence et pouvait agrémenter l'existence. Depuis longtemps, la vérité est pour la jeune fille un matériau malléable à plaisir ; aussi s'entend-elle à le contraindre, à le repousser, à le déformer, à le soumettre aux fantaisies de son esprit. Dans cet art d'orfèvre, où elle progresse sans effort, elle excellera bientôt.

Mary van Shoonbeke pleure. Elle ne peut se résoudre à la séparation. D'une voix mouillée, entrecoupée de sanglots, elle réaffirme son attachement à Margaretha, elle la supplie de ne pas l'abandonner.

La nuit a été longue, et blanche : interminable. Margaretha a dû consoler son amie, lui représenter qu'elle ne pouvait accepter les subsides des van Shoonbeke, que sa fierté le lui interdisait. Car tel était bien l'arrangement imaginé par Mary : demander et obtenir de sa famille qu'elle se substitue à M. Zelle et pourvoie aux frais de pension de Margaretha jusqu'à la fin de l'année scolaire.

La matinée du 28 février 1895 est déjà bien entamée et ni les arguments ni les lamentations de Mary n'ont réussi à fléchir Margaretha. Dans une heure à peine, une voiture envoyée par sa tante viendra la chercher et elle franchira sans retour le seuil de cette institution où elle a passé quatre années de sa vie.

Déjà, les bagages de Margaretha sont entassés près de la porte et chaque fois que Mary porte ses yeux rougis sur sa pendulette de chevet — elles galopent les aiguilles, elles galopent si allégrement ! —, elle sanglote de plus belle.

Déjà Margaretha a passé son long manteau garni du

collet de petit-gris, déjà elle s'apprête à enfiler ses gants quand soudain elle suspend son geste et vient s'agenouiller près du lit où Mary, abîmée dans ses oreillers, étouffe son désespoir. A mains nues, elle entreprend de caresser les boucles en désordre de la petite Van Shoonbeke, elle lui tapote le dos, elle dit avec douceur :

— Mary, sois raisonnable. Nous nous reverrons, je te le promets. Après-demain, je rencontrerai le capitaine Mac Leod et d'ici peu nous nous fiancerons, puis nous nous marierons. Je t'inviterai à la cérémonie, tu seras même mon témoin, qu'en dis-tu ?

Le fait est qu'impatiente et peu désireuse de croupir d'ennui chez sa tante elle a déjà signifié à Rudolph Mac Leod qu'elle quittait le pensionnat et pouvait le retrouver le 2 mars à quinze heures devant le musée royal de Peinture.

— Dans deux jours, Mary, dans deux jours, je le verrai enfin, murmure-t-elle tout contre l'oreille de son amie.

Mais elle n'obtient aucune réaction. Alors elle baise un bout de joue humide, se redresse, enfile ses gants pour de bon et sort de la chambre. Le cocher viendra dans un instant enlever ses bagages.

Pendant ces heures qui la séparent du 2 mars, elle s'inquiète de sa toilette, de l'aspect qu'elle offrira lors de ce premier, de ce bouleversant rendez-vous. Comment s'habiller, quels accessoires choisir et quels écarter lorsqu'on s'apprête à rejoindre un inconnu que l'on veut séduire et, le cas échéant, épouser ? Dans la petite chambre que sa tante lui a octroyée, d'éprouvants débats opposent Margaretha à Margaretha, de longs conciliabules la tiennent éveillée fort avant dans la nuit, aux prises avec ses deux personnalités antagonistes qui s'affrontent. L'une d'elles est d'avis qu'il faut se montrer à son avantage coûte que coûte, et recourir au fard pour se vieillir, si nécessaire, car on ne doit pas oublier que le capitaine Mac Leod n'est plus un jeune homme. L'autre, plus timorée, préférerait que le charme de la jeunesse triomphe à lui seul et préconise le naturel. Quelle blague, ricane Margaretha I, on ne séduit qu'au moyen d'artifices, ma belle, tu serais bien sotte de t'en priver. Margaretha II est ébranlée et se rend peu à peu aux raisons de Margaretha I : user d'artifices, elle veut bien, s'ils sont vraiment indispensables, mais lesquels ? Eh bien, il faut éviter avant tout d'avoir l'air de ce que tu es en vérité : une oie blanche. Ton innocence pourrait effaroucher le beau capitaine, rappelle-toi que tu as affaire à un militaire, un officier qui a parcouru le monde et doit tout connaître de la vie. Il s'agit de le surprendre, de l'impressionner, de le subjuguer, et cela, dès le premier regard. Il s'attend à voir arriver un tendron, une petite godiche qu'il se fait fort d'éblouir avec ses galons et son uniforme : surtout pas de ça, ma chère ! Si quelqu'un doit être ébloui, c'est lui ! Oui, mais comment ? répète Margaretha II. D'abord, tu vas emprunter à tante Grethe sa robe de faille grise, celle qui a une tournure et qu'elle réserve pour les grandes occasions. Mais elle ne voudra jamais ! proteste Margaretha II. Elle voudra, si tu sais t'y prendre. Tu lui demanderas aussi de te prêter sa toque et son manchon d'astrakan. Il fait bigrement froid en ce moment et ce ne sera pas de trop. Sans compter que l'astrakan est une fourrure qui te place sa « dame ». Margaretha I s'exprime avec une fougue et une conviction qui achèvent de confondre la pauvre Margaretha II. La tante ne nous a recueillies que pour être en paix avec sa conscience, affirme-t-elle, elle se trouverait très soulagée de notre départ. Tu n'as qu'à l'informer que tu vas te marier, que tu as besoin de son aide : je parie qu'elle sera trop contente de prêter la main à l'entreprise et t'ouvrira toute grande sa garde-robe. Tu crois ? a demandé Margaretha II. J'en suis certaine, a répondu l'autre.

Et enfin rassérénées, réconciliées, réunies en une seule Margaretha, elles se sont endormies.

« Prends une voiture fermée et demande au cocher de t'arrêter face au musée. » Telle est la dernière consigne émise par la Margaretha énergique et inventive — Margaretha I – qui régente sa vie, dirige ses actes et à laquelle, le plus souvent, elle se soumet. Elle porte la robe de faille grise à tournure, elle a déjà coiffé la toque d'astrakan et fourré ses mains dans le manchon emprunté à sa tante. Elle est fin prête et pourtant elle ne se décide pas à sortir. Pourquoi devrait-elle choisir une voiture fermée, et pourquoi ne pas se faire déposer devant le musée même ? A quoi rime ce stratagème ?

Constater que chacune de ses suggestions suscite des réticences et nécessite une explication irrite Margaretha I au plus haut point. Aussi prend-elle la mouche et hausse-t-elle le ton : Imagine que ton capitaine arrive au rendez-vous avant toi, ce qui, selon toute probabilité, sera le cas. Dans cette hypothèse, si tu te trouves en voiture fermée et à distance, tu auras tout loisir de l'observer sans être vue. Imagine encore qu'il soit laid, contrefait, qu'il ne corresponde pas du tout à ce que tu espères : si son aspect s'avère rédhibitoire, tu n'auras plus qu'à donner l'ordre au cocher d'aller son chemin et tu éviteras ainsi de t'engager dans une romance qui tournerait court. Voilà pourquoi je te conseille de procéder de la sorte, ma chère !

Il est un peu plus de quinze heures quand la voiture se range face au musée royal de Peinture, de l'autre côté de la place. Margaretha suit à la lettre la stratégie qu'elle vient de mettre au point avec son alter ego : elle écarte à peine le petit rideau qui obture la vitre, dirige son regard vers la façade du musée. Il est là ! Enfin, il y a là un officier qui arpente le trottoir à grandes enjambées, une badine à la main. Il est grand, bien découplé dans son uniforme de l'armée des Indes : c'est lui, c'est Rudolph Mac Leod à n'en pas douter ! Le cœur cogne dans la poitrine de Margaretha-Gertrud Zelle. Elle ne le quitte pas des yeux, évalue sa taille – grand, très grand –, le torse puissant, elle ne distingue pas ses traits à pareille distance mais elle en voit suffisamment pour convenir – avec quel soulagement ! – qu'il n'est ni « laid » ni « contrefait ».

41

Là-bas, à une dizaine de mètres, le capitaine Mac Leod commence à montrer quelque impatience de cette attente qui se prolonge : il va et vient toujours d'un pas nerveux et, de sa badine, frappe à petits coups la tige de sa botte droite. Il attend, il l'attend, elle !

Mais la vie est longue et il ne convient pas à une jolie femme de se précipiter. Prenons le temps de vérifier que tout est en ordre, se dit Margaretha. Elle sort de son réticule un petit miroir qu'elle interroge, qui la rassure : c'est bien, le visage est lisse, ni trop pâle ni trop rouge. Elle rajuste la toque sur sa tête, rassemble l'ampleur de ses jupes, ouvre la portière et, d'un petit saut, se retrouve sur le trottoir.

Une minute plus tard, elle a payé sa course, donné congé au cocher, et la voici à découvert : entre Margaretha Zelle et le capitaine Mac Leod, il n'y a plus qu'une trentaine de mètres de pavés gris.

Il ne la voit pas traverser la place car il a interrompu sa marche pour consulter sa montre-gousset, et lui tourne le dos. Elle s'avance, longue, gracieuse, attend qu'il pivote et revienne dans sa direction, attend qu'il se trouve à quelques pas, et dit :

— Capitaine Mac Leod ?

Il ne répond pas aussitôt, il semble surpris de la découvrir là, comme jaillie de nulle part. Belle apparition, ma foi. C'est ce que dit son regard bleu qui l'enveloppe, la jauge et l'apprécie — elle le sent — à son juste mérite. Mais pour réussi qu'il soit, cet examen muet risque de devenir inconvenant s'il se prolonge. Rudolph Mac Leod semble en prendre soudain conscience, il s'arrache à sa contemplation et fait un pas vers elle, le sourire aux lèvres :

— Ah !... Je commençais à craindre... Belle, plus belle que le portrait...

Il pointe sa badine vers le monument devant lequel ils stationnent :

— Vous voulez peut-être visiter... Je suppose que...

Ce débit haché la déconcerte : il passe du coq à l'âne, il n'achève aucune de ses phrases. Mais s'il croit qu'elle

42

souhaite visiter le musée, il se trompe. Elle dit seulement :

— Non... je le connais déjà.

Si elle le connaît ! Pendant quatre ans, le musée fut le seul but des promenades autorisées aux pensionnaires et organisées par l'institution. C'est la raison pour laquelle, lorsqu'il s'est agi de fixer un lieu de rendez-vous, elle a choisi celui-ci, elle aurait été bien en peine d'en désigner un autre dans cette grande ville inconnue. Mais elle ne l'avouera pas : trop fière.

— Ah ?... Dans ce cas... Il fait froid... Vous réchauffer peut-être ?... Prendre un verre ?

En fin d'après-midi, elle se retrouve assise dans le salon vieillot de sa tante, une pièce-étouffoir avec ses rideaux de serge lie-de-vin toujours tirés, ses coussins en peluche, son devant de foyer en tapisserie, la collection d'œufs en albâtre bien rangée sur la cheminée où ne brûle aucun feu, les dentelles jaunies des appuie-tête qui protègent divans et fauteuils, et sur tous les meubles, consoles, crédences, dessertes, un ramassis de bibelots inutiles et poussiéreux, bref un décor suranné et oppressant : tout ce que Margaretha déteste au monde. D'ailleurs, elle englobe dans cette même aversion la tante Grethe à laquelle ce décor sied à merveille et dont les évolutions évoquent le trotti-trotta d'une souris grise. La vieille dame, toujours trottinant, est accourue des profondeurs de la maison sitôt qu'elle a entendu le pas de la jeune fille dans l'entrée. Tout dans sa mine manifeste qu'elle entend bien obtenir le récit de la rencontre, et qu'en somme la confidence lui est due comme un tribut pour sa compréhension et sa complaisance. N'a-t-elle pas prêté sa robe et ses accessoires ? N'a-t-elle pas fourni les florins qui ont payé la course jusqu'au musée ? Depuis le retour de Margaretha, elle vrombit autour d'elle et la presse de questions :

— Alors ? Dis vite ! Comment est-il ?

C'est une inquisition en règle, à laquelle, faute de pouvoir échapper, Margaretha oppose une certaine réticence et même une résistance ostensible.

— Grand. Plus grand que moi.

— C'est heureux : il faut qu'un couple soit assorti ! Mais encore ?

— Il a les yeux bleus, une moustache bien cirée. Il lui manque quelques cheveux.

— Est-ce à dire qu'il est chauve ? J'espère que tu n'as rien contre les chauves, mon mari l'était, c'est un signe de virilité, ma petite !

L'indiscrétion de sa tante, l'avidité qu'elle met à l'interroger augmentent de minute en minute le malaise de Margaretha qui n'aime pas à être contrainte : elle a décidé de ne dire que le minimum et de ne livrer en aucun cas le fond de son cœur.

— Et beau ? Est-ce qu'il l'est ?

— Il ne paraît pas son âge.

— Tu ne réponds pas à ma question ! Te plaît-il, oui ou non ?

— Oui... je crois. C'est-à-dire qu'il s'exprime d'une drôle de manière.

— Comment cela ?

— Il parle par saccades, d'un ton sec, un peu cassant, et il ne finit jamais ses phrases.

La tante se rejette en arrière dans un éclat de rire qui ébranle sa frêle carcasse.

— C'est la manière militaire, ma fille. Un homme habitué à commander, à donner des ordres. Un officier, m'as-tu dit ?

— Oui, il est capitaine. Mais, tout de même, l'effet est très étrange.

Tante Grethe se penche, prend les mains de Margaretha entre les siennes.

— Tu ne vas pas t'arrêter à ce détail, dis-moi, ce serait trop bête. On ne juge pas un homme sur sa façon de parler. Cette brusquerie cache sans doute des qualités de cœur.

— Sans doute, admet Margaretha tout en s'employant à dégager ses mains. Elle n'aime pas ce contact, elle n'aime pas la curiosité et l'insistance de sa tante qu'elle

44

soupçonne de vouloir la marier à tout prix pour se retrouver quitte de toute obligation envers elle.

— Ce nom, Mac Leod, n'est pas de chez nous. D'où vient-il ?

— Il est d'origine écossaise.

Elle ne précise pas que le capitaine est issu d'une lignée illustre et se targue d'être le descendant du fils d'Olaf le Noir, roi de Man et des Iles. Avouer à tante Grethe que cette flatteuse ascendance constitue à ses yeux la plus grande séduction de Rudolph Mac Leod est hors de question : elle préfère passer sous silence l'information généalogique.

— A-t-il de la famille, du bien ? reprend la vieille. J'espère que vous vous êtes entretenus de ces choses ?

— Il lui reste une sœur qui est veuve et vit à Amsterdam. Il n'a que sa solde d'officier mais il affirme qu'elle est confortable.

— Parfait ! Je m'en vais de ce pas écrire à ton père. Il sera très heureux d'apprendre que te voilà quasiment fiancée.

— Non ! Je vous en prie, ne lui en dites rien ! D'ailleurs, nous ne sommes pas fiancés.

— Comment cela ? Le capitaine ne t'a pas parlé d'avenir ? Vous n'allez pas vous revoir ?

— Si, mais vous allez trop vite. Je le connais à peine.

La tante, un instant alarmée, grogne dans un soupir :

— C'est bon, c'est bon, je ne veux pas te presser. Mais n'oublie pas que, dans ta situation, les prétendants ne vont pas se bousculer à la porte et l'occasion de trouver un bon parti ne se représentera pas de sitôt.

Lady Mac Leod

La photographie passe de main en main et chacun y va de son commentaire : les buveurs surenchérissent dans l'allusion grivoise ou la paillardise à proportion qu'ils avalent bières, vins, godets de genièvre et que s'accumulent les pichets et les bouteilles vides au centre de la table. Rudolph Mac Leod se marie demain et, conformément à la tradition, il a convié ses amis, des gradés comme lui, à enterrer sa vie de garçon au cabaret. Lui-même a déjà beaucoup bu et ne contrôle plus très bien ses actes : depuis qu'il a eu l'imprudence d'exhiber le portrait en pied de Margaretha, cette petite fête de « funérailles » dégénère en foire d'empoigne et il est devenu la cible de tous les sarcasmes. Ses camarades, aussi ivres que lui, ne lui épargnent aucune remarque salace, le brocardent sans pitié, discutent le bien-fondé de sa décision, s'esclaffent à ses dépens et à ceux de la promise. De tous côtés les traits fusent, les voix et les rires avinés montent, si bien que par deux fois déjà le cabaretier a dû venir prier ces « messieurs » de bien vouloir se montrer plus discrets. Il tient un établissement respectable, lui, et entend que sa réputation ne soit pas compromise, fût-ce par une compagnie d'officiers de Sa Majesté.

Mais c'est peine perdue. Le bonhomme vient tout

juste de tourner les talons que l'un des commensaux — il arbore les insignes du même régiment que Mac Leod — se dresse de l'autre côté de la table, brandissant d'une main une chope de bière et de l'autre la photographie déjà bien malmenée de Margaretha-Gertrud Zelle.

— Hé ! Mac Leod ! As-tu déjà goûté à la source de cette donzelle ? A-t-elle l'amertume exquise de cette bière ? Dis-nous, Mac Leod, sois brave, dis-nous... Ne nous laisse pas mourir idiots !

Il élève sa chope comme pour porter un toast mais ce seul mouvement, tant il est saoul, le déséquilibre, et il retombe lourdement sur sa chaise, ce qui a pour effet de faire chavirer la chope dont le liquide se répand sur sa vareuse en éclaboussures blanches et dorées. En face, Mac Leod a jailli de son siège et, ployant sa haute taille par le travers de la table, il empoigne le lieutenant au col, le secoue, tente de lui arracher le portrait que l'autre tient toujours écarté, à bout de bras, hors de portée.

— Rends-moi ça ! vocifère Mac Leod. Allez, donne ou je te crève !

Ils sont visage contre visage, les yeux injectés de sang, le teint congestionné par l'abus des alcools et la tension de l'affrontement. Tout autour, les autres rient, plaisantent et, pour mieux les exciter, se mettent à frapper verres et bouteilles du plat de leurs couverts. Le lieutenant, bien qu'à demi étranglé par les mains puissantes de Mac Leod, résiste encore : le bras tendu à l'extrême derrière lui, il refuse de céder, de restituer le portrait. Une minute encore, le temps que la pression sur son cou devienne intolérable, déjà il étouffe, sa peau commence à se cyanoser ; alors sa main s'ouvre, lance au loin le papier glacé où Margaretha Zelle sourit pour l'éternité. On pourrait s'en tenir là, mais non, les joyeux drilles ont l'humeur querelleuse : un troisième larron vient de s'emparer de la photo, il s'éloigne avec, et l'agitant au-dessus de sa tête, fait la nique au capitaine Mac Leod, lequel se jette alors sur ce nouvel adversaire avec une fureur accrue : les provocations répétées l'ont exaspéré, il est au comble de la rage. Cette fois, le pugilat est inévitable, on voit les deux corps s'empoigner et rouler sur le sol, emmêlés, les deux forcenés s'étreignent, se bourrent de coups, éructent des jurons repris par leurs compagnons éméchés qui s'échauffent et frappent de plus belle sur verres et bouteilles. En quelques secondes, le tintamarre est devenu tel que les autres clients s'indignent, protestent, réclament que soient expulsés les fauteurs de troubles. Dans le tohu-bohu maintenant général, on s'étonne que nul n'intervienne pour faire cesser ce scandale mais on se trompe : voici que déboule le cabaretier flanqué de deux agents de la maréchaussée qu'il vient d'appeler en renfort et qui séparent les combattants manu militari, mettant un point final à la rixe avant de jeter dehors la bande de malotrus.

Quelques minutes plus tard, debout sur le seuil de sa taverne, le cabaretier regarde s'éloigner les officiers de Sa Majesté : une dizaine de silhouettes débraillées et titubantes qui s'enfoncent dans la nuit, qui louvoient sur le trottoir, qui parfois tentent de se soutenir l'une l'autre. Certains ont encore la force de chanter et leurs beuglements de soudards déchirent la paix nocturne. « Si c'est-y pas une honte ! » maugrée le bonhomme dans sa moustache.

Sur le sol jonché de mégots de cigares et de bris de verre, près de la table où ces bambocheurs viennent de festoyer, il découvrira demain ce qui a fourni prétexte à tant d'imbécile violence : l'image souriante, confiante, d'une jeune fille sur un rectangle de papier glacé.

Margaretha ouvre les yeux : il fait jour enfin ! D'un bond elle est hors du lit et court à la fenêtre. Hier, elle a adjuré le ciel de se revêtir de bleu et d'or pour ses noces. L'a-t-il exaucée ? Mais oui ! En ce 13 juillet 1895, Amsterdam s'ébroue sous un soleil franc et déjà chaud dont les rayons font miroiter les canaux comme des rubans de moire ; toute la ville baigne dans une lumière joyeuse, et là-haut pas un nuage ne voile le ciel. A ce tableau lumineux, parfaitement conforme à ses vœux, il ne manque qu'une touche de rose, mais elle viendra, on l'attend, Mary van Shoonbeke doit l'apporter dans un moment.

La robe de lourd satin blanc est disposée sur un fauteuil et attend, elle aussi. Il y a encore les bottines de chevreau blanc, la coiffe d'organdi, les gants de dentelle, le petit sac en forme d'aumônière tout rebrodé de perles. Après maints essayages, tout cela a été livré la veille chez tante Grethe. Qui a payé cette merveilleuse toilette de mariée ? Qui va payer le repas de noces qui réunira familles et témoins après la cérémonie ? Margaretha l'ignore et ne veut pas le savoir. Son père est venu, son père est là : dans deux heures, il la donnera en mariage à Rudolph Mac Leod, c'est tout ce qui compte.

Mais la petite Mary n'arrive toujours pas et Margaretha commence à s'irriter de ce retard. Nu-pieds sur le tapis élimé, encore en jupon et corset, ses longs cheveux dénoués, elle va du lit à la fenêtre, de la fenêtre au fauteuil − car elle ne se lasse pas d'admirer la belle parure blanche −, retourne vers la fenêtre, l'ouvre, se penche pour mieux scruter la rue. Que fait donc Mary van Shoonbeke qui doit être son témoin et qui a promis d'être là pour la coiffer, l'aider à s'habiller ?

Elle se penche pour la énième fois au-dessus de la rue comme si son impatience, ou son désir, pouvait susciter l'apparition du cabriolet qui amènera son amie et, avec elle, la précieuse touche rose, quand elle entend un léger grattement à sa porte. Le loquet pivote doucement, le battant s'écarte, livrant passage à son père.

− Tout va bien, ma chérie ? Je t'apportais une tasse de thé...

L'habit de cérémonie qu'il a déjà revêtu accuse encore la sournoise métamorphose qui, en quelques mois, a fait d'Adam Zelle un vieillard. Le regard s'est éteint, les gestes ont perdu leur rondeur, leur ampleur ; c'est un homme amaigri, fatigué, humilié, qui tend la tasse fumante à la jeune fille et, lourdement, se laisse choir au bord du lit.

Margaretha le rejoint, se pose près de lui, laisse aller sa tête brune sur l'épaule paternelle et murmure :
− Je suis si heureuse...

– C'est normal… un si beau jour pour toi.

Il se méprend, mais elle ne cherche pas à le détromper car ses yeux se sont fixés sur les mains d'Adam Zelle et la posture de ces deux mains abandonnées sur les genoux exprime tant de résignation, tant de renoncement qu'elle en est bouleversée : la boule qui obstrue sa gorge l'empêche de parler, de s'expliquer. Elle ne dira donc pas à son père que son bonheur tient avant tout dans sa présence, que toutes ses joies elle les lui doit, qu'elle se fera désormais un devoir d'être heureuse, de gagner, de briller, car elle ne veut pas décevoir son attente : un jour elle deviendra l'idole qu'il a toujours vue en elle.

Cependant, mieux vaut qu'elle se taise, qu'ils se taisent. S'ils parlaient, ils auraient tôt fait de découvrir que leurs pensées divergent, qu'elles ne cheminent plus côte à côte et dans la même direction, comme naguère. Car tandis que Margaretha rêve d'un avenir glorieux à offrir à son père pour lui marquer sa gratitude, le vieux Zelle songe à l'individu auquel il donnera sa fille tout à l'heure. Ils se sont rencontrés hier et le capitaine Mac Leod lui a fort déplu : ce visage sanguin, ce parler fruste, cette fausse superbe que lui confère l'uniforme ne coïncident en rien avec l'image idéale qu'il se faisait du futur gendre. Une rapide enquête lui a en outre appris que Rudolph Mac Leod avait été rapatrié des Indes néerlandaises pour raison de santé, détail d'importance que Margaretha n'a jamais mentionné, qu'elle ignore peut-être. Ah ! Il avait conçu d'autres rêves pour sa princesse et, au vrai, il redoute que cette union ne lui apporte que désillusions et déboires. Mais il n'a ni le pouvoir ni le droit de désapprouver le choix de sa fille, et encore moins de s'y opposer. C'est un homme meurtri, qui a trop longtemps vécu de leurres et de faux-semblants, qui s'est trop souvent trompé et qui aujourd'hui le sait : le bilan est si lourd qu'il ne peut s'autoriser à émettre un avis. Aussi, pendant ce quart d'heure qu'ils passeront, assis côte à côte au bord du lit, lui ayant capitulé devant la vie comme en témoignent ses mains inertes et pathétiques sur le drap noir du frac, et elle les regardant, le père et la fille ne se diront plus rien.

Depuis son retour de Wiesbaden où il a passé sa lune de miel, le jeune couple habite chez Lavies, la sœur aînée de Rudolph Mac Leod et sa seule parente. L'animosité de la veuve à l'égard de sa belle-sœur s'est déclarée d'emblée et ne désempare pas. Tout l'irrite dans le comportement de la jeune femme et, du matin au soir, elle ne lui ménage ni les marques de réprobation ni les critiques. Margaretha, quant à elle, refuse de composer et de modifier son mode de vie pour complaire à la veuve acariâtre. Elle se lève tard, passe des heures à sa toilette et, le reste du temps, feuillette des revues plutôt que de participer aux soins du ménage. Lorsque la température extérieure le permet, elle s'offre des promenades qu'elle prolonge jusqu'à une heure tardive et ne rentre qu'au moment où elle sait trouver son mari à la maison. Souvent, il arrive qu'elle surprenne le frère et la sœur dans une discussion animée dont elle est le principal objet ; alors elle se réfugie dans la chambre conjugale et y attend la fin de l'orage. Elle attend surtout que Rudolph la rejoigne pour lui faire l'inventaire des mauvais traitements qu'elle subit en son absence.

Ainsi, chaque soir, ou presque, le capitaine Mac Leod doit entendre les récriminations des deux femmes et apporter son arbitrage aux conflits qui les opposent. Au début, il les écoute, il tente de les apaiser : que peut-il faire de plus quand Lavies se plaint de l'incurie, de la nonchalance de Margaretha et que celle-ci affirme que sa belle-sœur la harcèle de reproches, qu'elle souffre de sa sévérité, de ses remarques mesquines et vexatoires ? Pourtant, à mesure que l'atmosphère du foyer se détériore et devant le constat de son impuissance à y rétablir l'harmonie, Rudolph Mac Leod se lasse et prend ses distances : il rentre de plus en plus tard, parfois fort avant dans la nuit. Il consacre ses soirées à boire en bonne compagnie dans quelque taverne et la plupart du temps il est ivre lorsqu'il se glisse dans la couche où Margaretha simule le plus profond sommeil. Mais elle ne dort pas, elle s'efforce à l'immobilité tandis que le matelas s'enfonce sous le poids de ce corps qui lui répugne un peu ; un souffle empuanti par l'alcool lui arrive par bouffées, et bientôt les ronflements de l'ivrogne emplissent la chambre obscure. Alors elle se détourne, elle pleure en silence.

Demain, elle écrira à Mary van Shoonbeke, elle lui racontera combien elle est malheureuse. Cette correspondance avec son amie est devenue sa seule consolation.

Amsterdam, 23 mars 1896

Ma chère Mary,
Je n'en peux plus des criailleries continuelles de ma belle-sœur. Pour y échapper, je sors beaucoup, de plus en plus, je traîne dans les rues pendant des heures, solitaire et sans but. Comme je regrette que tu sois à La Haye et non pas ici, à Amsterdam. Si je pouvais te rejoindre chaque après-midi, ma vie s'en trouverait allégée, je n'aurais pas à errer ainsi dans cette ville où nous étions si heureuses ensemble mais qui a perdu tout son attrait depuis que j'y suis sans toi.
Rudolph s'ingénie à fuir les assauts hargneux de sa sœur et démissionne chaque jour davantage. Je comprends que l'ambiance de la maison lui devienne insupportable et qu'il préfère passer ses soirées avec ses compagnons plutôt qu'entre deux harpies qui se déchirent, mais je souffre de cet état de choses car nous ne nous voyons plus guère : il part tôt, rentre très tard et pris de boisson le plus souvent. Je sens que cette cohabitation à laquelle nous sommes contraints met notre union en péril et je profite des rares moments où Rudolph est à jeun pour le supplier de la faire cesser, de nous trouver un nid où nous serions enfin seuls. Chaque fois il me promet de faire en sorte que nous soyons chez nous au plus tôt mais il y a des mois que dure cet enfer et nous sommes toujours là.
Comme bien tu le sais, ce n'est pas ainsi que j'imaginais le mariage, et tu es la seule à qui je puisse dire ma déconvenue. Heureusement, mon père est loin et n'a aucune idée de la situation. Lorsque je lui écris, je m'emploie à lui bros-

ser un tableau idyllique de mon existence avec Rudolph. Pour rien au monde je ne voudrais l'alarmer et lui infliger ce nouveau chagrin. Ah ! Mary, quelle idiote j'ai été de me lancer dans cette aventure où me voilà maintenant piégée. Quand ton tour viendra, tâche d'être moins sotte, ou moins écervelée que moi : l'engagement du mariage mérite réflexion.

Viendras-tu bientôt chez tes parents, à Amsterdam ? Dans ce cas, donne-moi la date et l'heure d'arrivée de ton train : j'irai te chercher à la gare et resterai avec toi tout le temps de ton séjour. Ce qu'en penseront Lavies et Rudolph, je m'en moque.

Avec toute l'affection de ton amie,
Lady Margaretha Mac Leod

Elle signe Lady Mac Leod. Mary ne s'en étonnera pas : elle est habituée. Bien que l'épouse du capitaine ne puisse y prétendre, Margaretha s'est approprié ce titre et s'en pare depuis le 13 juillet 1895 : toute fallacieuse qu'elle soit, c'est la seule gratification que lui ait apportée le mariage.

Plus d'un an va s'écouler de la sorte avant que le capitaine Mac Leod se rende enfin aux arguments et aux prières de sa jeune épouse. Sans doute le fait de savoir qu'il sera bientôt père n'est-il pas étranger à ce soudain déploiement d'énergie et d'initiative dont il fait montre : Rudolph Mac Leod veut que son enfant naisse au sein d'un vrai foyer et non dans un milieu hostile où règne la mésentente.

Au mois de septembre 1896, le couple Mac Leod s'installe dans un appartement à La Haye. Margaretha a plusieurs raisons de s'en réjouir. D'abord elle a triomphé de Lavies et réussi à se libérer de son joug. Ensuite elle se rapproche de Mary qu'elle pourra voir quand bon lui semblera : ensemble, elles confectionneront la layette du bébé à venir.

Cet automne 1896 est une période si faste que Margaretha est encline à réviser ses jugements sur le mariage : la relation conjugale ne lui inspire plus de réflexions désabusées et elle impute l'entière responsabilité des anciennes discordes à Lavies. Depuis qu'ils sont

53

délivrés de cette néfaste présence, Rudolph a renoncé aux sorties nocturnes et à la vie dissolue qu'il menait à Amsterdam. C'est un époux sans reproche, très attentif, qui s'emploie à la dorloter tandis que son ventre s'arrondit. Elle, pour ne pas être en reste, violente un peu sa nature et s'applique aux tâches ménagères malgré l'aversion qu'elles lui inspirent. Elle tient sa maison, veille à l'intendance, s'essaie à cuisiner et, après tout, ne s'en tire pas si mal. Au cours de ses années de pensionnat, elle se moquait de ces séances où l'on prétendait inculquer aux jeunes filles l'art et la manière de gérer la vie domestique du foyer. Aujourd'hui, elle les considère avec une indulgence mâtinée de nostalgie : cette formation pratique qu'elle affectait de dédaigner et tournait souvent en dérision se révèle en fin de compte fort précieuse.

Ainsi a-t-elle appris à confectionner ces biscuits au gingembre dont Mary raffole et qu'elle peut lui offrir chaque fois que la jeune fille vient prendre le thé et passer quelques heures avec elle. Car, très vite, la « visite à lady Mac Leod » a été admise comme motif de sortie par la direction de l'institution, et Mary van Shoonbeke l'utilise à raison d'une ou deux fois par semaine.

Lorsqu'il prend aux deux amies la fantaisie de sortir, elles se promènent bras dessus bras dessous, rient des curiosités que la rue offre à leurs regards et échangent des petits secrets puisque, désormais, elles n'ont plus besoin des lettres pour porter leurs confidences.

Mais, parfois, son état la rend si dolente que Margaretha préfère rester là, à demi étendue sur un sofa, un ouvrage de tricot à portée de main. Alors elles papotent autour de la table à thé, s'empiffrent des délicieux gâteaux, s'amusent à comparer leur habileté aux aiguilles et la progression de leurs travaux.

Ce jour-là, à peine arrivée, Mary a noté chez son amie un air de lassitude, un manque d'entrain qui ne lui sont pas habituels. Elle s'en inquiète mais n'ose pas l'interroger. Le visage incliné sur son ouvrage, Margaretha travaille sans mot dire, affectant une concentration extrême : elle achève un rang de tricot puis, avec un geste d'agacement, abandonne aiguilles et pelote, et repousse le tout. Ce regard qu'elle a, si vague, si lointain, ce silence qui dure et commence à peser décident Mary à risquer enfin une question.

— Tu ne te sens pas bien, Margaretha ?

— Je ne sais pas. Tout est si étrange...

— Comment ? Qu'y a-t-il d'étrange ?

— Nous deux assises là, cette layette que nous tricotons pour un enfant qui n'existe pas...

— Mais il existe ! proteste Mary. Et comme si elle voulait en assener la preuve, elle se penche en avant, la main tendue, jusqu'à effleurer le ventre rond de Margaretha. Il est là, dit-elle doucement. Il est caché, mais bien là ! Pourquoi dire qu'il n'existe pas ? C'est mal, Margaretha !

— Tu as raison. Il est là. Il existe. C'est peut-être moi qui n'existe pas.

Le petit menton de Mary s'est mis à trembler, le bleu de ses yeux prend cet éclat mouillé qui annonce les larmes et que Margaretha connaît trop bien.

— Ah non ! Tu ne vas pas te mettre à pleurnicher ! s'écrie-t-elle.

Mais déjà elle regrette de s'être emportée et c'est d'une voix plus douce qu'elle poursuit :

— Il ne faut pas prendre tout ce que je dis pour argent comptant, Mary. Tout va bien, je t'assure, je n'ai aucune raison de me plaindre. Je suppose que toute femme dans mon état a ces sautes d'humeur. On se sent prise au piège de son propre corps, on a peur, on se demande si on sera capable d'assumer la maternité. Lorsqu'on s'apprête à donner la vie, il est normal de s'interroger de la sorte, non ?

— Mais tu dis que tu n'existes pas...

— Je me suis mal exprimée. C'est la voie dans laquelle je me suis engagée... Parfois j'ai l'impression que je me fourvoie, que cette vie va à l'encontre de toutes mes aspirations. Il y a des désirs, des rêves enfouis qui remontent, et je deviens irritable. Pardonne-moi et surtout ne va pas t'imaginer que je suis malheureuse. Tout va bien, crois-moi.

Tout va bien. Le 30 janvier 1897, Margaretha met au monde un beau garçon que l'on prénomme Norman. Cette naissance comble de joie Rudolph Mac Leod au point qu'il en oublie son diabète et ses crises de rhumatisme. Tout au long des années passées aux colonies son état de santé s'est dégradé, justifiant son retour en Hollande et ce congé de maladie qu'il a mis à profit pour convoler.

En 1897, après plusieurs prolongations de ce congé, il lui faut rejoindre son poste à Java. Mais Rudolph Mac Leod n'est plus le célibataire que l'on a rapatrié deux ans plus tôt pour raisons sanitaires. Il est maintenant chef de famille et c'est pourvu de femme et enfant qu'il embarque le 1er mai sur le *S. S. Prinses Amalia*. Le voyage vers les Indes néerlandaises est long, quelque peu éprouvant, mais il ouvre à l'esprit aventureux de Margaretha des perspectives infinies. Elle va enfin découvrir ces tropiques que Rudolph lui a souvent décrits, jouir d'une existence aisée et agréable dans un paradis exotique où les fleurs s'épanouissent en une nuit et vous enchantent de leurs parfums, de leurs couleurs. Telles sont en tout cas les images dont se berce la jeune femme tandis que le *S. S. Prinses Amalia* vogue vers Java.

La famille Mac Leod passe ses premiers mois à Semarang, au centre de l'île. Le bungalow qu'ils habitent est situé en lisière de la forêt tropicale et Margaretha, encore toute à l'excitation de la découverte, évoque le décor de sa vie quotidienne dans les lettres qu'elle adresse à son père et à Mary. Elle leur décrit la floraison rouge, exubérante, des flamboyants qui montent à l'assaut des vérandas construites sur pilotis de bambous, les haies d'hibiscus en limite du jardin, les oiseaux bariolés qui nichent dans les frangipaniers et les manguiers, la douceur des nuits tropicales. A l'en croire, les boys malais qui la servent sont extrêmement déférents et gracieux : ils lui donnent du « madame capitaine », ce qui l'amuse beaucoup. Elle ne cesse de s'extasier sur la nature luxuriante qui l'entoure et en décrit par le menu les beautés, même si elle avoue regretter parfois de vivre loin de toute civilisation et sans relations.

Le fait est que, privée de commerce avec le monde, de la possibilité de séduire et de briller en société, Margaretha s'étiole : l'ennui commence à prendre le pas sur l'émerveillement des débuts quand, fort heureusement, le capitaine Mac Leod est transféré à Toempoeng, sur la côte ouest de la grande île. Cette nouvelle affectation a de quoi ravir la jeune femme car Toempoeng est située près de Malang, ville qui abrite de nombreux Européens et offre toutes sortes de plaisirs et de distractions.

Hélas, lady Mac Leod ne pourra guère profiter de ces avantages : très vite, elle s'aperçoit qu'elle est à nouveau enceinte et doit alors renoncer aux réceptions et aux parties organisées par les femmes d'officiers. Rudolph, quant à lui, continue à fréquenter les cercles militaires et retombe dans ses anciens travers : il délaisse sa femme pour aller s'enivrer avec ses amis et, lorsqu'il consent à rentrer au logis, tout reproche qu'elle lui adresse déchaîne violences et insultes. Margaretha se retrouve dans la situation de maudire son mariage et se demande une fois de plus si elle ne s'est pas fourvoyée. Ses seules joies, ses seules consolations, elle les puise dans la compagnie de son fils, le petit Norman, et dans l'attachement qu'il lui témoigne.

Le temps de cette deuxième grossesse s'écoule dans un complet délaissement. Elle n'a personne à qui parler, elle ne peut plus s'épancher auprès de Mary car, à la longue, les confidences épistolaires se révèlent insuffisantes, insatisfaisantes. Secondée par un personnel qui lui épargne toutes les tâches ménagères, elle se sent désœuvrée, inutile : plus que jamais elle songe que son existence ne rime à rien. Alors, pour meubler ses journées solitaires, elle interroge ses domestiques, ces ombres légères qui glissent, discrètes, autour d'elle. Les boys ne sont pas très loquaces mais elle parvient peu à peu à forcer leur défiance naturelle et, les ayant amadoués, elle s'enquiert de leurs usages, de leurs traditions, des coutumes du pays. Son don pour les langues favorise ces échanges car, très vite, elle a assimilé le dialecte des indigènes et peut converser avec eux. Ils lui racontent leurs légendes, leurs croyances, et ces récits qu'elle écoute faute de mieux se déposent au fil des jours dans le creuset de sa mémoire : plus tard, mais elle ne le sait pas encore, la manne que lady Mac Leod recueille ainsi servira les desseins de Mata Hari.

La petite Jeanne-Louise naît le 2 mai 1898 et reçoit le surnom de *Non*. Au cours des six mois qui suivent cette naissance, la mésentente s'aggrave encore entre les époux Mac Leod. A la moindre occasion, leurs tempéraments opposés s'affrontent : Margaretha est frivole, terriblement coquette, ce qui exaspère la jalousie de Rudolph et provoque ses outrances. Tous ceux qui les approchent s'accordent à considérer que si le capitaine Mac Leod est un mari violent, incapable de se maîtriser, il adore en revanche ses enfants et se conduit en père responsable et attentionné. Néanmoins, ces vertus paternelles sont impuissantes à restaurer la concorde au sein du foyer et c'est avec soulagement que, le 21 décembre 1898, Margaretha apprend la nouvelle affectation de Rudolph qui doit rejoindre sans délai son poste à Medan, sur la côte est de Sumatra. Cette fois, la famille ne l'accompagnera pas dans l'immédiat. Margaretha a fait valoir que le déménagement, non pris en charge par le gouvernement, était trop coûteux et qu'il serait plus judicieux qu'elle reste pour s'occuper de vendre le mobilier et de liquider leurs affaires. Elle a ajouté que l'administrateur de la reine, M. van Rheede, et sa femme proposaient de l'héberger avec ses enfants, le temps pour elle de régler tous les problèmes pratiques. Elle se montre persuasive, enjôleuse, insiste beaucoup sur les avantages financiers qu'offre un tel arrangement. Bien sûr, la maligne ne dit pas qu'elle est décidée à faire durer son séjour chez les van Rheede et que cette séparation, fût-elle provisoire, lui sera une délivrance. Rudolph rechigne un peu mais finit par céder.

Lasse des querelles conjugales, lady Mac Leod voit donc partir son époux sans le moindre regret. Délivrée de la surveillance jalouse qu'il exerçait sur elle, elle peut désormais flirter en toute impunité avec les beaux lieutenants lors des soirées au club local. Mme van Rheede, qui a succombé au charme de la jeune femme, se montre indulgente, presque complice. Si Margaretha se révèle plus soucieuse de plaire et de faire les yeux doux aux officiers qui la courtisent que de préparer son départ pour Medan, il faut la comprendre, elle est si jeune !

Et les semaines, et les mois passent. Aux lettres de plus en plus pressantes, de plus en plus inquiètes de Rudolph qui vient d'être promu commandant, Margaretha oublie le plus souvent de répondre. Elle s'accommode très bien du statu quo : jeune, belle, débarrassée de son vieux barbon de mari, elle vit de merveilleuses vacances qu'elle s'ingénie à prolonger. Son goût pour le déguisement la porte à revêtir le vêtement indigène, sarong et kabaja, accoutrement qui suscite des appréciations mitigées parmi les Blancs, mais elle s'en moque, elle sort beaucoup, apprend à monter à cheval, parcourant la contrée en compagnie de fringants cavaliers, recueille les hommages par brassées et ne songe guère à Rudolph.

Cependant, à Medan, le commandant Mac Leod s'impatiente. Au mois de mai 1899, il somme sa femme de le rejoindre : sa lettre qui prend la forme et le ton d'une mise en demeure fourmille de détails prosaïques et de recommandations quant à la manière dont elle devra conduire la maison qui l'attend. La récréation s'achève, Margaretha ne peut plus différer son départ et s'embarque pour Sumatra, accompagnée de ses deux enfants.

Être l'épouse du commandant de poste dans une garnison coloniale implique des obligations qui, pour Margaretha, équivalent à des plaisirs. Il faut recevoir, accepter des invitations, les rendre, organiser les réceptions officielles où l'on accueille les membres de la colonie et les personnalités de passage. Margaretha raffole de ce rôle d'hôtesse et des honneurs que lui vaut sa position. Elle commande des toilettes à Amsterdam car elle se veut élégante, éblouissante, à la pointe de la mode, lors des soirées et des fêtes qu'elle donne, et si son mari lui reproche d'être trop dispendieuse, elle rétorque qu'elle doit tenir son rang. Provoquées tantôt par cette prodigalité, tantôt par l'inconduite imaginaire ou avérée de la jeune femme, les scènes se renouvellent jour après jour entre les époux Mac Leod.

Le drame qui les frappe le 21 juillet 1899 et qui, peut-être, aurait pu les réunir accentue encore leur divorce : ce jour-là, le petit Norman meurt après quelques heures d'une terrible agonie. A Medan, la rumeur prétend que l'enfant a été victime d'une vengeance : sa « babou », maîtresse d'un indigène injustement réprimandé par le commandant Mac Leod, lui aurait servi de la nourriture empoisonnée. Mais la cause réelle de cette mort ne sera jamais établie. Rudolph qui adorait son fils est inconsolable. Dans son désespoir, il se dresse contre Margaretha qu'il accable de ses malédictions. Les termes de la lettre qu'il adresse à sa sœur Lavies peu après la tragédie attestent qu'il la tient pour responsable de leur malheur : *Je suis resté des jours sans lui adresser la parole, à cette garce qui ne vit que pour son plaisir et a scandaleusement négligé les pauvres mioches...* Et tandis que Rudolph, fou de douleur, éructe imprécations et invectives à travers la maison endeuillée, Margaretha demeure claquemurée dans sa chambre, en proie à un chagrin muet mais non moins profond. Des jours durant, elle reste là, prostrée, refusant toute nourriture, n'aspirant qu'à rejoindre son enfant bien-aimé dans la tombe. Mais le désir d'en finir avec la vie n'entraîne pas obligatoirement la mort. Quand Margaretha, amaigrie, presque exsangue, se résigne enfin à sortir de sa réclusion, elle se retrouve en butte aux attaques de son mari qui persiste à lui reprocher son incurie et l'accuse de toutes les turpitudes.

Dès lors, il semble que les jeux soient faits et que les Mac Leod s'acheminent vers la séparation. Début 1900, ils quittent Medan pour Banjoe Biroe, base militaire assez sinistre, cernée de montagnes où, de l'aveu même de Rudolph, « il n'y a rien à voir hormis les papillons, les fourmis volantes, les termites et quantité d'insectes qui rendent fou ». Dans cette atmosphère quelque peu malsaine, Margaretha contracte bientôt la fièvre typhoïde dont elle mettra plusieurs semaines à se rétablir.

Affaiblie par la maladie, très affectée par la perte de son enfant, Margaretha ne peut plus supporter la vie sous les tropiques et n'aspire qu'à retourner au pays. Sur ce point au moins, les époux Mac Leod sont d'accord car, de son côté, Rudolph est las de ses années de service et déçu par la carrière militaire : convaincu qu'il n'obtiendra jamais le grade de lieutenant-colonel auquel il prétendait, il décide de quitter l'armée et de rentrer en Hollande.

Pourtant, il va falloir encore temporiser, patienter : la maigre retraite de Mac Leod ne permet pas d'envisager un retour immédiat et, pendant de longs mois encore, Margaretha devra ronger son frein au côté d'un mari irascible qui l'insupporte et continue à la maltraiter.

Enfin, en mars 1902, le couple désuni et la petite Jeanne-Louise embarquent sur un bateau de la marine nationale à destination de la Hollande.

En rupture de ban

Si sa dévotion envers Margaretha demeure intacte, Mary a pris, avec un peu d'embonpoint, une assurance qui lui permet de discuter maintenant les vues de lady Mac Leod et parfois même de les désapprouver. Contrairement à son amie, elle s'est épanouie dans le mariage et défend cette institution avec ferveur, s'efforçant d'amener Margaretha à une attitude plus conciliante vis-à-vis de Rudolph. Leurs conversations n'ont plus rien de commun avec ces papotages bénins qu'elles avaient jadis : chaque fois qu'elles abordent la question du divorce − la procédure est déjà engagée −, elles s'affrontent sans pouvoir se comprendre et sans progresser d'un pas.

− Tu ne peux pas tout balayer d'un revers de main. Réfléchis, pense à ta petite fille.

Cent fois déjà Mary a opposé cet argument à la soif de liberté qui dévore son amie. Margaretha hausse les épaules, lève les yeux au ciel.

− Mais il y a des mois, des années que je réfléchis ! riposte-t-elle. Je voudrais bien t'y voir, tu ne te rends pas compte, tu as un mari charmant avec lequel tu files le parfait amour... Ce n'est pas mon cas, figure-toi. Quelle sorte d'avenir m'attend auprès d'un homme usé, malade et violent par-dessus le marché, vas-y, dis-le-moi... J'ai tout enduré de lui, les insultes, les coups, crois-moi, il y a longtemps que nous avons dépassé le point de rupture.

— Je sais. Mais le divorce n'est pas une solution. Il y a l'enfant...

— Je t'en prie, Mary, ne recommence pas ! Épargne-moi tes leçons de morale. Quand tu penses, quand tu parles comme une bourgeoise, tu m'exaspères ! Rudolph me déteste et je le lui rends bien. Il rêve de se débarrasser de moi et moi de lui. Cette vérité est gênante, tu es trop douce, trop innocente pour l'admettre, mais c'est la vérité !

— Bien, bien, si tu crois qu'il vaut mieux tout casser...

— N'oublie pas que j'ai vingt-six ans et que mon mari a presque le double de mon âge. Je suis jeune, j'ai envie de vivre, ne peux-tu pas le comprendre ?

— Et comment vivras-tu, justement ? Tu n'as rien, tu n'as même pas de métier.

— J'ai mon idée. Je compte aller m'installer à Paris.

— A Paris !

— Mais oui. Pour une femme qui quitte son mari, le seul endroit où aller est Paris.

— Partir comme ça, à l'aventure, sans un sou en poche... C'est du délire, Margaretha.

— Pas du tout ! Je te répète que je sais déjà comment je m'y prendrai.

— Et comment t'y prendras-tu ?

— Je poserai pour les peintres. Ils sont nombreux là-bas et ils ont besoin de modèles. Ne me trouves-tu pas assez belle pour servir de modèle ?

— Tu es très belle, Margaretha, là n'est pas la question, tu le sais bien.

— Alors, j'irai à Paris ! Dans cette ville, les gens savent s'amuser et ne boudent pas les plaisirs. Je ferai comme eux, je mènerai la grande vie !... Et ne me répète pas que je suis sans le sou. Pour avoir de l'argent, il suffit d'aller à sa rencontre. Je descendrai dans un grand hôtel, j'y trouverai bien quelques messieurs disposés à me choyer et à payer mes notes !

— Margaretha !

C'est peu de dire que Mary est choquée par cette

déclaration. Que son amie soit amorale et prête à tout pour réussir, elle le savait. Mais jamais Margaretha ne lui avait dévoilé ses intentions avec un tel cynisme. Elle se lève, rabat sa voilette sur son visage empourpré, ramasse son sac, ses gants.

– Tu pars déjà ? demande Margaretha.

– Oui. Excuse-moi, j'en ai assez entendu pour aujourd'hui.

– Ne te fâche pas, Mary. Allons, reste encore un moment, il n'est pas si tard.

Mais Mary a déjà traversé la pièce. Avant de franchir le seuil, la main sur la poignée de la porte, elle dit sans même se retourner :

– Je regrette, Margaretha. J'ai bien peur que nous n'ayons plus rien à nous dire.

La séparation légale des Mac Leod est prononcée le 1er septembre 1902 aux torts de Rudolph qui a abandonné le domicile conjugal et s'est installé près d'Arnhem en emmenant avec lui la petite Jeanne-Louise. Mais Margaretha doute que cette décision officielle soit suivie d'effet : jamais Rudolph ne lui laissera la garde de leur fille et n'acceptera de lui verser la pension mensuelle dont le montant a été fixé par un juge d'Amsterdam. Dans le même temps où elle vient de perdre sa meilleure amie, elle se retrouve seule et sans ressources, réduite à demander l'hospitalité à l'un ou l'autre des membres de sa famille. Pourtant, ni ses déboires affectifs ni la précarité de sa situation ne peuvent entamer sa détermination de partir à la conquête de Paris, bien au contraire. Elle s'active à préparer son départ et, pour payer son voyage, n'hésite pas à mettre en gages quelques toilettes et un ou deux bijoux.

Au printemps 1903, elle prend enfin un train à destination de la France. Elle n'a en poche qu'un mince pécule mais, confiante en son étoile, certaine de ne faire qu'une bouchée de Paris, elle ne s'inquiète guère d'être à ce point démunie. Ainsi qu'elle l'a exposé à Mary, elle est bien décidée à fréquenter les endroits huppés de la capitale française et à y dénicher sans délai un riche protecteur susceptible de l'entretenir.

Jolis grooms, velours pourpre, miroirs de Venise, flambeaux d'argent, tapis de haute lice qui étouffent les pas, le Grand Hôtel déploie tout son luxe quand cette voyageuse se présente, lestée d'un léger bagage mais altière et pleine de morgue. Dans les salons à l'atmosphère feutrée, le bruissement des conversations s'éteint sur son passage. On suit des yeux la belle apparition, on l'admire, on s'interroge, on spécule sur son identité, son origine, mais nul, à la voir si bien mise, si sûre d'elle, ne pourrait se douter qu'elle possède à peine de quoi s'offrir deux nuits dans ce palace. C'est que lady Mac Leod n'a pas sa pareille pour bluffer son monde et faire illusion : là réside son seul talent et elle sait l'exploiter.

A peine arrivée et installée dans sa chambre, elle s'attache à l'exécution du plan de bataille qu'elle a élaboré pendant ses longs mois d'attente en Hollande. Il lui faut d'abord et sans délai commander des cartes de visite chez un imprimeur : cet attribut lui paraît relever de la plus haute urgence. De sa grande écriture pointue, elle griffonne des projets, trace plusieurs libellés possibles, froisse nombre de papiers sans trouver la formule idéale et s'énerve à mesure que ses brouillons s'entassent dans la corbeille. Son adresse au Grand Hôtel doit-elle figurer sur les bristols ou vaut-il mieux s'abstenir et ne mentionner que son nom, bien centré sur le carton ? Elle hésite, examine tour à tour les deux solutions, lesquelles suggèrent de multiples variantes. Non ! décidément il serait inconvenant pour une femme dans sa position de s'avouer domiciliée dans un hôtel, fût-il de grande classe. Elle se bornera à faire imprimer « lady Mac Leod », en belles manuaires et, le cas échéant, ajoutera à la main son adresse qui passera ainsi pour temporaire. C'est cela ! Elle va commander un cent de cartes d'une sobriété irréprochable qu'elle sortira de son réticule au moment opportun et tendra du bout de ses doigts gantés avec un petit air de confusion charmante. « Je suis une grande voyageuse, dira-t-elle, je change sans cesse de ville et de domicile, c'est pourquoi mon adresse ne figure pas ici, mais accordez-moi une minute, je vais vous l'écrire... » Et avec son stylo à plume d'or...

Margaretha ne possède pas de stylo à plume d'or, mais c'est un détail sans importance, elle y pourvoira en temps utile. Pour l'heure, elle se laisse aller, elle rêve d'instants exquis et imminents où elle aura le beau rôle, où elle exercera son art de séductrice sur les messieurs en frac et plastron blanc qui l'attendent en bas avec leurs cheveux gominés et leur œillet à la boutonnière : appâter et réduire à merci ce beau gibier lui sera un jeu d'enfant !

La chasse est ouverte, le rêve est là, à portée de main. Dès demain, après avoir passé commande des bristols, elle achètera un stylo à plume d'or. Il faut ce qu'il faut !

Ce soir-là, néanmoins, lady Mac Leod a dû en rabattre et ravaler sa déception. Malgré tout le soin qu'elle avait mis à sa toilette, son entrée souveraine dans les salons de réception n'a guère déclenché d'enthousiasme et ne lui a pas valu les hommages escomptés. Ici et là, carrée dans des fauteuils profonds, la clientèle des habitués sirotait des alcools tout en devisant à voix basse. Plus loin, les dîneurs déjà installés autour de tables chargées de cristaux et de porcelaines fines examinaient le menu. Ceux-là ne lui ont pas accordé la moindre attention lorsqu'elle s'est arrêtée, hésitante, sur le seuil, puis l'air très crâne, le menton haut, s'est dirigée vers une table d'angle, tout au fond de la salle.

Ainsi lady Mac Leod est-elle revenue bredouille de sa première incursion dans la salle à manger illuminée où la plupart de ces messieurs plastronnaient en compagnie de femmes – épouses ou maîtresses – qui les tenaient à l'œil et dont la présence interdisait toute incartade. Quant aux rares autres qui dînaient en solitaires, ils paraissaient trop décatis et seulement préoccupés par le contenu de leur assiette. Esseulée, à l'écart, Margaretha a dû se contenter des hommages discrets du maître d'hôtel et des garçons qui la servaient. Elle en éprouvait un tel dépit qu'elle a passé sa rage sur les roses qui ornaient sa table, les effeuillant tour à tour avant de les déchiqueter de ses longs doigts nerveux...

Plus tard, une accorte femme de chambre est venue ouvrir son lit et l'apprêter pour la nuit. La fille manquait de style mais elle était jeune, vive, pleine d'à-propos, et soulignait chacun de ses gestes d'un commentaire malicieux. Avec ça, une petite bouille toute ronde, une peau très blanche criblée de points de rousseur et des cheveux qui, sur la nuque, s'échappaient de la coiffe en frisures d'or roux. Cette frimousse si plaisante et animée, éclairée par des yeux couleur de feuille tendre, a aussitôt séduit Margaretha. Les deux femmes ont échangé quelques mots, des sourires, et lorsque la jeune fille s'est retirée sur une petite révérence, lady Mac Leod s'est aperçue que ce gracieux intermède avait eu raison de son humeur morose. Déjà elle considérait sa récente déconvenue comme une péripétie sans conséquence. A Dieu vat, se disait-elle. Après tout, perdre une bataille n'est pas perdre la guerre, j'ai semé mon grain, bientôt ces bonnets de nuit viendront me manger dans la main.

Et maintenant, en cette première nuit parisienne, tandis qu'elle glisse doucement dans le sommeil, elle songe aux peintres qu'elle va fréquenter, pour lesquels elle va poser, elle se voit dénudée, étendue dans des postures langoureuses sur des sofas couverts d'étoffes soyeuses et colorées, une somptueuse odalisque que se disputeront demain les artistes de Montmartre et de Montparnasse...

– A vot' place, j' prendrais un manteau. Le ciel est très capricieux chez nous, faut pas s'y fier.

Ce ciel de Paris que la petite femme de chambre met en cause est tendu sur les toits comme un dais de soie bleue, toute crissante de soleil. Margaretha a revêtu une robe de nankin et, malgré les recommandations de la jeune Pauline, elle est bien décidée à ne pas s'embarrasser d'un manteau : l'air est si doux en ce beau matin d'avril. Elle tourne devant sa psyché, vérifie l'aplomb de ses jupes sous le regard de la jeune fille qui vient de s'asseoir sans façon sur un pouf, un lot de linge blanc dans les bras.

— Cesse de jouer les rabat-joie, Pauline, et choisis-moi plutôt une ombrelle, sois gentille.

Ce tutoiement est venu au fil des jours, avec l'usage, comme allant de soi : une sanction naturelle du rapport singulier, presque complice, qui s'est établi entre la jeune fille et lady Mac Leod depuis que celle-ci séjourne au Grand Hôtel. Pauline s'est placée dans une sorte d'allégeance et se conduit comme la femme de chambre attitrée de Margaretha plutôt qu'en employée supposée distribuer avec équité ses attentions et ses soins aux clients de l'étage dont elle est responsable.

— Une ombrelle ? Bon... j' vous aurais avertie. Celle que vous a donnée le bon M. Castagnols, peut-être ? Vous ne l'avez pas encore étrennée.

Pauline Renard, la bien nommée, est une petite futée : aucune intrigue, aucune romance, aucune idylle ne lui échappe, elle connaît tous les secrets d'alcôve du Grand Hôtel. Elle sait donc, la renarde, qu'avant de repartir pour son Sud-Ouest d'origine Louis Castagnols a offert à lady Mac Leod une très belle ombrelle, un vrai bijou.

— Pourquoi pas ? Sors-la-moi, nous verrons si elle convient.

Pauline ignore cependant que cette dernière offrande fut accompagnée de serments et de protestations énamourées dont Margaretha, raidie dans son refus et à bout de patience, a dû subir l'interminable exposé. Oh ! qu'il parte, qu'il parte enfin, songeait-elle tout en écoutant la larmoyante litanie du gros Gascon. Bien sûr, elle a accepté l'ombrelle ravissante et, auparavant, quantité d'autres petits cadeaux mais quant à suivre le pauvre Castagnols au fin fond de la province française comme il le souhaitait, c'était hors de question. Des jours durant, il l'a suppliée, il a tout mis en œuvre pour la convaincre de l'accompagner : il lui vantait les beautés de sa propriété périgourdine, il se faisait le chantre de la vie bucolique qu'on menait là-bas, il mettait à ses pieds sa vie, sa fortune, son nom. Mais Margaretha ne se voyait pas en épouse d'un négociant en confits et foies gras, fût-il très prospère et très épris. Devenir Mme Castagnols, certes non ! Elle a su résister à ses assauts, elle a su manœuvrer en sorte que le cher Louis se montrât généreux — outre les cadeaux, il a payé sa note d'hôtel et lui a laissé de quoi y séjourner quelques semaines encore —, elle a su l'abuser par toutes sortes de contes sur son passé et lui faire accroire que jamais Mac Leod ne lui rendrait sa liberté, qu'il la tuerait plutôt.

— Tenez... Elle est tout à fait assortie à votre robe. Mais s'il s' met à pleuvoir, vous allez la gâcher et ce s'ra bien dommage. Enfin, moi, pour c' que j'en dis...

— Mais non, il fera beau, voyons ! Et si la pluie vient, je prendrai une voiture, voilà tout !

— Ce pauvre monsieur Louis ! Comme ses mains tremblaient pendant qu'il attendait la voiture qui devait le conduire à la gare. Et il était au bord des larmes...

— Je sais, Pauline, j'étais là.

— Celui-là, on peut dire qu'il était entiché ! Se donner en spectacle et se pâmer d'amour comme un jouvenceau avec l'âge qu'il a et tout c' lard de chanoine autour d' la panse, quelle pitié, Madame, quelle pitié ! Tout le monde a pu voir avec quels yeux il vous r'gardait... Pour dire la vérité, l'avait tout l'air d'un chien qui attend un sucre !

— Pauline !

— Oh ! pardon, Madame, je m' laisse aller, c'est plus fort que moi. Ma mère m' répétait toujours de tourner sept fois ma langue dans ma bouche, mais j'ai jamais su.

— Il faudra encore t'exercer, ma petite. Tu parles à tort et à travers, certains clients pourraient s'en plaindre à la direction.

— Mais vous non, pas vrai ?

— Non, bien sûr. Mais tu devrais faire attention, tu as la langue trop bien pendue, un jour ou l'autre tu auras des ennuis.

Mais, dès lors que lady Mac Leod ne lui tient pas rigueur de ses écarts, la jeune effrontée n'a que faire de ces mises en garde. Elle a déjà oublié la semonce et, détournée vers la fenêtre, elle ouvre l'ombrelle, la fait tourner dans un rai de soleil.

– Regardez comme elle prend la lumière ! On peut pas nier, M. Castagnols vous a fait là un bien beau cadeau… N'empêche, son sucre, il l'a pas eu !

– Pauline, ça suffit maintenant ! On t'attend sans doute ailleurs, tu devrais y aller.

– Vous n'avez plus besoin de moi ?

– Non, petite, tu peux me laisser. Va…

C'est étrange : si scabreux que soient les propos que lui tient Pauline, et même lorsqu'elle transgresse les règles élémentaires de la bienséance, Margaretha ne parvient pas à s'en indigner et à se montrer fâchée. Assurément, cette petite va lui manquer. Sa franchise, sa spontanéité, sa conversation plaisante seront même les seules choses qu'elle quittera avec regret. Car pour le reste… Son séjour parisien n'a pas comblé ses espérances, loin s'en faut. Depuis des semaines, ses visites aux ateliers de Montmartre et de Montparnasse se sont soldées par des fins de non-recevoir décevantes et même quelque peu éprouvantes pour sa vanité. Ces peintres parisiens sont des goujats, des mufles, rien de mieux. Certains d'entre eux sont allés jusqu'à lui infliger l'affront suprême : au prétexte de vérifier sa plastique, ils l'invitaient à se dévêtir puis, une fois qu'elle était nue, ils l'examinaient comme une curiosité de foire, faisaient l'inventaire de ses disgrâces – les seins, le ventre abîmés par les maternités – et finissaient par préconiser qu'elle posât plutôt en costume. En costume, elle, Margaretha Mac Leod ! Jamais elle n'aurait imaginé que son corps – ce corps admirable que lui envient la plupart des femmes et que convoitent tous les hommes – pût lui valoir pareil camouflet. Ces peintres, ces prétendus artistes incapables d'apprécier son anatomie et qui lui conseillaient de la voiler, se sont conduits en rustres cruels et dépourvus de goût. Mais ils n'auront pas le dernier mot, un jour ils entendront parler d'elle, elle se l'est juré !

Lady Mac Leod vient ainsi de passer huit semaines à courtiser des concierges, à déposer ses cartes dans des loges qui empestaient le chou ou le poireau – ah ! elle en a distribué des bristols ! –, à gravir des escaliers raides et dégoûtants avant d'atteindre l'antre de l'artiste où, la plupart du temps, elle devait subir critiques et mortifications.

Sans l'adoration que lui a témoignée Louis Castagnols tout au long de leur liaison, elle aurait pu être ébranlée par ces propos calomnieux et mal intentionnés. Qui sait, peut-être aurait-elle même fini par douter de sa beauté et par sombrer dans le désespoir. Mais par chance et comme un merveilleux contredit à ses détracteurs, le brave Louis est arrivé à point nommé pour vouer un culte absolu à ce corps dédaigné par les apôtres de l'art. Qu'il en soit remercié !

Il est vrai qu'elle lui a monnayé ses charmes, mais comment aurait-il pu en être autrement ? Chaque fois que le gros homme venait la rejoindre dans sa couche avec sa panse de chanoine – dixit Pauline –, ses joues couperosées et son cou de boucher, il lui fallait se forcer et surmonter son dégoût. Quand il posait sur elle ses mains potelées de prélat, quand l'ardeur sénile accélérait son souffle, elle devait détourner le visage et fermer les yeux pour dissimuler sa répulsion. Ah ! certes, il eût été autrement plaisant de se livrer aux assiduités d'un amant plus jeune et plus avenant, mais avait-elle seulement le choix ?

A présent, Louis Castagnols a regagné ses pénates et Margaretha sait qu'elle ne le reverra jamais. La somme qu'il lui a laissée lui permettrait de jouir encore quelque temps des fastes du Grand Hôtel, mais à quoi bon demeurer à Paris plus longtemps, se dit-elle. Pour l'heure, les auspices, ici, ne lui sont guère favorables, et le constat de sa défaite la laisse pantelante et ulcérée. Quant à poursuivre ses démarches auprès des peintres et risquer de s'exposer encore à leurs sarcasmes ou à leurs rebuffades, c'est au-dessus de ses forces.

Tout bien pesé, elle estime aujourd'hui qu'il serait plus judicieux pour elle de rentrer en Hollande. L'argent dont elle dispose lui assurera là-bas une aisance relative et elle pourra mettre à profit cette période de repli pour reconsidérer sa stratégie. Car elle ne renonce pas à ses ambitions : Paris n'a qu'à bien se tenir, elle reviendra !

Si elle pouvait afficher les signes d'une quelconque réussite, Margaretha informerait son père de son retour au pays. Mais, inutile de se leurrer, elle ne le peut pas. Et lorsqu'elle envisage leurs retrouvailles, il lui semble pareillement impossible de tromper Adam Zelle. Face à face, dans une confrontation à visage découvert, elle ne manquerait pas de se trahir et lui aurait tôt fait d'éventer son jeu. Ils se ressemblent et se connaissent trop bien.

Adam Zelle doit continuer à croire qu'elle vit en France et qu'elle y progresse dans la voie qu'elle s'est tracée. Dans cette perspective, Margaretha a mis en place le plus simple des stratagèmes : elle a acheté une demi-douzaine de cartes postales sur lesquelles figurent des monuments et des hauts lieux de Paris. L'une d'entre elles représente même la tour métallique érigée par M. Eiffel sur le Champ-de-Mars et dont l'étonnante architecture ajourée domine la cité depuis l'Exposition universelle de 1889. Au verso de chacune de ces cartes, elle a écrit une ou deux phrases qui suggèrent un certain contentement et prétendent rassurer leur destinataire : *Tout va bien pour moi. J'ai trouvé ici le pays qui convient à mon cœur* ou *Je suis heureuse, entourée de gens délicieux et du meilleur monde. Paris est une fête,* et le reste à l'avenant. Pour anodines qu'elles paraissent, ces formules n'en ont pas moins longuement été étudiées et remaniées afin de produire l'effet escompté.

Avant de confier ce lot de cartes postales à Pauline, Margaretha a pris soin de les postdater. La jeune fille n'aura plus qu'à les expédier mois après mois, dans l'ordre, et jusqu'à épuisement du stock.

— Tu as bien compris ? Il te faudra vérifier la date inscrite sur chaque carte avant de l'envoyer. Tu feras partir celle de mai aux environs du 15, et ainsi de suite, d'accord ?

— D'accord. Mais, vraiment, j' vois pas pourquoi vous vous compliquez la vie d' cette façon.

— C'est pour mon père, Pauline. Il ne doit pas se douter que j'aurai quitté la France lorsqu'il recevra ce courrier. Il est vieux, il s'inquiéterait, je veux lui éviter tout souci à mon sujet.

— Un mensonge pieux, alors ? C'est comme ça qu'on dit ?

— Si tu veux... Mais surtout, prends bien garde à ne pas intervertir les cartes. Mon père est malin et notre petite ruse serait vite découverte.

— Vous faites pas d' souci, j' vérifierai deux fois plutôt qu'une, il y verra que du feu !

Et elle se tait, Pauline, elle n'a plus rien à faire, plus rien à dire. C'est bien la première fois qu'elle reste là, vacante, muette, les bras ballants, les yeux fixés sur les deux malles de lady Mac Leod qui béent au centre de la chambre et n'attendent plus que d'être bouclées.

— Allons, Pauline, pas de vague à l'âme ! Je reviendrai, je t'assure. Combien de fois devrai-je te le dire ?

— Oui... mais quand ?

— Eh bien, dans quelques mois, six tout au plus.

— Ce s'ra bien long...

Froufroutante, Margaretha s'approche de la jeune fille qui se tient tête baissée, au bord des larmes. De sa main gantée, elle redresse le petit menton qui tremblote, oblige Pauline à lui faire face.

— Je ne veux pas que tu sois triste. Le sourire va mieux à ton petit minois. Promis ?

— Promis.

En cet été de 1903, Adam Zelle a dépassé la soixantaine et vivote avec sa seconde épouse dans un faubourg d'Amsterdam. Il ne voit plus guère ses enfants depuis longtemps dispersés à travers le pays. Boudé par le succès – ses entreprises, les unes après les autres, ont échoué –, il mène désormais une existence étriquée de représentant de commerce dont il s'accommode tant bien que mal. Pourtant, s'il a dû renoncer à ses propres rêves de réussite et d'opulence, il place ses dernières espérances en Margaretha. Son aînée, sa fille bien-aimée ne le décevra pas, les nouvelles qu'il reçoit périodiquement de Paris ne font que le conforter dans cette certitude et confirmer sa foi en elle.

Avant d'être exposées sur le corps haut du vénérable buffet — on les glisse dans la porte, entre le montant sculpté de rosaces fleuries et la vitre —, les cartes envoyées par Margaretha sont lues, relues, et abondamment commentées.

— Imagine-toi un peu la vie qu'elle mène là-bas. A elle les soupers fins, les courses, les promenades au bois, les soirées à l'opéra... et ce qu'elle doit être belle, je parie qu'elle a tous ces beaux messieurs de Paris à ses pieds !

Assis à la table où les vieux époux viennent d'achever de dîner, Adam Zelle tourne et retourne la carte reçue ce matin même. Elle porte la date du 13 juillet. Margaretha est en Hollande depuis trois mois mais, comme on le sait, il n'en a pas le moindre soupçon. Il examine l'illustration — cette tour de métal qui ressemble à un jouet —, revient au verso pour lire encore une fois le bref message écrit de la main de sa fille.

— Elle fréquente des ambassadeurs, des barons, des artistes, le haut du panier quoi !

La seconde Mme Zelle ne partage ni l'enthousiasme ni l'optimisme de son mari : elle connaît son homme et il y a beau temps qu'elle ne l'accompagne plus dans ses délires. Elle se dresse avec un haussement d'épaules, repousse sa chaise et, à gestes lents, se met à desservir. Chaque fois qu'ils reçoivent du courrier de Paris, c'est la même rengaine, son Adam se laisse aller à bavasser, à rêvasser sur trois fois rien. Derrière deux lignes tracées à la hâte par la belle-fille et pas très explicites, c'est le moins qu'on puisse dire, il imagine la vie de château, le luxe, la gloire, et il part dans ses divagations, on ne peut plus l'arrêter.

— Je me demande où tu vois tout ça, je n'ai rien lu de pareil. Ta fille dit seulement qu'elle se porte bien.

— C'est qu'il faut savoir lire entre les lignes. Crois-moi, je connais ma Margaretha ! affirme le vieux Zelle.

— Oui, tu la connais. Et tu sais surtout inventer entre les lignes, pour sûr !

Bon. Très bien. Inutile de discuter avec cette femme, se dit Adam Zelle, elle est trop terre à terre et ne voit pas plus loin que le bout de son nez.

Il se lève à son tour, maugréant contre la vieille qui remue de la vaisselle à côté, dans la cuisine. D'un pas pesant, il se dirige vers le buffet et, comme à regret, insère la dernière carte à la suite des autres, entre le montant de bois et la paroi vitrée. Puis il prend un léger recul pour mieux contempler l'ensemble des « vues parisiennes » : sa précieuse collection de bonnes nouvelles.

Demain, à l'aube, profitant de ce que Mme Zelle dormira encore, il en relira une ou deux : c'est devenu un rite matinal et secret, un besoin qu'il doit satisfaire avant de partir travailler et qui lui donne du cœur au ventre.

Le retour au pays de Margaretha Zelle - Mac Leod s'est effectué en catimini. De sa propre volonté, la fille prodigue s'est privée des congratulations et des réjouissances ordinairement assorties aux retrouvailles. Contraignant sa nature, elle a opté pour la discrétion et choisi de s'installer aussi loin que possible d'Amsterdam, chez un oncle, à Nimègue.

A présent qu'elle a retrouvé ses repères familiers, elle est habitée par deux obsessions : revoir sa fille, la petite Jeanne-Louise, et continuer à faire en sorte que son père ne puisse soupçonner sa présence aux Pays-Bas. Pour ce faire, elle s'applique à se montrer le moins possible et à éviter tout impair.

Depuis son arrivée à Nimègue, elle sort peu, ne voit personne, et vit claquemurée dans la maison de son oncle. Son existence s'apparente à celle d'un hors-la-loi que la crainte des représailles contraint à se cacher.

Au bout de trois semaines pourtant, son désir de revoir Jeanne-Louise devient si lancinant qu'elle commet sa première erreur : elle écrit à Rudolph et le prie de lui accorder un rendez-vous. La réaction de Mac Leod est consternante. Dédaignant la requête de Margaretha, il adresse à l'oncle une lettre indignée où il prend feu et flamme contre son épouse et déplore qu'un homme respectable consente à accueillir chez lui cette « traînée » qui a fini de perdre sa réputation et son honneur à Paris. L'oncle, bien que bonne pâte, est ébranlé par le ton et le contenu de cette diatribe. Rudolph Mac Leod est réputé violent et la situation devient par trop embarrassante pour le brave homme qui tient à sa tranquillité : tout en lui exprimant ses regrets, il demande à Margaretha de chercher asile ailleurs.

Début juillet, lady Mac Leod fait porter ses deux malles — tout ce qu'elle possède au monde — chez une sœur de sa mère, à Leiden. Elle espère trouver là une hospitalité moins aléatoire. A nouveau, elle sollicite de Rudolph l'autorisation de voir la petite Jeanne-Louise qui est maintenant âgée de cinq ans. Mac Leod a dû réfléchir ou prendre conseil de son avocat dans l'intervalle car, cette fois, il accepte. L'entrevue est fixée le troisième dimanche d'août à Arnhem où il réside toujours avec l'enfant.

Margaretha se fait une fête de retrouver sa fille dont elle est séparée depuis deux ans. Hélas, quand elle se présente à l'heure dite au domicile de son époux, elle trouve porte close. Pris d'un repentir, Rudolph lui a fait faux bond.

Une sorte de guerre des nerfs s'installe alors entre les époux Mac Leod. Après ce premier rendez-vous raté, Margaretha renouvelle sa demande à diverses reprises et, chaque fois, bien qu'il ait admis le principe de la rencontre, Rudolph manque à son engagement.

Le désir de Margaretha s'exacerbe à proportion que croît son exaspération. Peut-être l'enfant n'est-elle plus, à ce moment-là, qu'un prétexte : l'essentiel est maintenant d'obliger Rudolph à fléchir et d'avoir raison de sa résistance. Elle insiste donc. Tantôt pressante, tantôt implorante, elle envoie lettre sur lettre, se référant dans l'une à la loi qui lui garantit le droit de visite et dans la suivante à ses sentiments maternels. Sous cette avalanche de missives aux tons les plus contrastés, Mac Leod finit par céder.

A la mi-octobre, cette porte d'Arnhem à laquelle Margaretha a si souvent frappé en pure perte s'ouvre enfin.

Rudolph Mac Leod se tient sur le seuil en chemise et bretelles, l'air rogue, le cheveu plus rare que jamais. Un débraillé de séducteur sur le retour, songe la jeune femme en même temps qu'elle ébauche un petit sourire crispé.

— Eh bien, entre ! grogne Mac Leod, avec un coup d'œil furtif au petit paquet qu'elle porte.

La précédant, il introduit Margaretha dans une pièce banale où les meubles s'alignent le long des murs comme autant de sentinelles figées dans une roideur toute militaire. Ni gravures, ni bibelots, ni tapis, la tanière a pris l'aspect rébarbatif et froid de son locataire. Mais la petite fille est là, autre sentinelle qui se tient assise, les deux mains posées à plat sur le coton bleu de sa robe, les yeux baissés.

L'enfant n'a pas bougé, ne s'est pas levée. Sage, d'une sagesse un peu contrainte, elle demeure adossée au divan, ses grands yeux bruns fixés sur l'inconnue qui s'avance, souriante, et s'agenouille devant elle.

— Bonjour, *Non*.

— Bonjour, madame.

— S'appelle plus *Non*... Son nom est Jeanne-Louise !

Cette douche, c'est Rudolph, debout derrière elle, et cette fameuse scansion « militaire » de la phrase que Margaretha avait si bienheureusement oubliée. L'espace d'une seconde, elle a eu la velléité de tendre les bras vers sa fille mais l'intervention hargneuse de Rudolph l'a glacée et le geste a avorté. Alors elle se redresse, s'écarte, et tandis qu'à reculons elle doit éviter une table basse, Rudolph vient prendre place sur le divan, tout près de l'enfant dont il enserre les épaules, la maintenant serrée contre lui. Le décor est posé, les acteurs sont à leurs marques, la comédie peut commencer.

— Tu as bien grandi, Jeanne-Louise, tu es devenue une très jolie petite fille.

Sous le compliment, l'enfant bat des cils mais ne dit mot.

— Je t'ai apporté des friandises. Prends, ma chérie, c'est pour toi.

Un doigt passé dans la ganse du ruban qui ferme le

paquet, Margaretha se penche en avant, tend son cadeau à l'enfant. Jeanne-Louise a un léger frémissement mais n'ose se dégager de l'étreinte paternelle. Margaretha comprend qu'il serait vain d'insister : elle pose son paquet entre elles, sur la table qui les sépare.

— C'est pour toi, répète-t-elle. Tu l'ouvriras quand tu voudras.

— Pas de ça ! glapit Rudolph... Mauvaises dents... Pas de ces saloperies de bonbons pour elle !

— Ah ! j'ignorais..., bredouille Margaretha. Je suis désolée.

— C'est ça, désolée... Mieux fait d'apporter un vêtement, un jouet... Crois pas ?

Margaretha s'oblige à prendre une longue goulée d'air, elle s'exhorte au calme, elle ravale le flot d'injures qui lui monte aux lèvres, de toutes ses forces elle tente de contenir sa colère et de résister à la provocation : perdre son sang-froid serait offrir à Rudolph une trop belle occasion de triompher.

— C'est vrai, dit-elle humblement, j'aurais dû y penser. Mais en son for intérieur elle s'insurge, elle maudit son mari et le voue à tous les diables.

Une expression de contentement narquois flotte sur les traits bouffis de Mac Leod : il a gagné, il a réussi à l'humilier.

— Boire peut-être ? propose-t-il alors. Tu veux ?... Thé, bière, café ?

— Non, rien, merci. J'ai un train à prendre, il faut que j'y aille.

Margaretha s'est levée. A nouveau, elle doit contourner l'obstacle de la table pour aller vers l'enfant toujours immobile sur son siège et qui s'est mise à suçoter son pouce.

— Je m'en vais, ma chérie. Tu me fais un petit baiser ?

Les yeux inquiets de la petite se lèvent sur le père. Doit-elle ?

— Suffit les simagrées ! aboie Rudolph. Ton train t'attend.

En trois enjambées rageuses, il est à la porte qu'il

ouvre à toute volée, puis se tournant vers l'intérieur il répète :

– Allons, Margaretha... Tu as un train à prendre !

Mais elle n'obtempère pas, elle reste agenouillée devant sa fille. Les mains posées sur les avant-bras de la petite, elle approche son visage de celui de l'enfant et dit dans un murmure :

– Je suis ta maman, tu sais.

Et dans un défi ultime à Rudolph qui a refusé l'autorisation du baiser, parce qu'elle le sent qui trépigne dans son dos, là-bas, devant la porte ouverte, elle se saisit des menottes de Jeanne-Louise et les presse longuement contre ses lèvres.

Naissance de Mata Hari

Nimègue, Lieden, Eindhoven, Schveningen... Au motif qu'elle est en situation irrégulière, séparée de son mari mais non officiellement divorcée, les portes se ferment et, chaque fois, lady Mac Leod doit se transporter plus loin. Dans le même temps, le petit pactole que Louis Castagnols lui a alloué avant de quitter Paris a fondu et elle se retrouve sans ressources : début décembre, elle s'aperçoit qu'elle n'a plus rien. Alors, comme le loup que la faim pousse hors du bois, elle quitte sa dernière retraite et part pour Rotterdam où elle espère trouver un travail, un moyen de survie quelconque. Dans la grande ville où nul ne la connaît, elle pourra sans doute bénéficier de l'anonymat et mener sa vie à sa guise.

Mais elle va vite déchanter car elle n'a pas de métier, aucune compétence professionnelle. Le « vernis » culturel qu'elle a acquis au cours de ses études à La Haye ne lui permet pas de postuler à un emploi correct ni de subvenir à ses besoins. Certes, elle sait jouer du piano et monter à cheval, elle chante agréablement et connaît quelques langues étrangères, mais ces jolis savoir-faire qui constituent des atouts quand on est une jeune femme de la haute bourgeoisie s'avèrent inutiles pour elle qui se retrouve seule et dans le plus complet dénuement.

Alors, que faire ? Elle a bien songé à proposer ses services en qualité de préceptrice ou de gouvernante mais l'idée de se trouver en position subalterne lui est odieuse. Ce serait pour elle l'humiliation absolue, la marque infamante de la déchéance, jamais elle ne s'y résoudra.

Privée de moyens et de relations, elle en est réduite à prendre pension dans un quartier mal famé de Rotterdam où elle occupe une chambre qui suinte d'humidité et grouille de vermine. Le reste est à l'avenant : pour tout mobilier, elle dispose d'un lit de fer, d'une table et d'une armoire vermoulue qui manque basculer chaque fois qu'on ouvre ou referme un de ses battants. Située sous les combles, la pièce prend le jour par une lucarne ouverte dans la soupente du toit et baigne dans une lumière calamiteuse quelle que soit l'heure ou la couleur du ciel. Outre l'exiguïté du lieu, la forte déclivité du toit rend les déplacements malaisés : Margaretha ne peut faire trois pas sans donner de la tête dans le pan coupé du plafond.

Dans ce taudis, toute autre femme mesurerait la faillite de ses espérances, s'abandonnerait à des pensées lugubres et perdrait bientôt pied. Mais Margaretha Mac Leod est dotée de ce caractère bien trempé, de cette pugnacité qui lui épargnent les tentations et les tourments du désespoir. Loin de l'abattre, sa présente débâcle la stimule : si ses petits talents ne sont pas monnayables, si l'amour vénal est le seul salut, eh bien elle vendra son corps et elle le vendra cher ! Car elle ne peut demeurer dans cette chambre de misère, il lui faut amasser au plus vite de quoi reprendre le train pour la France. Elle s'est juré qu'elle quitterait la Hollande dans les derniers jours de décembre : 1904 sera l'année de son triomphe à Paris ou ne sera pas !

Et sa quête commence : chaque matin, elle sort pour se rendre à des rendez-vous galants et ne rentre dans sa tanière qu'au bout du jour. Sa logeuse, que ces mystérieuses allées et venues intriguent, se perd en conjectures. Comment cette femme si élégante et si bien mise peut-elle prendre pension chez elle ? Qu'a-t-elle à cacher ? Que fait-elle de ses journées ? La bonne femme est à mille lieues d'imaginer la vérité tant sa singulière locataire lui en impose par son allure aristocratique et sa distinction.

Certains jours pourtant, le froid, ou le dégoût d'elle-même, dissuade Margaretha de quitter sa chambre. Alors elle reste couchée − la configuration du lieu n'offre pas d'alternative − et, étendue à plat dos sur son étroite couchette, elle ferme les yeux pour effacer le décor débilitant qui l'entoure. Dans ces moments, loin de rester passif, son esprit s'active et travaille à mûrir le projet qu'elle caresse depuis son retour aux Pays-Bas. Les rumeurs qui montent du port, les sirènes des remorqueurs, les cornes de brume, les cris des dockers, tout concourt au dépaysement qu'elle recherche et provoque d'heureuses déflagrations dans les zones assoupies de sa mémoire. Chaque mugissement de sirène bat le rappel d'images enfouies, suscite des turbulences du souvenir, encore un cargo qui prend le large, songe-t-elle et sur l'écran de ses paupières s'impriment et défilent des séquences entières de son séjour indonésien. Java. Sumatra. Le petit Norman. Ses cavalcades dans les collines couvertes de végétation exubérante. Les boys qui lui donnaient du « madame capitaine » et les fragments d'histoires, les bribes de récits édifiants qu'elle obtenait d'eux à force de patience et de sourires. Elle se remémore les mille et une histoires qu'ils lui racontaient, qui la charmaient, elle revoit les bayadères aux bras cerclés de larges bracelets, leurs mains dont chaque étirement, chaque torsion autour du poignet participait d'un langage mystique, les figures à la fois gracieuses et hiératiques de ces corps qui s'enroulaient autour d'une musique lancinante, qui ondoyaient, se déployaient...

Ces visions qu'elle rameute à plaisir la réconfortent et nourrissent l'essentiel de ses réflexions. Peu à peu, elle oublie sa mise au ban de la société, les hommes auxquels elle se donne en échange de quelques florins, les privations, la solitude, et elle échafaude de nouveaux plans d'avenir qu'elle fonde sur son expérience indonésienne. A aucun moment elle n'a douté de son étoile mais, au terme de ces méditations, le futur lui apparaît tout tracé, et lumineux comme jamais. C'est dit : puisqu'elle possède une vague connaissance des codes qui régissent les danses sacrées, elle utilisera ces rudiments et les aménagera au besoin pour danser. Comment n'y avait-elle pas songé plus tôt ? Danser à la manière des femmes de Bali dont, par chance, elle a eu l'occasion et le bonheur d'observer les évolutions dans les sanctuaires sera pour elle un jeu d'enfant. Comme les bayadères, elle s'enveloppera de voiles et, les chevilles, les bras cerclés d'anneaux et de pierreries, elle mimera leurs mouvements rituels, elle imitera leurs reptations, leurs contorsions, elle saura reproduire chaque geste, chaque attitude des danses liturgiques de là-bas. Elle n'a aucune inquiétude quant à son aptitude à faire illusion dans son innovation chorégraphique car elle mise sur la grâce féline de son corps et ses capacités inventives. Son triomphe ne fait aucun doute : bientôt elle sera en mesure de se produire sur scène et de subjuguer les foules.

Margaretha a atteint son objectif : grâce au commerce de son corps, elle a amassé de quoi payer son voyage vers la France. Elle dispose même d'une somme assez rondelette pour lui permettre de voir venir et de prendre son essor à Paris.

Ce matin de fin décembre, elle se réveille à la pointe du jour et, aussitôt, décide de sortir : elle a peu dormi et se sent trop excitée pour demeurer une heure de plus entre ses quatre murs sordides. Demain, elle sera loin, demain, chaque tour de roue de ce train qui l'emportera vers Paris la rapprochera de son glorieux destin.

Lorsqu'elle se glisse hors du bâtiment vétuste où elle vit depuis bientôt trois semaines, la nuit commence à se déchiqueter en lambeaux couleur de suie, laissant apparaître ici et là des échancrures livides au-dessus des toits. Mais Margaretha se sent invulnérable et traverse sans crainte ces poches d'ombre qui stagnent à l'écart des réverbères ou dans les goulots noirs des traverses. Elle déborde d'un tel excédent de force et d'énergie inemployées qu'il lui faut marcher et même, si elle s'écoutait, elle se mettrait à courir, elle sauterait, elle danserait à travers la grande cité qui repose encore dans les limbes du sommeil. Dormir ? A quoi bon ? Quelle perte de temps, songe Margaretha qui, frissonnant dans le froid du petit matin, retient à deux mains son col de fourrure autour de son cou et va d'un pas allègre, sans destination aucune sinon qu'elle a le sentiment stimulant, exaltant, de marcher vers un avenir radieux. A chaque expiration, sa bouche exhale la blanche vapeur de son souffle condensé, le talon de ses bottines frappe en cadence le pavement du trottoir, tip tap, un petit martèlement vif, familier, qui résonne dans l'air glacé de l'aube et l'accompagne aimablement.

Peu à peu, tandis qu'elle avance toujours au hasard et sans ralentir l'allure, la ville commence à s'ébrouer, les rideaux des estaminets se lèvent, de vagues silhouettes emmitouflées, encore poisseuses de sommeil, se glissent hors des porches obscurs et s'éloignent en traînant les pieds. Les rares passants que croise Margaretha arborent un visage blafard, aux traits crispés par la maussaderie d'un réveil trop matinal.

Sans le vouloir, elle se dirige vers l'est, ignorante encore du complot de beauté qui s'ourdit pour elle, elle fait quelques pas encore pour s'immobiliser soudain, confondue, éblouie par cette source de lumière qui naît là-bas, qui nappe l'horizon d'un rose très doux et escalade à vue d'œil les degrés de l'air : le soleil se lève. A Margaretha, la touche de rose — un rose maintenant suffusé d'orangé — rappelle Mary, lui rappelle, voyons, ils avaient un mot pour désigner le soleil à Java, ils disaient mata hari, l'œil du jour. C'est bien cela : mata hari, elle n'a pas oublié ces quatre syllabes et, tandis que l'astre pâle s'élève dans un ciel de lait, elle se les répète comme une incantation, une formule quasi magique. Elle se les répète jusqu'à ce qu'elles adhèrent à son dessein, jusqu'à l'appropriation, jusqu'à la jubilation : dans une fulgurance de l'intuition, elle décide soudain qu'elle s'appellera désormais Mata Hari.

Alors, elle se remet en marche dans la cité qui, déjà, ruisselle sous une lèpre d'or.

Lady Mac Leod vient de donner un nom à sa légende.

— Il y a un message pour vous, chère Madame. Nous l'avons conservé mais il date de plusieurs mois déjà, précise le préposé à la réception du Grand Hôtel.

Qui peut bien m'avoir écrit ici ? se demande Margaretha pendant qu'on recherche ledit message depuis longtemps enfoui dans le casier du courrier en souffrance.

— Voici ! dit triomphalement le garçon. J'ai réussi à le dénicher !

Et par-dessus la banque, il lui tend une enveloppe non timbrée qui porte le nom de Lady Mac Leod, sans autre indication. Margaretha se détourne, la décachette vivement et lit :

Paris, 15 août 1903

Chère lady Mac Leod,

Ceci est une lettre de Pauline. Regardez pas les fôtes d'ortografe par pitié car j'ai pas l'instruction qui faut. Mon petit ami qui est dans les postes a pas voulu écrir pour moi, alors tant pis, je me lance.

Vous devez savoir que je fai plus parti du personnel du Grand Hôtel a cause qu'une cliente s'est plinte de moi à la direction. Vous avié raison de dire que je parle trop : ma langue m'a fait perdre mon enploi. C'est pas bien dramatic, notez, car maintenant je travaille dans un atelier de couture près de la Madeleine, rue Pasquier. On est là une douzène d'arpètes autour de la table et la patrone nous laisse fair la conversation. Alors vous pensez que je suis à mon afaire, je peux bavardé tant que je veus, pas de blame.

Cette lettre, j'irai la déposé au Grand Hôtel dès que j'aurai fini de l'écrir. J'espaire que vous reviendrez bientôt à Paris come vous me l'avez promi et qu'ils vous la remettron à votre arrivée. Surtout, faut pas vous soucié pour votre papa car j'ai fait le nécessaire avec les cartes et même que je continurai tant qui en aura à expédier. Je regarde toujours les

dates que vous avez mise et j'envoie au conte goutte, vous
pouvez me faire confiance.

Quand vous serez de retour, j'aimerai votre visite chez
Germaine Dessange, rue Pasquier. C'est un bel endroit, vous
verrez, on fait pas du Worth ou du Doucet mais quand même
on habille le gratin du quartier. Venez je vous en prie, je
serai vraiment si contente de vous revoir.

Avec mes respectueuses salutations
Pauline

Parce qu'il se demande quelle peut être la nature de
cette missive vieille de plusieurs mois, parce qu'il remarque le froncement de nez, le joli retroussis des lèvres de
lady Mac Leod à mesure qu'elle progresse dans sa lecture, parce que soudain elle se met à pouffer derrière
son gant et finit par exploser dans une syncope de rire,
le garçon s'autorise à demander :

— Bonnes nouvelles, Madame ?

— Oh oui, excusez-moi... Amusantes, très amusantes,
j'en pleure, voyez-vous...

Et, avec un petit mouchoir de dentelle, lady Mac Leod
se tamponne les yeux face au garçon qui, très profes-
sionnellement, élargit son sourire et s'efforce, avec un
temps de retard, de partager son hilarité. Ici, le client
est roi, la règle veut qu'on se mette au diapason de ses
humeurs...

L'échec de son premier séjour parisien a aguerri Margaretha Mac Leod, alias Mata Hari. Elle s'est promis
d'éviter les erreurs qui causèrent sa débandade d'alors et
de peaufiner son plan avant de le mettre à exécution.
Pas de précipitation en tout cas, telle est l'exhortation
première, la règle de conduite à laquelle il lui faudra se
tenir.

Dans le secret de sa chambre du Grand Hôtel, elle
met au point ses premières « créations biographiques »
qu'elle testera bientôt sur un public choisi, la clientèle
de Germaine Dessange, rue Pasquier. La suggestion vient
de Pauline dont l'originalité du style et de l'orthographe

n'a d'égale que la rouerie. La femme de chambre devenue petite main a sauté au cou de Margaretha lorsque celle-ci, satisfaisant à sa requête, s'est présentée à l'atelier peu après son arrivée. Effusions, embrassades, la gamine, rougissante d'émoi, n'en finissait pas d'admirer sa belle amie, la présentait fièrement à sa patronne, claironnait son nom entre l'atelier et le salon d'essayage afin que nulle des pratiques qui patientaient là en camisoles blanches et pantalons de batiste n'ignorât la qualité de l'aristocratique visiteuse.

Depuis ces retrouvailles, les deux femmes se rencontrent parfois dans la mansarde de Pauline, rue de Trétaigne, le plus souvent au café Procope ou dans un salon de thé, près de la Madeleine. Jamais Margaretha ne reçoit la jeune fille au Grand Hôtel, c'est une précaution dont elles sont convenues et qui ne souffre aucune exception. Entre elles, l'attirance et la sympathie initiales ont évolué vers une affection mutuelle et sans afféterie : une sorte d'amitié bancale mais sincère s'est instaurée qui rend possible la confidence, la confiance libre de toute contrainte. Ainsi la jeune Pauline a-t-elle réagi avec un enthousiasme enfantin à l'exposé des projets grandioses de Margaretha. Le pseudonyme de Mata Hari lui plaît beaucoup. Peu lui importe ce qu'il signifie en malais, à son oreille il prend la résonance d'un nom de reine orientale, rien de moins.

— Pas de problème, a-t-elle décrété avec son aplomb habituel. V'là un nom magnifique et qui vous va comme un gant !

— Bon, tant mieux s'il te plaît. Mais pour le reste, qu'en penses-tu ? Cela te paraît vraisemblable ?

— Quoi ? L'idée qu' vous êtes née dans un temple et qu' votre mère était une danseuse sacrée ?... Et pourquoi non ? Vous racontez si bien. Moi, quand j' vous écoute, j' gobe tout !

La jeune fille prend un petit temps de réflexion et ajoute :

— Pour être sûre que votre histoire tient l' coup, faudrait l'essayer sur d'autres, les clientes de Mme Dessange par exemple. Chez nous, on reçoit le beau linge du quar-

tier, vous savez, vous trouv'rez là l'auditoire idéal. J'
peux vous arranger l'affaire si ça vous dit.

Germaine Dessange a fait son trou au tournant du siècle. Jadis, quand elle levait la jambe et poussait la chan-
sonnette sur la scène du Perroquet bleu, ce n'est pas
qu'elle avait la vocation chevillée au corps, pour ça non.
Mais toute jeunette qu'elle était alors, Germaine savait
déjà ce qu'elle voulait et, tout bien réfléchi, se démener
sur une scène de bastringue valait mieux que se ruiner
la santé dans la blanchisserie comme sa pauvre mère.
D'autant qu'il s'agissait de considérer le métier d'actrice
comme un tremplin et non comme une fin. Très vite,
dès son premier engagement, Germaine avait compris la
musique : dans la promiscuité et le désordre des loges
où se pressaient les petites femmes à demi nues, on ne
causait que des messieurs à gants blancs auxquels on
extorquait le maximum en n'accordant que des miettes.
Chaque soir, avant le lever de rideau, les coulisses
s'emplissaient d'éclats de voix véhéments, on entendait
Mimi se plaindre du rupin qui l'entretenait mais tenait
trop serrés les cordons de la bourse, une autre se disait
lasse d'un protecteur par trop décati, et toutes attendaient
l'opportunité, le coup de chance : un jour, un soir plutôt,
un de ces seigneurs de la finance ou de l'aristocratie allait
les remarquer, tomber en béguin et les tirer de là pour
les installer en ville comme des duchesses. La plupart
des filles étaient à la colle avec un amant de cœur qu'il
fallait cacher aux gants blancs si on voulait éviter les
complications et les scènes embarrassantes. Entre les
actes, des billets circulaient, des bouquets arrivaient sans
cesse, portés par le concierge, on chuchotait, on s'esclaf-
fait derrière les paravents au moment du changement de
costume, une telle piquait une crise de nerfs pour un
emploi du temps contrarié, une autre faisait répondre
que « non, non, ce soir elle n'était pas libre », le vieux
cochon pouvait bien aller se faire pendre, cette nuit elle
dormirait seule !
Par bonheur, Germaine a eu la chance de ne pas se

faner ou s'aigrir comme tant d'autres dans l'attente d'une « opportunité ». La sienne est venue au bout de trois ans en la personne d'un riche courtier en assurances si jalousement épris qu'il prétendit aussitôt la soustraire aux mœurs dissolues et au dévergondage du milieu théâtral. La belle Germaine voulait bien abandonner les planches mais sa soumission était assortie d'une condition : qu'on lui achetât une boutique dans un beau quartier car elle se refusait à dépendre *ad vitam œternam* des libéralités de son ami.

Ainsi, Germaine Dessange, ancienne artiste de variétés, a-t-elle maintenant pignon sur rue à proximité de la Madeleine. Son atelier est situé au second étage d'un immeuble de maître et prend le jour par une série de hautes fenêtres qui assurent toute la clarté nécessaire au minutieux travail de couture. Une nuée de filles s'activent dans cette lumière de paille autour d'une longue table encombrée d'un désordre d'étoffes, de patrons, de pelotes d'épingles et de croquis aquarellés. Tout un fouillis de galons, de rubans, de broderies, de fleurs artificielles et de fournitures diverses s'entassent dans des casiers aménagés à cet effet contre le mur du fond. Ici, on tire l'aiguille du matin au soir mais on bavarde aussi et, souvent, des rires fusent quand ce n'est pas le fredon d'une chanson qui naît à un bout de table pour se propager de lèvres en lèvres.

Bien que contigu à l'atelier proprement dit où règne cette ambiance de ruche industrieuse, le salon d'essayage dispose d'une entrée séparée, réservée à la clientèle. Cette pièce de plâtre et de cristal ne manque pas de chic tant Germaine Dessange a mis d'application à la décorer : murs tendus de soie bois-de-rose, petits fauteuils crapauds et poufs capitonnés de la même étoffe, psychés aux cadres dorés à l'or fin, moulures travaillées de pampres, de grappes et de fruits, lampes et lustres en verre filigrané tout droit sortis de l'atelier d'Émile Gallé à Nancy.

A l'arrière du salon, par une ouverture que dissimule une portière de brocart drapé, on accède à un cabinet plus petit et plus intime que Mme Dessange s'est plu à faire aménager en boudoir et a pourvu de tous les raffinements du luxe. Avec ses satins pastel aux douces luisances, ses bouquets de roses pâles apprêtés dans des vases ou des jardinières de barbotine, ses boiseries blanches à filets d'or, ses causeuses couvertes de velours cramoisi, l'endroit est le repaire et le réceptacle exquis de la féminité. Celles des clientes qui, par faveur, s'y voient admises adorent la « bonbonnière » de Germaine et y passent volontiers des après-midi entiers. Car, dans cette annexe précieuse du salon, l'usage interdit que l'on parle chiffons et parures : à la rigueur, les privilégiées peuvent-elles s'enquérir d'un accessoire susceptible de compléter leur dernière toilette, mais le propos est surtout de se retrouver là à cinq ou six pour papoter tout à loisir dans cette atmosphère feutrée, où l'air tiède rend des senteurs de violette et de réséda au moindre effleurement des tentures qui étouffent les bruits du monde et achèvent de clore ce capiteux écrin. Au creux de profondes bergères, on boit ici du porto ou du xérès, on grignote des petits fours de chez Lachemin, tout cela obligeamment offert par Mme Dessange qui, décidément, sait traiter ses pratiques, et le temps s'écoule, béni par les amours de plâtre qui, depuis chaque angle du plafond, assistent aux épanchements de ces dames.

C'est dans cette manière de sérail qu'un après-midi de février, ayant obtenu le consentement de sa patronne, la jeune Pauline introduit enfin lady Mac Leod. Il y a là, déjà, quelques clientes, habituées du lieu. On se présente, on se salue, on minaude un peu avant de faire place à la nouvelle venue. Pauline et Mme Dessange se sont éclipsées avec une discrétion qui les honore.

Margaretha a revêtu pour la circonstance une robe redingote en velours de soie signée Worth. La masse de ses cheveux est relevée et emprisonnée sous une toque de renard argenté. Elle arbore ce luxe avec une telle aisance que jamais les autres ne pourraient soupçonner à quelles débauches elle se livre pour se le procurer. Même Pauline ignore que lady Mac Leod fréquente une maison de rendez-vous où elle pratique des tarifs exorbitants. Mais quoi, il faut bien se donner les moyens de régler les factures du couturier, de la modiste, du bottier !

Ces honnêtes femmes sont au demeurant enjouées, très avenantes, et forment la plus aimable des sociétés. On l'entoure, on lui verse un doigt de liqueur, on ne veut pas se montrer indiscrètes mais on avance déjà de timides questions. Margaretha n'en espérait pas tant : pressée par la curiosité de ces dames, elle se lance dans une périlleuse improvisation, explique qu'elle arrive des Indes où elle a passé son enfance, précise avec toute l'affliction souhaitable qu'elle vient de subir un grand malheur. A mesure qu'elle progresse dans la confidence, les visages expriment tour à tour la surprise, le ravissement, la compassion... Autour d'elle, on s'apitoie, on prend des mines contristées. Pauvre chère, mais encore ? Racontez, racontez... Alors, stimulée par ces encouragements, Margaretha se met à broder, elle affabule, elle affole ses auditrices d'à-peu-près exotiques, elle les entraîne dans son sillage, dans le mirage que, de minute en minute, elle élabore à leur intention.

— Ma mère était bayadère du temple de Randa Swany, au sud de l'Inde. Hélas, je ne l'ai pas connue, elle est morte en me mettant au monde. Les prêtres du sanctuaire ont dû me recueillir et m'ont baptisée Mata Hari, ce qui signifie œil du jour. J'ai grandi au secret de la pagode de Siva où l'on m'initiait aux rites sacrés de la danse...

Des Oh ! des Ah ! accompagnés de hochements de tête ponctuent son récit. Des questions l'interrompent :

— Mais vous ne sortiez jamais ? Vous n'aviez pas d'autre compagnie que celle des prêtres ?

— Il y avait les autres bayadères, nous vivions en vase clos, une existence monotone certes, partagée entre les séances d'initiation et les promenades... Notre seule distraction consistait à cueillir du jasmin qu'il fallait tresser en guirlandes pour orner les autels priapiques du temple.

Elles l'écoutent, bouches bées, envoûtées, dans une sorte d'hypnose. Tous les regards sont fixés sur elle.

— Plus tard, à ma puberté, la grande maîtresse qui

voyait en moi des dons exceptionnels décida de me vouer au culte de Siva et me révéla les mystères...

— Quels mystères ? Pouvez-vous nous dire ?

— Je suis désolée. Ils ne peuvent être dévoilés aux profanes.

— Mais vous nous avez parlé d'un malheur...

— Oui. Je suis veuve d'un officier de l'armée britannique. Il a été tué au cours d'une embuscade. Notre bonheur n'aura pas même duré deux ans. C'est la raison pour laquelle j'ai dû quitter mon pays et venir m'installer en Europe.

Encore des Oh !, des Ah ! modulés sur un mode mineur. On lui ressert un peu de liqueur car après cette éprouvante confession la pauvre âme doit avoir besoin de réconfort. Docile, les yeux baissés, elle boit, simulant une émotion telle que le verre tremble entre ses doigts. Alentour, bien sûr, on remarque ce trouble et la moue douloureuse qui infléchit le coin de ses lèvres. La malheureuse créature, si jeune, si belle et déjà si terriblement éprouvée par le sort, pense Mme Maréchal que le récit de Mata Hari semble avoir bouleversée plus que toute autre. C'est une femme d'âge, sans doute la doyenne de la petite assemblée, mais ses yeux d'un bleu transparent confèrent à son visage un air de candeur et toute sa personne replète respire une maternelle bonté. Lorsque Margaretha repose son verre, elle place sa main potelée sur le bras de la jeune femme et dit doucement :

— Ma chère enfant, vous devez vous sentir bien seule... Mais nous sommes là désormais, nous allons nous occuper de vous, n'est-ce pas mesdames ?

Et toutes d'approuver, de renchérir, de se déclarer prêtes à consoler de ses chagrins la veuve ensorcelante, à l'accueillir dans leur cercle, à lui ouvrir leurs maisons...

L'une d'entre elles, avec un fort accent russe, suggère soudain :

— Mais pourquoi ne pas exercer votre art ? Ce serait divin de vous voir exécuter ces danses que vous pratiquiez dans votre pays...

Il s'agit de la baronne Kireevsky, figure de proue de l'alliance franco-russe, personne en vue, femme ardente connue pour militer en faveur des opprimés, dénoncer les scandales et s'enticher de tout ce qui semble nouveau ou original.

— J'y ai songé, répond Margaretha qui coule un regard plein de modestie et de confusion vers son interlocutrice. Mais, à vrai dire, je ne sais trop comment m'y prendre...

— Alors, faites-moi confiance, j'ai des relations et je me fais fort de vous introduire partout ! Donnez-moi carte blanche et vous serez bientôt acclamée, encensée comme vous le méritez. Vrai, je me sens l'âme d'un imprésario, conclut la baronne dans un rire qui secoue sa gorge opulente et affole les dentelles de son corsage.

L'idole des salons

L'année précédente, alors même qu'elle s'apprêtait à battre en retraite, Margaretha écrivait dans un élan de piété filiale : Paris est une fête. Ce pieux mensonge est à présent devenu réalité : lady Mac Leod, alias Mata Hari est de toutes les parties, de toutes les soirées, elle a ses entrées dans les salons les plus huppés de la capitale, elle se montre aux courses, caracole en amazone dans les allées du Bois, bref elle fraye avec le Tout-Paris élégant et frivole de la Belle Époque que ses élucubrations pseudo-orientales ont séduit, charmé, soumis. Elle doit cet incroyable revirement du sort à la baronne Kireevsky dont le zèle en sa faveur a fait merveille. Dès le lendemain de leur rencontre chez Germaine Dessange, l'émigrée russe s'est mise en campagne, vantant partout les charmes et les talents de lady Mac Leod qu'elle présente à tous comme sa protégée, son ultime découverte. La baronne est une femme influente dans les milieux des arts et de la politique, il lui a été facile de susciter la curiosité et l'intérêt de ses amis, chacun brûlait du désir d'approcher et de connaître cette créature de rêve, cette mystérieuse lady.

Margaretha, qui ne s'intéresse guère aux affaires du monde, ignore combien la conjoncture lui est favorable, toute prête à servir ses desseins : on a sonné les trois coups, elle n'a plus qu'à entrer en scène. Les informations qui proviennent de l'étranger ont de quoi alarmer : la guerre engagée entre le Japon et la Russie, grande alliée du moment, tourne au désastre pour les Russes. Leur flotte vient d'être détruite et leur armée écrasée à Moukden. Par ailleurs, l'alliance franco-anglaise reste fragile : si, au terme d'accords récents, l'Angleterre conserve le contrôle de l'Égypte à condition de ne pas entraver la liberté d'action de la France au Maroc, la « perfide Albion » inspire toujours la même défiance, nourrie de préjugés et de vieux griefs. De fait, la haute bourgeoisie se passionne pour la lutte des Boers dont elle souhaite la victoire sur les Anglais. Par ailleurs, l'essor économique et industriel de l'Allemagne qui s'affirme depuis l'avènement de Guillaume II est un autre sujet d'inquiétude pour les Français. Ils n'ont pas oublié la terrible dérouillée que Bismarck et ses Prussiens leur ont infligée et le désir de revanche couve, toujours aussi vivace.

A l'intérieur, l'affaire Dreyfus, qui a déchaîné la haine antisémite et déchiré l'opinion, est une autre plaie lente à cicatriser. On attend toujours la réhabilitation de l'officier dégradé et, dans une République compromise par des scandales, qui prête flanc à la critique, les certitudes et les principes s'effondrent les uns après les autres. Le milieu oisif et nanti que fréquente Margaretha a toutes les raisons de se sentir menacé dans ses intérêts et privilèges, et d'en redouter la disparition prochaine. A cette société qui vacille sur ses bases l'avenir inspire une sourde inquiétude, voire de l'effroi. Alors, parce qu'il lui faut oublier et s'étourdir, elle se jette à corps perdu dans les plaisirs et les futilités, elle applaudit et participe aux innovations du progrès dont elle est seule encore à bénéficier. Elle ne jure que par la science, s'emballe pour les formidables applications de la technologie et salue leur irruption dans la vie quotidienne : la fée Électricité chasse le gaz et s'installe dans les foyers les plus opulents. On s'abonne au premier réseau téléphonique, on part en villégiature, on se retrouve dans les stations balnéaires ou thermales, on assiste aux premiers envols des aéroplanes et certains, parmi les plus intrépides et les plus fortunés, sillonnent les routes au volant des premières automobiles en chevaliers des Temps modernes, bardés de cuir, lunettés et casqués. Jamais l'élite parisienne qui se confond avec la catégorie des snobs n'a été aussi avide de frissons et de nouveautés. C'est dans ce Tout-Paris de la Belle Époque, milieu crédule, ouvert à toutes les fantaisies et capable de s'embraser à propos de tout et de rien, que lady Mac Leod, dite Mata Hari vient d'apparaître : elle arrive à point nommé, nimbée d'une aura d'exotisme qui flatte le goût naissant de ses contemporains pour tout ce qui touche à l'Orient. En somme, on n'attendait qu'elle pour l'aduler, la porter aux nues, la sacrer reine de ce Paris mondain, capricieux et désœuvré dont elle devient bientôt, et avant même que de danser, la coqueluche.

Car, en cette année 1904, nul ne peut encore se prévaloir d'avoir admiré Mata Hari dans l'exercice de son art. Son succès et l'engouement qu'elle suscite tiennent seulement au mystère dont elle s'entoure et à ses inventions biographiques, toujours renouvelées, toujours plus sophistiquées. Chez Germaine Dessange, elle se prétendait née en Inde et veuve d'un officier britannique. Mais cette version lui paraît très vite insatisfaisante, voire dangereuse : Rudolph pourrait bien faire surface et apporter un démenti à sa jolie fable. Alors, elle en change, elle ressuscite son mari et lui accorde même la promotion qu'il n'a jamais obtenue. Désormais, elle se présente comme l'épouse d'un colonel de l'armée coloniale hollandaise et situe sa naissance non plus en Inde mais à Java. Son époux, dit-elle, est toujours en poste à Malang. Pourquoi Malang ? Sans doute a-t-elle choisi ce nom en raison de son pouvoir évocateur et de la fascination qu'il est susceptible d'exercer sur son auditoire. Margaretha se moque de la géographie et brouille les cartes à plaisir : son autobiographie sans cesse retouchée est un curieux périple qui la promène de l'océan Indien au golfe du Bengale, navette improbable dont personne pourtant ne s'offusque. Il en va de même pour ce qui concerne ses enfants : tantôt elle évoque le petit Norman et sa mort tragique en Indonésie, tantôt elle passe sous silence sa double maternité. Quant aux récits de son initiation aux danses sacrées, ils sont nombreux, riches en rebondissements et chaque fois plus surprenants. A un interlocuteur, elle affirme qu'elle tient sa science des nautches et des vadashis dont elle a observé les évolutions devant l'autel de Vishnu. A un autre, elle confiera plus tard qu'elle a appris les danses de Brahma dans l'intimité d'une maison princière à Batavia. Et lorsqu'on s'étonne de sa connaissance parfaite de la langue allemande, elle revient sur sa jeunesse et explique qu'elle a passé deux ans dans un pensionnat de jeunes filles à Wiesbaden. Inlassablement, elle abreuve son monde de chimères, et si loin qu'elle pousse l'extravagance, si prolixe qu'elle soit en déclarations incohérentes, nul ne songe à s'étonner ou à contester ses dires.

Schéhérazade des nuits parisiennes, Mata Hari multiplie ses contes, les modifie et les aménage au gré de sa fantaisie pour des cercles choisis qu'elle enchante de ses sortilèges. Mais quand se décidera-t-elle à montrer ces danses dont elle affirme ne rien ignorer ? A la baronne Kireevsky qui manifeste quelque impatience, elle explique qu'il lui faut se recueillir, se préparer afin de donner le meilleur d'elle-même et de son art lorsqu'elle se produira devant ses amis. Et puis, ajoute-t-elle, le public est pareil à un amant, on s'assure de sa passion à proportion qu'on exacerbe son désir. Confondue par la pertinence d'un tel raisonnement, la baronne doit s'incliner. Cette profonde connaissance des ressorts du comportement humain dont témoigne sa protégée ne fait qu'accroître l'admiration et l'estime qu'elle lui voue. Elle saura donc patienter, attendre que Mata Hari se sente prête, en son âme et son corps, et décide elle-même du moment où elle dansera.

Lorsqu'elle avance qu'un temps de recueillement et de préparation lui est nécessaire, Margaretha Mac Leod ne cherche nullement à abuser sa bienfaitrice. Ce souci de ne rien brusquer, de ne pas s'engager à la légère dans la carrière artistique est conforme au pacte qui gouverne sa conduite depuis son retour à Paris : elle s'est juré de rester vigilante et de se prémunir du gâchis qui résulterait de trop de hâte. Elle s'y tient.

Or donc, elle se prépare avec la régularité, l'endurance et la ferveur d'un marathonien. Chaque matin, après qu'on lui a servi son petit déjeuner, elle s'assoit sur le tapis de sa chambre dans la position du lotus et s'absorbe dans la lecture des védas. Dieu seul sait (à moins que ce ne soit Siva) comment elle s'est procuré ces textes sacrés, mais elle les psalmodie et s'en imprègne jour après jour. Ensuite, et à raison de trois fois par semaine, elle consacre sa matinée à sa remise en forme chez un professeur de danse qu'elle a déniché rue Réaumur. Deux heures durant, elle échauffe ses muscles, les étire, vérifiant sans cesse la souplesse de ses membres, la beauté de ses poses dans le grand miroir qui tient le mur du fond. Elle a exigé de M. Victorin, ancien maître de ballet à l'Opéra, qu'il la reçoive en leçon particulière et ne lui a pas révélé sa véritable identité. Au reste, il ne saurait s'agir de leçon à proprement parler, elle n'attend du vieux bonhomme que des conseils, la chose a été précisée d'entrée de jeu. Le vénérable maître a passé l'âge de s'étonner et de discuter : pourvu qu'on lui glisse ses 5 francs au terme de chaque séance, il s'accommode de tout. Néanmoins, si M. Victorin garde ses questions pour lui, cette élève si « particulière » pique sa curiosité : il la suppose étrangère à cause de son accent, de son type, une exilée qui aura trouvé refuge à Paris comme tant d'autres, pense-t-il, mais sa perspicacité ne va pas au-delà. Qu'elle soit belle, en revanche, est indubitable. La silhouette est longue, élancée, la chair pleine, la peau de bronze patiné, et si elle n'a pas la morphologie classique d'une danseuse, chacun de ses gestes, chacune de ses postures trahit une sensualité native, exalte la beauté lascive du corps tout entier.

M. Victorin ignore bien sûr les raisons qui motivent la mystérieuse étrangère et l'amènent à fréquenter son atelier avec une si louable assiduité. Sans doute un caprice de femme riche qui s'ennuie et a déjà usé de toutes les formes de dévergondage. Celui-ci est bien innocent, après tout. Et le bonhomme frappe sur les touches de son piano passablement désaccordé pour produire, à la demande de son élève, les sons d'une mélodie aigrelette, aux accords dissonants, qui rythme et accompagne ses évolutions.

— Ah, ça non, Madame ! Faut m'excuser, j' pourrai jamais avaler ces choses-là !

Une moue de dégoût aux lèvres, Pauline a repoussé de ses mains tendues l'assiette que le maître d'hôtel vient de déposer devant elle.

— Mais je ne te force pas, proteste Margaretha dans un éclat de rire. Si tu ne veux pas de tes huîtres, commande autre chose. Allons, ma renarde, de quoi as-tu envie ?

— Ben... j' mangerais bien une andouille ou des côtelettes... Parce que les huîtres, rien qu'à les voir comme ça, toutes vivantes, toutes crues, ça m' lève le cœur.

En cette soirée de juillet, lady Mac Leod a convié sa jeune amie à dîner avec elle au café Riche. Elles occupent un cabinet particulier car Margaretha ne souhaite pas être vue en compagnie de la petite arpète, laquelle n'en finit pas de s'esbaudir sur la magnificence du décor qui les entoure. L'argenterie, les cristaux, les candélabres où sont fichées les bougies, tout ce luxe l'éblouit et l'intimide. Elle a connu, bien sûr, le Grand Hôtel, mais jamais elle n'était entrée dans un établissement de cette catégorie pour y être servie, jamais elle n'avait entendu parler d'huîtres, d'où son impair : elle a voulu imiter lady Mac Leod et demeure mortifiée d'avoir dû avouer, en même temps que sa répulsion, son ignorance.

Margaretha allonge son bras à travers la table, pose sa main sur celle de Pauline qu'elle tapote gentiment.

— Cela n'a aucune importance, petite. Tu auras tes côtelettes.

Et dans une envolée de jupes, elle se lève, va entrouvrir la porte du cabinet, guettant le passage d'un garçon auquel donner ses ordres. La chose faite, elle revient, reprend place en face de Pauline dont le visage est aussi rouge que la banquette où elle se trouve assise.

— Voilà ! Tout est arrangé. Cesse de penser à ces pauvres huîtres et dis-moi vite ce que tu m'apportes là.

D'un coup de menton, Margaretha désigne le sac de cuir posé sur la banquette de velours près de la jeune fille.

— J'ai tout c' que vous m'avez d'mandé, dit Pauline dont le sourire revenu détend le petit visage chiffonné par la contrariété. Mme Dessange a convoqué tous ses fournisseurs, jamais j'aurais cru qu'elle s' démènerait comme ça pour vous satisfaire.

— Tu la remercieras de ma part. Mais montre, montre, puisque tu n'es pas servie !

Et c'est alors, dans ce cabinet qui en a vu bien d'autres, un déballage, un déploiement, un ruissellement d'étoffes diaphanes et chamarrées : le sac dégorge des métrages de voiles arachnéens, des flots de soies translucides, des bouillonnés de tulles rebrodés, des rubans de gaze, des envolées de crêpe et de mousseline sur lesquels, à mesure qu'elle les découvre, Margaretha s'extasie.

— Magnifique ! Splendide ! C'est exactement ce qu'il me fallait. Ah ! tu remercieras bien Mme Dessange, tu n'oublieras pas, n'est-ce pas ?

Mais les côtelettes de Pauline arrivent, fumantes, encore grésillantes de graisse, sur un lit de légumes de saison. Le garçon a un coup d'œil à peine surpris pour les étoffes déployées qui ont coulé, se sont répandues en cascades chatoyantes jusqu'au tapis, et se retire. La bouche gourmande, l'œil allumé, la petite considère la nourriture si joliment apprêtée qu'elle n'ose y porter sa fourchette.

— Eh bien, mange donc, l'encourage Margaretha. N'attends pas que ta viande refroidisse !

L'exhortation est si franche, si maternelle que Pauline se décide enfin et se met à enfourner des bouchées d'affamée. La voir manger de si bel appétit réjouit lady

Mac Leod qui, pour sa part, a conclu sur un marasquin de pêches et déjà écarté son assiette. Penchée au bord de la table, elle puise à pleines mains dans l'amas de chiffons, en ramène une brassée, s'enchante de leur douceur, de leurs glissements soyeux sur sa peau, et rit avec un bonheur d'enfant.

— Mme Dessange vous fait dire qu'elle s'ra très honorée de coudre vos costumes dans ces tissus, dit soudain Pauline, la bouche pleine. Suffira d' les décrire, elle vous les f'ra tailler et monter dans son atelier, tout s'ra fait à votre convenance.

— C'est très aimable à elle, mais je ne souhaite pas que ces étoffes soient assemblées. Vois-tu, j'ai l'intention de les utiliser telles quelles. Je m'envelopperai de longues écharpes de voile et de soie superposées, rien d'autre. Si je m'habillais comme n'importe quelle danseuse, où serait l'intérêt ? Comprends bien, je dois créer un effet de surprise, bousculer les conventions de la danse classique. Mon public attend de l'inédit, du jamais vu, c'est à moi de le lui apporter. Je veux le provoquer, le séduire quand j'apparaîtrai nue sous mes voiles.

— Ah, vous s'rez nue ?... Notez, moi, j'y vois pas d' mal. Ce s' ra comme vous voudrez.

— Pardi !... Mais il n'y aura pas que les voiles, rassure-toi. Je porterai aussi des bijoux aux bras, aux chevilles, autour du cou, et sur la tête un diadème rehaussé de pierreries. Tu m'imagines ainsi, parée comme une divinité hindoue ?

— Ce s'ra bien beau, y a pas d' doute, seulement moi, j' vous verrai jamais danser...

— Et pourquoi pas ? Écoute, j'ai déjà mon idée. Je donnerai mon premier spectacle chez la baronne Kireevsky au mois de septembre, la date est arrêtée. Elle s'est montrée si dévouée que je lui dois bien ça.

— Pour sûr, renchérit la gamine avec feu. L'a été drôlement chic avec vous, la baronne !

— Oui, et elle continue. Elle prévoit même d'organiser un grand dîner après ma prestation. Tous ses amis du monde des arts, de la politique et de la finance seront conviés. Elle aura sans doute besoin d'extra pour cette

101

soirée, je peux proposer tes services et nous ferons en sorte que tu puisses me voir danser. Qu'en dis-tu ?

Pauline, qui vient d'attaquer son dessert — des profiteroles nappées de chocolat chaud —, manque s'étrangler avec celle qu'elle vient d'engouffrer quand elle jette dans un cri :

— Oh oui, Madame, oh oui...

Pendant les premiers jours de septembre, le ciel est clément, l'air très doux et, ce qui intéresse la baronne Kireevsky au premier chef, les nuits restent étonnamment tièdes, presque estivales. De tempérament optimiste, l'excellente femme mise sur la persistance de ce beau temps pour donner sa soirée en plein air, dans le jardin de l'hôtel particulier qu'elle occupe, rue de Grenelle. Toutefois, avant de prendre des dispositions dans ce sens, elle veut consulter sa protégée et recueillir son adhésion.

— Qu'en pensez-vous, ma chère ? Vous danseriez sous mes grands magnolias... Ils sont défleuris, hélas, mais j'ai mes potées de gardénias qui embaument et qui seraient d'un si joli effet...

— Mais oui, bien sûr ! C'est une excellente idée ! Et nous pourrions avoir des orchidées également... Une manière d'évoquer les tropiques. Cela ferait très couleur locale, ne croyez-vous pas ?

— Absolument ! La comtesse douairière de Portal qui en possède une très belle collection dans la serre de sa maison de Viroflay pourrait me les confier pour l'occasion. Nous sommes de vieilles amies, elle ne me refusera pas ce service.

Cette question réglée, la baronne soumet à l'approbation de l'artiste la liste de ses invités, revient encore sur certains détails de la réception : lanternes vénitiennes qu'elle se propose de faire accrocher dans les arbres, composition du buffet puisqu'il s'agira d'un dîner de faveur, alors très en vogue.

— Tout me semble parfait, dit Margaretha. Il nous reste maintenant à trouver les musiciens.

– Mais je les ai, ma chère enfant ! Un joueur de luth, un joueur de sitar, un autre au xylophone et le dernier au gong, n'est-ce pas ce que vous désiriez ?

– Oh ! baronne, vous êtes merveilleuse, tout semble si facile avec vous !

– Eh quoi ? Ne vous avais-je pas promis de faire un bon imprésario ? Allez, la prouesse n'a rien de bien extraordinaire... Mais en échange et si, comme je le pense, vous avez des accointances avec les dieux, priez-les de nous être cléments le 5 septembre car le temps qu'il fera ce jour-là reste mon principal souci.

– Vite ! Vite !... Qu'on rentre les orchidées, et sans les bousculer, elles sont fragiles... Seigneur ! et mes chaises qui sont encore sous la pluie !

Le rez-de-chaussée de l'hôtel de la rue de Grenelle est en effervescence. Entre le perron du grand salon et le jardin, c'est une débandade de domestiques qui courent en tous sens, stimulés par les glapissements de Mme la Baronne que l'orage aussi soudain que violent vient de jeter au désespoir. Elle en pleurerait de dépit, la bonne dame : il a donc fallu que, par un caprice du ciel, la pluie se mette de la partie et se mêle de gâcher sa soirée alors que tout déjà était installé dehors, les buffets drapés de surtouts de dentelle, les chaises dorées bien alignées, les lanternes vénitiennes suspendues, les fleurs, tout !

– Pardon, madame la Baronne...

C'est que, dans la bousculade générale, elle gêne le passage à se tenir là, dans l'ouverture des portes, sans souci des gouttes drues qu'un petit vent aigre pousse par rafales jusque dans le salon. Toupie affolée, elle tourne sur elle-même et, dans sa robe de satin noir qui forme carapace sur ses formes avantageuses, elle fait l'effet d'un gros scarabée pitoyable et désorienté.

– Madame, si j' peux m' permettre, vous allez vous faire saucer...

La baronne jette un regard courroucé du côté de la voix qui vient de proférer cette impertinence : une fille dont le visage ne lui dit rien a surgi et se tient près d'elle

103

armée d'un parapluie qu'elle entreprend de déployer au-dessus de leurs têtes

— Mais d'où sort-elle celle-là ? Qui êtes-vous ?

— Je m'appelle Pauline, madame la Baronne. Vous m'avez engagée comme extra sur le conseil de lady Mac Leod.

— Ah ! bien...

— Laissez-moi vous abriter, Madame. C'est qu'il pleut pour de bon !

— Pardieu, je le vois bien qu'il pleut ! Et puis fermez ce parapluie, vous allez finir par m'éborgner !

Impossible de rien contrôler dans une maison pareille, songe la baronne, surtout quand les éléments s'en mêlent et prennent plaisir à vous désobliger. Du reste, elle est lasse de ce remue-ménage et la fillette a raison : autant rentrer et se mettre à l'abri.

— Dites-moi, ma fille, à vous voir si dégourdie, il me vient l'envie de vous confier une tâche...

— Oui, Madame ?

— Vous voyez ces torchères ?

Comment Pauline ne les verrait-elle pas ? Malgré le branle-bas de meubles déplacés qui résulte de l'affolement, chaque torchère reste imperturbablement brandie par un Nègre enturbanné, en bois polychrome. Au jugé, la jeune fille en dénombre une demi-douzaine qui se dressent à intervalles réguliers sur toute la longueur de l'immense pièce.

— Comprenez-moi bien, petite. Lorsque les invités arriveront, seules les appliques électriques seront allumées. Il faudra, à ce moment-là, beaucoup de lumière. Bien sûr, le salon n'aura plus cet aspect de capharnaüm que vous lui voyez là, nous avons encore quelques heures devant nous pour tout réorganiser. Donc, les sièges seront alignés face au mur du fond...

À l'évidence, le fait même de formuler à voix haute le détail de son repli stratégique apaise et réconforte la baronne. Pauline, qui l'écoute poliment, marque la qualité de son attention par de petits hochements de tête.

— Nous allons ménager un espace devant ce mur du fond. C'est là que dansera Mme Mata Hari. Puisque nous ne pouvons disposer du jardin, il me faut imaginer une autre mise en scène. Vous comprenez ?

— Oui, Madame.

— Bien. Alors, écoutez-moi. Je veux le noir complet au moment où Mata Hari apparaîtra. Pour cela, il suffit d'actionner le commutateur qui commande les appliques. La salle se trouvera plongée dans l'obscurité et c'est là que vous aurez à intervenir. Vous laisserez passer quelques secondes et vous allumerez les torchères, l'une après l'autre. Mais il faudra faire vite et ne pas buter dans les jambes de mes invités. Vous en sentez-vous capable ?

— J' ferai mon possible, madame la Baronne.

— Tâchez de faire l'impossible, ma petite. Cet effet de lumière a beaucoup d'importance, je compte sur vous !

La baronne Kireevsky n'est pas seulement un imprésario efficace et une maîtresse de maison accomplie. Elle se targue de posséder un joli brin de plume et s'astreint à tenir un journal où elle consigne événements remarquables et impressions. Le 6 septembre 1905, assise à son bonheur-du-jour, elle note :

Le succès qu'a connu hier notre chère Mata Hari a comblé et même dépassé mes espérances. Ce fut, à vrai dire, un véritable triomphe, et ce en dépit du ciel qui s'est montré fort disgracieux, nous contraignant à modifier nos plans et à battre en retraite dans le grand salon. Ces orages d'été qui arrivent sans crier gare sont des calamités pour la maîtresse de maison la mieux avisée. En milieu d'après-midi, sous la pluie battante, mes gens ont dû défaire l'ouvrage accompli le matin même dans le jardin : ce fut un grand désordre et beaucoup d'énervement pour tout le monde.

Acculée au repli dans la maison, il m'a alors fallu prendre de nouvelles dispositions et improviser. Sachant que notre amie danserait nu-pieds, j'ai fait jeter sur le sol une jonchée de tapis-jardin de Khosrô et de Bakhtiari, tandis qu'au plafond on tendait mes Ispahan avec leurs arabesques florales sur fond de garance. Enfin, pour achever de circonscrire

l'espace dévolu à l'artiste et parfaire l'illusion de décor orien-
tal, mes gens accrochèrent sur les côtés des pavois lamés d'or
et d'argent. Le mur qui allait servir de toile de fond aux
évolutions de Mata Hari fut ensuite drapé de lourd satin
noir. Ce dernier ajout semble contredire le parti que j'avais
pris de créer autour de la danseuse une sorte d'alcôve aux
harmonies riches et contrastées. Pourtant, je ne suis pas fâchée
de cette idée car elle a grandement contribué à la réussite de
l'effet scénique que j'espérais. Après coup, et toute réflexion
faite, je ne regrette pas que les éléments aient contrarié mon
projet initial : jamais je n'aurais pu ainsi jouer de l'ombre
et de la lumière si nous étions restés au jardin.

Vers huit heures, mes invités commencèrent à arriver. On
les introduisit et on les installa à mesure dans le salon illu-
miné a giorno. Telle était leur excitation à la pensée de voir
enfin danser Mata Hari qu'ils prirent place en un grand
brouhaha sur les chaises alignées face à l'« alcôve orien-
tale », séparés d'elle par mon arrangement fleuri de gar-
dénias et d'orchidées mêlés. Le parfum de l'encens qui brûlait
dans des cassolettes se répandait déjà dans l'air. Quand tous
furent assis – ils étaient bien une soixantaine –, je donnai
mon signal à ceux de mes gens que j'avais affectés aux jeux
de lumière. Le noir se fît instantanément, une obscurité d'une
totale opacité qui créa la surprise, éteignant les derniers mur-
mures et installant un silence de cathédrale. Chacun tenait
ses yeux fixés – des yeux aveuglés par l'ombre – vers le fond
de la salle où allait venir Mata Hari. Il y eut alors un pre-
mier coup de gong, puissant, long de résonance, les pans de
draperie noire s'écartèrent en leur milieu et la Divine parut
tandis qu'à l'autre bout du salon, dans une parfaite simul-
tanéité, la première torchère s'enflammait. Un frisson extasié
courut de proche en proche dans l'assistance éperdue de ravis-
sement. On voyait peu notre danseuse, on la voyait à peine
– déjà une deuxième torchère brûlait, puis une autre –, mais
cette silhouette immobile, enroulée dans ses voiles d'or, char-
gée de bijoux comme une idole, se détachait sur le satin noc-
turne, pareille à une étoile. Près de moi, une voix mâle souf-
fla : « C'est Vénus au firmament », et cette voix exprimait
à l'instant ce que tous ressentaient face à la féerique appa-
rition. Elle se tenait là-bas, sans un geste, plus statique

qu'une déesse de pierre, elle attendait que la musique la prît, lui rendît le mouvement. La première note du sitar s'éleva à la seconde même où la flamme jaillissait de la sixième torchère, la plus proche de la scène où convergeaient tous les regards. Ah ! comme mon cœur battait dans ces instants tant je craignais un défaut de synchronisation ! Mais il n'y eut pas le moindre décalage, mes gens, bien chapitrés, avaient œuvré comme des anges et je pus jouir aussi bien que chacun du prodige offert à nos yeux. Là-bas, comme délivrée d'un charme par les sons du sitar, la statue commençait à se mouvoir dans un balancement très lent, elle élevait ses longs bras cerclés de bracelets, semblait sculpter l'air de ses mains aux doigts écartés, imprimait à son corps des ondulations inouïes, et dans la pénombre creusée par les flammes tremblantes des torchères, dans les vapeurs d'encens qui montaient des cassolettes, ce corps de femme à peine voilé était lui-même matière incandescente, brasier où s'allumaient toutes les convoitises...

Je dois préciser qu'à l'instar de mes invités j'étais tenue dans l'ignorance du costume que revêtirait notre danseuse si bien que je partageai la surprise générale lorsqu'elle nous apparut. Jusqu'alors je n'avais vu Mata Hari qu'en tenue de ville et je dois dire qu'elle porte la toilette avec une grâce et une élégance certaines. Mais telle qu'elle était là, nimbée de ses voiles arachnéens où se réfractaient les lueurs d'or des pavois, elle irradiait une beauté à couper le souffle. Je ne m'étais pas assise car il me fallait contrôler sans cesse mon « orchestration » lumineuse et, pour la mieux voir, je me rapprochai alors des musiciens qui se tenaient dans un renfoncement, à proximité de la scène. Toujours accordée au rythme lancinant de la musique, Mata Hari laissait choir un à un les voiles qui l'enveloppaient et par ses oscillations, ses reptations, elle nous donnait à contempler une sorte de mue prodigieuse : libérée de ses peaux, une femme-serpent naissait sous nos yeux. Hormis quelques lés de gaze vaporeuse maintenus sur ses hanches par une ceinture de pierreries, les cupules de cuivre ajouré qui dissimulaient ses seins et les lourds bijoux de facture indienne dont elle était parée, Mata Hari s'offrait à nous dans sa nudité originelle et somptueuse.

Alors, tandis qu'elle esquissait les dernières figures de sa

107

danse, je me détournai vers le public, curieuse d'observer ses réactions : tous les visages me semblèrent marqués par la même tension douloureuse et extatique, ravagés par un trouble inavouable et pourtant impossible à celer. Je ne voyais plus les faces ou les profils familiers de mes amis mais des figures de plâtre que la brusque montée du désir avait évidées, des masques décolorés, aliénés par la passion. Il y avait dans l'air un tressaillement vilain de chairs livrées au tourment de la volupté inassouvie.

Au dernier coup de gong, on ralluma les lampes électriques et pendant quelques secondes cet éclairage d'une blancheur opaque, aveuglant après tant d'ombre, obligea les yeux à accommoder, les affola si bien qu'ils se plissaient, clignaient ou papillotaient de la manière la plus cocasse. Alors, dans une débandade de chaises repoussées, mes invités commencèrent à se diriger vers le buffet apprêté à côté, cortège de somnambules où chacun, s'ébrouant de sa torpeur maligne, s'efforçait d'ajuster sur ses lèvres un sourire de convenance, un mot d'esprit. Nous étions à nouveau entre gens du monde.

Vénus au firmament

Mata Hari s'est éclipsée dans ce battement de temps infime qui a précédé le retour de la lumière. Sur les tapis que ses pieds nus viennent de fouler, quelques ondes de voile palpitent encore, seules preuves tangibles du songe resplendissant dont tous les yeux restent hallucinés. L'ont-ils vue, cette créature qui a jailli des ténèbres pour s'y dissoudre à l'instant, les laissant troublés et pantelants ? Ou l'ont-ils seulement rêvée ?

Parmi ces « figures de plâtre » qui s'écoulent maintenant en lente procession vers la salle à manger, il y a bien deux ministres, un colonel marquis, un général, un bel assortiment de sénateurs et de députés, quelques artistes, et un grand nombre d'industriels, de banquiers, de financiers. Pourtant, Mata Hari ne saura pas le détail de ce brillant aréopage car lorsqu'elle revient vers lui, dépouillée de tout ornement, sans fards, vêtue d'une robe de crêpe très stricte sous laquelle certains hésitent à reconnaître l'hétaïre dansante, elle est aussitôt happée, engloutie dans la cohue de ses adorateurs. Chacun veut l'approcher, l'accaparer, elle est assaillie de toutes parts, caressée d'éloges, étourdie d'hommages, elle ne sait plus où donner de la tête, sans cesse on lui sert du champagne qu'elle boit la gorge renversée, et dans l'euphorie de son triomphe, grisée par les louanges autant que par l'alcool, elle n'entend pas les noms, les titres qui se déclinent, elle ne voit plus que les dos noirs, les nuques bien rasées et ployées des hommes qui prennent ses mains, les pressent, les baisent...

Non, elle n'a rien retenu de ces noms murmurés dans le brouhaha, elle les a laissés s'abolir dans l'ouate de l'ivresse et c'est ce qui la chagrine à présent qu'elle a retrouvé sa lucidité. Et puis, ces allées et venues incessantes entre le hall du Grand Hôtel et sa chambre depuis son réveil commencent à l'agacer : si elle n'y prend garde, elle sera bientôt ensevelie sous des monceaux de fleurs et proprement asphyxiée par leurs parfums. Trop c'est trop, se dit-elle, et décrochant son téléphone elle signifie à la réception qu'elle souhaite ne plus être dérangée.

Le fait est qu'après cette folle soirée chez la baronne, elle se sent un peu lasse et n'aspire qu'à savourer son triomphe en paix. Pourtant, à midi les bouquets, les corbeilles arrivent toujours, la chambre de la danseuse ne peut plus les contenir, on doit les laisser devant sa porte, sur la moquette du couloir. Le personnel a consigne de prélever les billets qui accompagnent ces envois et de les glisser sous la porte de la chambre 327. Ainsi, de son lit où elle prend plaisir à s'attarder, Mata Hari peut-elle voir les rectangles blancs apparaître, poussés par quelque main discrète, et proliférer au bas de sa porte. Plus tard, se dit-elle, plus tard je les lirai. Car elle ne peut se décider à quitter la chaleur de ses draps où elle se tient douillettement lovée ; à peine se redresse-t-elle un peu pour grignoter une viennoiserie et avaler une gorgée de thé avant de s'abandonner à nouveau contre ses oreillers, tout entière abîmée dans une délicieuse langueur, sous les rayons obliques du soleil qui maintenant atteignent sa couche.

Paupières mi-closes, elle s'amuse à suivre la progression de cette canaille qui court sur ses draps, s'étire jusqu'à embraser là-bas la tête des roses et se mêle à présent de lui signaler la tache blanche que forment sur la moquette les billets de ses admirateurs. Cette ultime facétie de la lumière est comme un rappel à l'ordre, un aimable coup de semonce : il est temps de se lever, madame, voyez, moi-même je poursuis ma course, semble dire l'astre coquin. Alors, elle consent à obéir à l'injonction, elle enfile un déshabillé en pongé du Japon et, une rose piquée dans sa chevelure épandue, elle flâne encore, se pavane entre le lit et la psyché où elle s'admire, jouissant en diva de cet étirement paresseux de sa matinée.

Quand le caprice lui en vient enfin, elle ramasse les messages qui s'amoncellent à sa porte et, après lecture, y opère un premier tri, rejetant ceux qui lui paraissent négligeables et déposant les autres sur un plateau d'argent où ils s'entassent à mesure. A l'évidence, ses critères ne portent ni sur le style ni sur la formulation de ces invites pressantes et bientôt lassantes. Car la plupart de ces billets manquent d'originalité au point qu'ils semblent rédigés de la même main et se confondent. Non, ce n'est pas au talent du scribe que s'attache la belle indolente mais à sa qualité. Un ambassadeur ? Un général ? Un conseiller d'État ? Un sénateur ? Hop, à conserver sur le plateau d'argent ! Quant au menu fretin, ou ce qu'elle juge tel, il va à la corbeille sans un repentir. Tiens, voici un mot de ce M. Guimet dont on raconte qu'il est très fortuné et se passionne pour l'Orient. Elle hésite à l'écarter : peut-être faut-il se montrer là plus circonspecte et accorder à cette missive quelques égards ? Elle parcourt les quelques lignes que le fameux orientaliste a jetées sur son bristol :

Chère madame,
Je me trouvais hier chez la baronne Kireevsky où je fus sans doute l'un de vos plus fervents admirateurs. Votre art touche à la perfection et je brûle de lui offrir le cadre qu'il mérite. Vous me combleriez, très chère, si vous acceptiez d'honorer et d'enrichir mon musée en venant y danser. De ce lieu qui renferme d'inestimables pièces d'art oriental, vous seriez sans conteste et pour un soir le Joyau. *Je reste à votre disposition.*

Avec mes plus respectueux hommages
Émile Guimet

Elle remarque que le mot joyau est affublé d'une majuscule et dûment souligné. Il est amusant ce Guimet et dévoré des meilleures intentions, tout prêt semble-t-il à lui ouvrir son fabuleux écrin. Pourquoi pas ? se dit-elle. Bien qu'elle ne l'ait jamais visité, elle connaît l'existence de ce musée comme tout un chacun : dans les milieux où elle fraye, on glose sans façons sur les excentricités de Guimet, cet homme éclectique – il serait à la fois industriel, archéologue et musicien – et si féru d'orientalisme. Lyonnais de naissance, voyageur impénitent, il est réputé avoir écumé les contrées asiatiques pour en rapporter des œuvres d'art, ces « pièces inestimables » aujourd'hui rassemblées à Paris. Tout ceci, qu'elle a appris de la rumeur, lui rend l'homme éminemment sympathique. Mais à quoi peut-il bien ressembler ? se demande-t-elle soudain. Jeune ? Vieux ? Elle n'en a pas la moindre idée. Sans doute comptait-il parmi ces dos noirs qui défilaient hier soir devant elle et dont les noms comme les visages se sont évaporés dans les brumes de l'ivresse.

Il n'en reste pas moins que, reine de cette cour ardente et prosternée, elle ne s'est guère inquiétée hier de ce M. Guimet. Mais elle est toute prête à réparer, elle n'est pas femme à laisser passer une telle opportunité. Dès aujourd'hui, elle transmettra sa proposition à la baronne Kireevsky et elles débattront ensemble s'il convient ou non d'y donner suite. Au demeurant, l'orientaliste semble n'être pas le seul à désirer l'accueillir entre ses murs. Il y a là, déjà, sur le plateau d'argent, quelques requêtes du même ordre. Elle reprend les billets signés de noms illustres, les relit, se rengorge dans sa vanité flattée : Cécile Sorel, de la Comédie-Française, Emma Calvé, soprano célèbre, Natalie Clifford Barney, poétesse américaine, et d'autres encore la prient de venir exécuter ses danses dans leurs salons. Sa prestation de la veille paraît avoir déclenché une formidable rage d'émulation, ce qui n'est certes pas pour lui déplaire. Décidément, la baronne a fait école, se dit-elle, il faudra voir, il faudra voir...

Mais c'est tout vu. Le succès est un élixir des plus grisants et Mata Hari n'aime rien tant que s'exhiber. En outre, son goût pour le luxe lui suggère sans cesse de folles dépenses : bijoux, robes, fourrures, chapeaux, parfums, sa frénésie d'achats excède toujours ses avoirs et l'argent s'échappe de ses mains tel un fluide volatil. Néanmoins, cette cigale qui ne chante pas mais vient de démontrer qu'elle sait danser a très vite entrevu le profit qu'elle pourrait tirer de ses aptitudes et talents. Si cette activité de « danseuse sacrée » se révèle lucrative, capable d'assurer sa gloire en même temps que sa fortune, pourquoi s'y refuserait-elle ? Pour donner ses parodies de danses orientales devant ces snobs qui se sont entichés de sa personne et la considèrent comme une fleur de serre, un « joyau » rare, elle exigera désormais des cachets de 1 000 francs-or, rien de moins.

Ainsi donc, peu après son « lancement » si brillamment orchestré par la baronne Kireevsky, elle accepte l'invitation d'Emma Calvé, puis celles de Cécile Sorel et de Natalie Barney.

Au mois de février 1905, elle écrit à Adam Zelle :

Mon très cher père,
Je crois que vous pouvez être fier de votre petite Margaretha : la voici en passe de briller au ciel des nuits parisiennes comme la plus scintillante des étoiles. Mais oui, mon cher papa, je suis devenue en quelques semaines la coqueluche de toute une société futile et friande de plaisirs qui se bouscule pour m'admirer dans l'exercice de mon art. Partout on me réclame, sans cesse je suis priée à danser dans les salons des maisons les plus illustres, devant des cercles de privilégiés qui paient fort cher l'honneur de m'accueillir. Je vous livre cette précision car je vous sais inquiet de l'état de mes finances et tiens à vous rassurer : croyez-moi, mes revenus sont très confortables, et même ma carrière de danseuse me permet de vivre sur un pied quasi princier. Songez que je gagne en une soirée l'équivalent de six mois du salaire d'un ouvrier parisien. Bien sûr, j'ai des frais considérables car Paris offre à foison des tentations auxquelles je ne puis résister. Toutefois, si mon public me conserve sa faveur, je pense

être en mesure de quitter le Grand Hôtel d'ici peu. Je prévois de m'installer dans un beau quartier, avec gens, chevaux, voitures, bref un train de maison digne de ma nouvelle position. Mais il me faut ajourner la réalisation de ce projet car, pour l'heure, les préparatifs de mon récital au musée Guimet requièrent toutes mes énergies. La date en est fixée au 13 mars prochain et je travaille de concert avec M. Guimet, cet expert en arts asiatiques dont je vous ai déjà parlé, à la conception et à l'élaboration du spectacle. M. Guimet est un érudit, un homme très fin qui se soumet à chacun de mes désirs et a mis à ma disposition toutes les merveilles de son musée. Dans un tel cadre et avec l'assistance d'un partenaire aussi complaisant, je ne doute pas de la réussite de l'entreprise. La pensée que vous ne serez pas là pour assister à cette soirée est mon seul regret. Votre absence me pèse et m'attriste car, comme bien vous le savez, ma joie ne peut être complète sans vous.

Votre fille affectionnée
Margaretha

Margaretha Mac Leod, dite Mata Hari, ne se trompe pas : sa prestation au musée Guimet va marquer un tournant décisif dans sa carrière fulgurante et la propulser vers la gloire. Car, si l'assistance se compose ce soir-là d'une centaine de personnalités triées sur le volet, quelques journalistes français et étrangers ont été admis qui vont succomber à leur tour aux charmes de la danseuse sacrée et lui tresser leurs louanges.

Dès le lendemain, émue par le phénomène Mata Hari, la presse mondaine étale ses dithyrambes et rivalise de lyrisme dans ses comptes rendus. Ainsi peut-on lire dans les pages de *La Vie parisienne* :

Dans la rotonde du musée aménagée en temple indien et décorée de guirlandes de fleurs, à la lueur mouvante des chandelles, nous apparaît enfin Mata Hari, flanquée de quatre suivantes en toges noires. La danseuse porte le costume des bayadères et les lourds bijoux dont elle est parée comme une châsse révèlent et accusent le caractère hiératique et sculptural de sa silhouette. Quand le mouvement vient et l'anime, quand, un à un, elle laisse tomber ses voiles pour offrir à

Siva la passion qui la brûle, la même émotion étreint l'assistance et chacun retient son souffle. Ses compagnes, figures sombres par contraste, sont accroupies autour d'elle et profèrent de vives exhortations jusqu'au moment où la prêtresse s'effondre aux pieds du dieu dans une sorte de transe. La danse est finie. Mata Hari se redresse alors avec grâce, se drape du voile sacré et se retire sous les applaudissements nourris d'un public qui ne se possède plus...

La correspondante à Paris d'un journal anglais écrit quant à elle :

La porte s'ouvrit. Une silhouette sombre se glissa à l'intérieur de la pièce, les bras croisés sur sa poitrine. Elle resta quelques instants immobile, les yeux fixés sur la statuette de Siva à l'autre bout de la rotonde. Son teint bistré luisait sous les curieux bijoux enchâssés dans l'or mat. Sa chevelure noire surmontée d'un casque d'or travaillé, elle était enveloppée de plusieurs voiles de teintes délicates qui symbolisaient la chasteté, la beauté, la volupté et la passion.

Rien ne saurait décrire l'émotion qu'elle éveille en nous, ni la couleur et les gestes harmonieux de cette Orientale. Elle est pareille à une plante tropicale transplantée dans toute sa splendeur sur une terre nordique. Les quelques privilégiés qui ont eu la chance d'assister à ce spectacle restent frappés par l'art de la danseuse ainsi que par le raffinement et l'intelligence de ses mouvements.

Et Édouard Lepage, critique parisien, surenchérit :

Tout à coup surgit Mata Hari, l'Œil du Jour, le Soleil Glorieux, la Bayadère Sacrée que les prêtres et les dieux seuls peuvent se vanter d'avoir vue. Elle est longue et mince et souple, comme les serpents déroulés que balance en mesure la flûte des charmeurs ; son corps flexible épouse parfois les ondulations de la flamme, et parfois se fige en ses contorsions, comme la flamme flamboyante d'un criss.

Ainsi les journalistes font-ils chorus, célébrant à l'unisson le talent si singulier de la danseuse sacrée. Lapins fascinés par le boa qui va les engloutir, ils succombent tous à l'envoûtement de cette femme énigmatique, caressée d'ombres et de clartés, qui vient de déployer devant eux ses sortilèges. Ils connaissent trop mal l'Orient et les rites auxquels Mata Hari se réfère pour la soupçonner d'imposture et éventer la supercherie. Et elle qui ne s'est jamais souciée de distinguer le vrai du faux profite de cette crédulité, continue de recueillir hommages et éloges, et se laisse encenser sans vergogne.

Mata Hari vient d'accéder à la notoriété publique, première étape de son essor vers la gloire internationale. La lecture de la presse qui célèbre ses dons flatte sa vanité et lui procure les plus grandes jouissances. Chaque jour, elle découpe avec soin les articles qui la concernent et les classe dans un album où ils voisinent avec les déclarations manuscrites de ses adorateurs privés. Et parce qu'elle ne peut partager cette gloire nouvelle avec son père bien-aimé, elle se fait un devoir de lui adresser tous les doubles de ces coupures de presse. Comment Adam Zelle ne se réjouirait-il pas de ces témoignages, de ces preuves patentes de la célébrité de sa fille ? Dans chaque courrier en provenance de Paris il trouve de quoi clouer le bec à Mme Zelle qui s'est toujours montrée si défiante vis-à-vis de Margaretha. Mata Hari lui offre enfin l'occasion de démontrer que son rêve a pris corps et de prendre sa revanche. Il ne s'en prive pas. Au fil des jours et des semaines, les vitres du vieux buffet se couvrent de coupures de journaux et bientôt les jolis alignements de tasses et de verres entreposés dans le meuble disparaissent derrière ce fantastique collage. La plupart des articles sont rédigés en français, langue que le bonhomme ignore, mais des photos les illustrent qui montrent Margaretha dans ses atours de princesse orientale : cela suffit à sa fierté et à sa joie.

Il va sans dire que cet « autel » dressé au culte de la danseuse dans un faubourg d'Amsterdam est prétexte à de fréquentes querelles entre les vieux époux. Chaque fois qu'elle trouve son mari en contemplation devant l'idole de Paris, Mme Zelle manifeste le besoin urgent d'ouvrir le buffet pour en retirer quelque pièce de vaisselle. Mais on n'est pas dupe de ce manège, on sait bien qu'il procède d'une animosité trop forte et trop ancienne pour désarmer. Alors, avant de s'écarter, on place une banderille bien piquante dans le cuir de cette carne qui s'obstine à nier l'évidence et refuse de saluer les mérites de Margaretha. Sous l'aiguillon, l'autre aussitôt se rebiffe et bougonne :

— C'est un buffet, figure-toi, pas un tableau d'affichage ! Un de ces jours, la moutarde va me monter au nez et j'arracherai tout !

— Tu arracheras tout ? J'aimerais voir ça, ricane le vieux. Si tu oses y toucher, je flanque tous tes bibelots en l'air, ça ne fera pas un pli, je t'avertis !

— Foutu bonhomme !... Mais regarde-la ta fille, regarde-la donc !

— Je la regarde, je ne fais que ça et c'est bien ce qui te fait enrager.

— Tu la regardes et tu trouves normal qu'elle s'exhibe comme ça, à moitié nue ? N'importe quel père aurait honte, mais toi non, toi tu t'extasies, tu applaudis, tu cries bravo !

— Parfaitement, j'applaudis. Ma fille a réussi. Ma fille est une danseuse célèbre. Alors j'applaudis.

A ce moment de l'échange, faute d'arguments plus virulents, Mme Zelle ravale son fiel, déclare forfait et se retire à grand fracas dans sa cuisine. Cet homme est décourageant, il n'aime rien tant que les mirages, les miroirs aux alouettes l'ont toujours fasciné, on n'y peut rien. Elle a bien tort de s'énerver, mieux vaudrait en prendre son parti et l'accepter tel qu'il est puisque personne, jamais, ne le changera.

Et tandis que l'épouse rumine son désenchantement en bousculant ses casseroles, Adam Zelle reprend sa place devant ses icônes de papier jauni. Il est capable de rester ainsi des heures, calé au creux d'un vieux fauteuil défoncé, abîmé dans une posture d'orant face à son rêve en effigie : Mata Hari souriante, Mata Hari triomphante, sublime Mata Hari : sa fille, son étoile, sa déesse.

Mata Hari vit désormais au cœur d'un formidable maelström qui l'emporte, auquel elle ne sait pas, elle ne veut pas résister. Toujours casquée de pierreries, les bras et les jambes cerclés d'anneaux d'or où s'enchâssent des gemmes, elle mime l'éveil des serpents sacrés ou la légende des trois déesses, elle ondule sous ses voiles qu'elle laisse tomber à mesure devant des parterres de voyeurs éblouis. Les sollicitations ne cessent d'affluer et la cour de ses adorateurs de s'élargir. M. Guimet a fait de nouveaux émules, les membres du Gotha parisien se la disputent, elle danse un soir chez la comtesse de Loynes, un autre chez Henri de Rothschild, et encore dans la serre exotique de Gaston Menier, le roi du chocolat. Elle accepte l'invitation de la princesse Murat, celle de la comtesse de Tredern, elle est de tous les dîners de faveur, de tous les galas de charité.

Ce tourbillon mondain, loin de la détourner de ses habitudes galantes, favorise sa propension à séduire et à collectionner les liaisons. Elle dispose à présent d'un vivier où frayent les plus belles proies et dans lequel elle n'a qu'à puiser : un seul de ses regards suffit à désigner l'élu. L'homme sur lequel Mata Hari vient de jeter son dévolu est interchangeable et ne doit sa bonne fortune qu'à sa richesse ou à sa position. Au terme d'une brève aventure, elle l'éconduira pour un autre, pourvu des mêmes qualités et avantages, un nouvel amant dont le principal attrait sera la capacité d'assouvir son goût effréné pour les fastes et les honneurs.

Dans le monde équivoque des courtisanes, la soudaine irruption de cette prétendue Indienne provoque cependant remous et jalousies. Les demi-mondaines qui fleurissent à l'époque et dont les liaisons « royales » ont établi la renommée s'inquiètent des succès d'alcôve comme de l'ascension foudroyante de Mata Hari. Inconnue hier, célèbre aujourd'hui, elle est considérée comme une rivale dangereuse que d'aucunes travaillent à discréditer : allusions perfides inspirées par le dépit, calomnies et semi-vérités, les langues vont leur train et distillent leur venin. Parmi les reines de Paris qui craignent d'être détrônées et mènent cette campagne de dénigrement,

Cléo de Mérode et Liane de Pougy ne sont pas les moins acharnées. Mais Mata Hari reste insensible à leurs attaques : assurée de la dévotion d'une foule de partisans, elle affecte d'ignorer les propos malveillants d'une poignée de détracteurs.

Du reste, elle est trop occupée pour prêter oreille aux médisances : elle s'apprête à quitter le Grand Hôtel pour s'établir 3, rue de Balzac, non loin des Champs-Élysées. Elle a loué là un appartement en murs nus car elle a des idées très précises quant à l'aménagement et à la décoration de son intérieur. Début avril, alors que certains corps de métier sont déjà à pied-d'œuvre, elle passe le plus clair de son temps à exposer ses desiderata aux artisans et aux fournisseurs qui défilent chez elle. Levée avec le jour, elle arrive sur le chantier avec Pauline qui vient d'entrer à son service en qualité de femme de chambre. Mme Dessange a un peu renâclé mais quelques cajoleries ont eu raison de sa résistance et elle a fini par céder sa petite main. Ainsi Pauline peut-elle l'accompagner chaque matin dans sa tournée d'inspection, et à voir les deux femmes déambuler dans le désordre et la poussière des pièces livrées aux ouvriers, on croirait un général flanqué de son aide de camp sur un champ de manœuvres. Mata Hari a l'œil à tout et n'épargne ni ses avis ni ses critiques à ceux qui s'activent à la satisfaire et qu'elle finit néanmoins par exaspérer à force d'exigences. A son approche, on plie l'échine tant l'on redoute une virevolte de sa volonté, un nouveau diktat, un énième caprice. Car elle donne sans cesse des contrordres et, pour peu qu'il la déçoive, n'hésite pas à faire reprendre un travail qui vient d'être exécuté conformément à ses directives. Ainsi de son cabinet de toilette qui sera refait trois fois : en marbre noir d'abord, puis en marbre blanc, il faudra le revêtir de glaces pour qu'enfin il lui agrée.

Mais le petit peuple peut bien rechigner, Mata Hari sait ce qu'elle veut et ne se soucie guère des dépassements de devis ou des surcoûts entraînés par ses changements d'options. Au demeurant, son amant de l'heure, M. de V., est là pour lui épargner ces trivialités et prendre en charge tous les petits désagréments de l'existence : il paie les factures, règle les contentieux avec les entrepreneurs et arbitre tous les litiges.

Mata Hari s'agace de la lenteur des travaux et trépigne. Elle brûle d'impatience de voir le gros œuvre achevé pour installer enfin les rideaux de brocatelle, les étoffes de Damas, les meubles marquetés, les coffres espagnols, le piano à queue, les canapés en Aubusson, les lits de repos, les paravents chinois, les crédences couvertes de porcelaines fines et de faïences anciennes, bref un décor composite et baroque où se mêleront en un tohu-bohu de styles et d'époques toutes les pièces d'ameublement qu'elle a pu admirer dans les maisons huppées qu'elle fréquente.

Dans l'appartement bouleversé, il faut encore retrousser ses jupes pour enjamber les gravats, prendre garde à une échelle qui barre un passage ou repousser du bout de la bottine un outil oublié, mais Mata Hari s'exalte déjà à structurer et à organiser l'espace.

— Et vois-tu, ici, dans le vestibule, de part et d'autre de l'entrée, il y aura deux Grâces de marbre qui accueilleront mes invités. Qu'en dis-tu ?

— Ce s'ra magnifique, pour sûr ! Et il faudra aussi des plantes vertes, et des banquettes de velours pour vos messieurs qui f'ront antichambre.

Pauline applaudit aux Grâces comme elle applaudit à chacune des innovations de sa maîtresse. Gagnée par la folie dispendieuse qui règne ici, elle tourne au mauvais ange, elle souffle sur les désirs de Mata Hari, les attise.

— A propos, et vot' landau ? J'sais bien que M. de V. vous a offert la de Dion le mois dernier, mais quand même... C'est-y qu'il serrerait les cordons d' la bourse ?

— En tout cas, il se fait tirer l'oreille. Hier soir, il m'a même déclaré qu'il est absurde de rouler en landau quand on possède une voiture automobile.

— Ça, c'est tout toupet et pingrerie, moi j' vous l' dis ! S'il refuse d' vous donner votre landau et vos chevaux blancs, le monsieur est bien vilain !

— Tu crois ?... Il règle mes plus grosses factures, tout de même, et sans rechigner.

120

— Faudrait voir qu'il rechigne, tiens ! Quand on a une maîtresse, on l'installe dans ses meubles, y a pas de discussion. Vous êtes trop bonne, Madame.

— Mais enfin, Pauline, il vient de m'offrir cette voiture et il a même engagé un chauffeur pour la conduire.

— Et alors ? Vous avez besoin d'un landau tiré par quatre chevaux blancs pour vos promenades au bois, vous l'avez dit cent fois. La de Dion ne suffit pas.

— Tu as raison, la de Dion ne convient pas pour aller au bois. Il me faut cet attelage !

Au mois de juin 1905, Mata Hari peut enfin emménager avec ses gens au 3 de la rue Balzac. Outre Pauline et son chauffeur, elle a maintenant à son service une cuisinière et un cocher. Cette dernière recrue a été engagée à seule fin de mener le gracieux équipage que la rouée a fini par obtenir de son amant : elle s'y pavane chaque jour dans les allées du bois de Boulogne, distribuant à la ronde sourires et petits saluts de sa main gantée.

Enivrée par ses succès et la bienveillance du sort, Mata Hari se laisse aller à sa prodigalité native et vit plus que jamais au-dessus de ses moyens. A présent qu'elle est installée, c'est une rage de dépenses excessives qui la tient, qui la pousse à ouvrir chaque soir une table qui ravisse le regard de ses invités et abonde en curiosités gastronomiques ; dans une débauche de fleurs, de cristaux et de lumières, elle offre des œufs de sterne, du renne fumé, des ortolans, des anguilles du Tibre, des écrevisses, des produits des îles et des fruits rares, aux saveurs inconnues... Quant aux vins, elle met un point d'honneur à faire servir les plus grands crus, des vieux madères, des château-lafite, des johannisberg, tout ce qu'une cave peut receler d'éphémères et coûteuses merveilles.

Mais ce galop de réceptions et de dîners ruineux inquiète fort Pauline qui tient les livres de comptes et supporte tous les tracas de l'intendance. La petite a une façon bien à elle d'ajuster sa morale aux circonstances : tant que les « messieurs » paient, elle n'est pas contre les excès et les appétits de luxe de sa maîtresse. Faite aux mœurs de la société parisienne, elle admet volontiers que Mata Hari grignote à belles dents la fortune de ses amants, et au besoin l'y encourage. Mais dès lors qu'il s'agit d'assumer les débours sur la cassette de la maison, elle se cramponne à ses principes de petite paysanne élevée dans la rigueur d'un foyer rustique et la voilà qui prône les vertus de l'épargne et de la mesure. Elle ne comprend pas que l'on puisse dilapider son bon argent en gloutonneries et exprime sa réprobation à l'intéressée sans mettre de gants. Pour débiter doléances et reproches, elle choisit de préférence cette heure matinale où, dans la tiédeur parfumée de la chambre, encore mal réveillée et assise devant sa toilette, Mata Hari lui offre sa tête à coiffer et se trouve à sa merci.

— Si on continue à c' train-là, un d'ces jours on s' retrouvera sur la paille, moi, j'vous l' dis !

— Je sais, Pauline, tu me le répètes tous les jours. Mais ce n'est pas une raison pour me tirer les cheveux, tu as la main lourde ce matin !

Munie de deux brosses d'argent, Pauline a entrepris l'opération de démêlage et s'acharne en effet sur la chevelure de sa maîtresse avec une ardeur qui frise la rage.

— Pas assez lourde, faut croire ! J'arrive pas à vous enfoncer dans la tête qu' vous courez à la faillite avec vos festins et toutes vos fantaisies !

Sous les coups de brosse vigoureux qui lui tiraillent le crâne, Mata Hari pousse de petits couinements, entre cris et rires, et joue à s'offusquer de ce discours que Pauline lui sert tous les jours.

— Tu ne vas tout de même pas me reprocher de recevoir mes amis, c'est insensé à la fin !

— J'en cause en pure perte, je l' sais bien, allez ! Avec vous, parler raison, c'est prêcher dans le désert. Vous m'écoutez gentiment, j' vous amuse même un brin, mais demain vous s'rez encore à régaler tout ce joli monde !

— C'est une question de bienséance, ma fille. Tu devrais au moins comprendre que je suis obligée de traiter mes amis sur un pied d'égalité…

— Moi, tout c' que j' comprends, c'est qu' vos fournisseurs sont fatigués d' vous faire crédit et qu' leurs sourires commencent à tourner vinaigre. Tantôt, pendant que vous dormiez, j'en avais encore trois qui f'saient antichambre avec leurs notes impayées : le fleuriste du faubourg Saint-Honoré, le traiteur de la place Cambon et le bijoutier du Palais-Royal. J'ai eu bien du mal à les renvoyer, vous pouvez m' croire ! Même vos dames de marbre avec leurs formes gracieuses et leurs jolis bras ont pas réussi à les amadouer. Ils sont partis furieux, la menace aux lèvres, surtout le bijoutier. Il jure qu'il portera l'affaire devant les tribunaux si vous n' payez pas dans les deux jours.

– Oh ! Le mufle ! Il me traînerait en justice pour 12 000 francs ?

– Parbleu ! Il veut ses sous ou qu'on lui rende la parure de rubis. Sinon, c'est le tribunal, il veut pas en démordre !

– Jamais ! Mes rubis, je les garde. Qu'il fasse son procès si ça lui chante. Mon ami Clunet me défendra !

– Oh ! Celui-là, tout juste bon à vous faire ses yeux doux...

– Tu te trompes, petite. Me Clunet est un excellent avocat et il pourra m'être utile. De plus, il a des relations. Il connaît même un certain Gabriel Astruc, cet imprésario qui organise des spectacles de music-hall. Grâce à lui, il se pourrait bien que je danse d'ici peu à l'Olympia avec des cachets de 10 000 francs-or.

– Mazette ! 10 000 francs-or !

– Mais oui ! C'est ce qu'il m'offre. Tu vois que tu as tort de t'inquiéter et de m'assommer avec ces histoires d'argent...

Le calice de la gloire

20 août 1905. Adam Zelle est aux anges. Depuis deux jours qu'il est à Paris, la tête lui tourne, il n'a pas assez de ses yeux pour se repaître de ce luxe ostentatoire dans lequel barbote sa fille : le landau à capitons de soie et ses petits chevaux fringants, l'appartement cossu de la rue de Balzac, l'automobile avec son chauffeur en livrée qui le promène le long des avenues, cette petite Pauline si charmante, à ses petits soins tout au long de la journée, et ce soir, ce soir, la première de Margaretha à l'Olympia ! Car, cette fois, sa fille n'a pas voulu qu'il rate l'événement, elle lui a envoyé de quoi s'équiper et payer son voyage depuis Amsterdam afin qu'il assiste à sa première apparition devant le grand public. Ah ! Margaretha est une bonne fille, la meilleure des filles, et Paris est une fête, elle disait vrai ! En aura-t-il des merveilles à décrire lorsqu'il sera de retour chez lui : Mme Zelle n'aura qu'à bien se tenir et devra faire amende honorable lorsqu'il lui racontera jour par jour, heure par heure ce qu'il est en train de vivre.

Ce soir, le « baron » Zelle touche le ciel et tutoie les anges. Le vieil homme qui a vécu toute sa vie dans le désir enragé de la gloire et de ses pompes va connaître enfin son assomption dans cette avant-scène drapée de lambrequins où il se tient déjà, tel un empereur à son balcon. Avant de s'envoler vers Margaretha qu'il lui faut habiller, la jeune Pauline l'a installé là avec mille chatteries et autant de recommandations.

Pour lui qui n'entend pas le français, la petite s'exprime dans une sorte de charabia agrémenté de mots néerlandais mais elle appuie ses discours de mimiques si expressives que, bon an mal an, il la comprend tout de même. Elle est gentille cette enfant, il lui a promis qu'il n'irait pas se perdre dans les couloirs, qu'il attendrait sans bouger qu'elle vienne le chercher après le spectacle pour le mener jusqu'à la loge de Margaretha. Du reste, il n'a aucune envie de bouger, il est emporté dans un vertige, médusé de ravissement, crucifié de bonheur au sein de cette féerie qui l'environne, toute une débauche d'ors et de pourpres exaltée par les feux qui ruissellent des lustres, et puis les dorures des galeries, les velours des sièges et, devant la rampe encore éteinte, les pupitres des musiciens qui portent la partition du *Rêve* de Georges Bing sur lequel Mata Hari va danser ce soir.

Ils vont venir pour elle, ils arrivent déjà pour elle, ceux qui font battre les portes dans son dos, et ceux qui se pressent dans les baignoires, pour elle ce brouhaha continu de voix et de rires, pour elle ce bourdonnement de fièvre qui enfle à mesure que l'heure du lever de rideau approche. Pour elle encore ce beau monde qui peu à peu investit les loges des balcons, les élégantes en toilettes claires et les messieurs en frac gantés de blanc, pour elle ces jumelles que l'on braque sur le rideau immobile, pour elle, pour elle... En bas, les rangées du parterre se remplissent à grand bruit, le flot grossit, et c'est bientôt une houle de têtes et de corps que l'ouvreuse tente en vain d'ordonner, on plaisante, on s'interpelle, cette furieuse poussée de la foule, ces places prises d'assaut par le petit peuple bon enfant de Paris qui se bouscule et s'installe en joyeux charivari, c'est pour elle.

Mais le regard d'Adam Zelle revient inlassablement vers les loges où les dames à éventail prennent des poses, et il s'enchante de l'éclair d'un bijou dans une chevelure, il s'émeut de la blancheur satinée d'un bras ou d'une

125

gorge, il surprend le profil d'un homme penché sur une épaule nue et, dans un frisson d'orgueil paternel, il songe que ce soir, la grâce aristocratique comme la gouaille plébéienne sont réunies là pour elle, seulement pour elle : sa fille, son étoile, sa déesse.

Ils l'ont acclamée debout devant le rideau retombé. Elle avait regagné sa loge qu'ils l'acclamaient encore, ceux du parterre, comme ceux des galeries et des baignoires, comme ceux des balcons. Tous debout, ils trépignaient, en proie au même délire, ils frappaient dans leurs mains au bout de leurs bras levés, ils scandaient les syllabes de son nom à pleine gorge, un nom que l'écho amplifiait, qui résonnait sous les plafonds, qui battait les murs : MATA ! MATA ! MATA !

Adam Zelle, toujours dans son avant-scène, assistait à ce déchaînement, voyait cette foule transportée et hurlante, ces mains dressées comme des fleurs de chair, milliers de mains, milliers de cris jaillis de milliers de poitrines, et son cœur débordait d'une joie si pure qu'elle lui mouillait les yeux, les joues, une joie si forte que ses lèvres tremblantes ne savaient plus former le nom chéri, le nom de Mata Hari.

– Vite ! Vite ! Pendant qu'ils applaudissent, suivez-moi, je vous conduis chez Madame !

Quand Pauline a surgi dans son dos, essoufflée, le feu aux joues, la coiffe de guingois, le vieil homme ne savait plus ce qu'on lui voulait. Une petite main ferme a saisi la sienne et la cavalcade a commencé : il s'est senti tiré, entraîné à travers un dédale de couloirs obscurs où croisaient des silhouettes furtives, ombres mouvantes de machinistes ou de figurants, on montait des marches, on en descendait d'autres, et toujours l'ovation formidable continuait, les poursuivait, le cri unique entonné par la foule ne faiblissait pas, il traversait les étages, ébranlait les murs en un fracas de tonnerre et semblait vouloir pourfendre l'édifice tout entier.

Quand, haletants, éperdus, ils sont arrivés devant la

loge, il a fallu encore franchir l'obstacle des habits noirs qui formaient rempart.

— Laissez passer s'il vous plaît, pardon... pardon, c'est l' papa d' Madame !

Produit par des centaines de pieds qui frappaient le sol, un martèlement formidable montait maintenant de la salle, rythmant le cri sans cesse repris de MATA ! MATA ! MATA !

Juste comme on fendait le groupe, la porte de la loge s'est ouverte, livrant passage à deux hommes. Mais ils ne s'écartaient pas, ils restaient sur le seuil, tournés vers l'intérieur, et l'un d'eux disait d'une voix grave où pointait un rien de panique :

— Quel vacarme ! Ils vont finir par tout casser ! C'est un triomphe sans précédent, jamais vu ça, jamais ! Vous les entendez, Mata ?

Dans ce gros homme qui tirait sur son faux col et épongeait la sueur de son cou d'un geste compulsif, Adam Zelle a reconnu Paul Ruez, le directeur de l'Olympia.

— Ils vous rappellent, ils vous réclament, a ajouté M. Ruez. Vous devriez venir pour un dernier salut, Mata, cela les calmerait peut-être.

— Non, mon cher, je suis lasse, et puis je n'aime pas les rappels, a répondu la voix de Margaretha.

— Très bien. Dans ce cas, je vais faire évacuer la salle. Vous m'accompagnez, Astruc ?

Alors, sous une ultime poussée de Pauline, le vieux Zelle s'est senti propulsé dans la loge, happé dans un poudroiement de lumière au centre duquel se dressait Margaretha qui tendait les bras vers lui, qui disait :

— Venez, venez, père, que je vous présente à mes amis...

Ses amis... encore des formes noires, l'éclat blanc des plastrons, celui des sourires sous les moustaches cirées, un groupe de vagues silhouettes éclipsées, rejetées à l'indistinct par l'éblouissant halo qui l'enveloppe, elle, goutte de lumière dans ses mousselines d'or, source de toute lumière avec son casque, ses bracelets, ses anneaux incrustés de topazes qui jettent des feux... Margaretha l'appelle, lui prend les mains, l'attire à elle, il entre dans le nimbe lumineux, il l'entend dire encore :

— Buvez, père, voici du champagne, il faut boire à mon triomphe.

Docile, il porte à ses lèvres cette lumière qui a coulé dans la coupe et il boit les salves d'applaudissements, il boit l'adoration de la foule, il boit l'avènement de sa déesse, il boit jusqu'à l'ivresse, il boit enfin au calice de la gloire. Quand la petite main de Pauline lui retire la coupe vide et l'entraîne à l'écart, il se laisse aller comme un enfant, il se laisse tomber sur le lit de repos, et recru d'émotions, comblé, il laisse sa tête rouler sur le côté et sombre d'un coup dans le sommeil.

Un peu plus tard, alertée par Pauline qui croit à un malaise du vieil homme, Mata Hari passera derrière le paravent, se penchera sur son père et dira dans un petit rire :

— Mais non, que tu es sotte, il n'est pas mal... C'est le champagne, il n'a pas l'habitude, et trop de joie, manque d'habitude aussi... Va chercher Jacques et ramenez-le à la maison avec la de Dion. Moi, je vais souper avec le marquis de Beaufort, ne m'attendez pas.

M. Gabriel Astruc n'a qu'un défaut : du matin au soir, il fume le cigare, de ces gros cigares qui empestent l'atmosphère et dont l'odeur subsiste longtemps après son départ. Madame, qui a toutes les indulgences pour son imprésario, prétend qu'elle n'est pas incommodée par cette pestilence qu'il laisse derrière lui, qui finit par imprégner les tapis, les rideaux et jusqu'au revêtement des murs. N'empêche, chaque fois que M. Astruc se retire, il faut aérer l'appartement pendant des heures, un vrai cauchemar pour Pauline. N'était cette manie qu'il a d'enfumer les gens comme des rats, la petite femme de chambre n'aurait rien à redire et se réjouirait même de ses visites. Car depuis qu'il gère les destinées artistiques de Mata Hari, M. Astruc est devenu la providence de la maison, une sorte de magicien qui tire de son chapeau les contrats les plus mirobolants et obtient pour Madame des cachets très confortables. Et des cachets on en a besoin ici où l'argent entre à flots et sort de même, les cachets sont bien précieux quand on vit dans un tonneau des Danaïdes qu'il faut calfater et calfater sans cesse.

Une demi-heure déjà que M. Astruc et Madame sont enfermés dans le petit salon oriental à parler affaires. Lui doit fumer un de ses affreux bâtons de chaise, aucun doute. Il reste à espérer que les brûle-parfum placés aux endroits stratégiques feront leur office et triompheront de l'odeur nauséabonde. Sinon, on sera quitte pour le branle-bas habituel, soupire Pauline. Que peuvent-ils bien se dire ? Cet aparté qui s'éternise l'inquiète d'autant plus que lorsqu'elle a introduit M. Astruc tout à l'heure, il lui a paru soucieux, une vraie mine de carême qu'il avait. Dieu ! et s'il était venu annoncer que la corne d'abondance menace de tarir, plus de récitals, plus de contrats, pour le coup on se retrouverait dans de jolis draps avec Madame qui ne sait pas compter et jette l'argent par les fenêtres !

Il faut savoir ce qui se trame à côté et sans délai. Pauline a de la ressource et s'est fait une spécialité de surprendre les secrets qui se murmurent derrière les portes. Le café, voilà l'idée ! Elle en a déjà servi aux comploteurs, mais c'est égal, Madame en boit à longueur de journée, elle peut en avaler des litres, elle ne refusera pas une deuxième petite tasse. Et, une fois livré le café bien frais, bien chaud, oublier de refermer la porte du petit salon, laisser traîner une oreille, l'enfance de l'art...

Le temps qu'elle entre, dépose entre eux le plateau, et se retire, ils se sont interrompus, elle a senti les mots retenus comme des coqs de combat prêts à être lancés dans l'arène. Voilà, ils y sont maintenant : les voix passent par la fente de la porte, et Pauline écoute. Le petit salon oriental donne sur l'antichambre et elle est là, munie d'un plumeau dont elle fait mine d'épousseter les dames de marbre. En vérité, elle ne perd rien de ce qui se dit à côté.

– Je dois vous dire que vous avez fait un heureux, affirme M. Astruc.

– Un heureux ?

129

— Mais oui, notre ami Ruez, il se frotte les mains, facile à comprendre. Il fait salle comble chaque fois que votre nom est à l'affiche. Alors, il en redemande, il espère vous voir revenir à l'Olympia.

— Écoutez, Gabriel, je suis ravie de cette expérience mais danser entre deux attractions de cirque, vraiment... Comprenez-moi, cette ambiance de music-hall ne me convient guère.

— Et où voudriez-vous danser, ma chère ?

— Eh bien... à l'opéra, sur des scènes prestigieuses.

— A l'opéra ! Vous êtes stupéfiante, Mata. Vous voulez brûler les étapes, vous n'avez décidément aucun sens des réalités !

Voilà qui est bien parlé. Quand, jour après jour, on se dessèche le gosier à essayer de démontrer à Madame que le blanc n'est pas noir, on apprécie fort de voir un tiers apporter de l'eau à son moulin. Et on jubile parce que M. Astruc a l'air si bien remonté qu'il enchaîne :

— Vous ne me facilitez pas les choses, Mata. Toujours cette démesure, cette ambition dévorante... sans compter vos déclarations malencontreuses et fantaisistes à la presse. Tenez, parlons-en, de ces fantaisies. J'ai là quelques jolis morceaux d'interviews qui viennent de paraître.

Il doit sortir des journaux de ses poches car Pauline entend le bruit du papier qu'on défroisse.

— A un journaliste vous racontez que vous êtes née à Java et que vous avez épousé un officier anglais. Pour un autre vous avez vu le jour aux Indes et, arrivée en Europe, vous faisiez l'écuyère dans un cirque, beau curriculum... Mais ce n'est pas tout, regardez, j'ai même cet article publié en Hollande que je me suis donné la peine de faire traduire. Ce journaliste, votre compatriote, rapporte que vous lui auriez confié votre intention d'abandonner la danse pour convoler avec un aristocrate russe attaché à la suite du grand-duc Michel. Vous ne croyez pas que vous y allez un peu fort ?

Le flagrant délit de mensonge ne gêne guère Madame, elle égrène son joli rire, et le tour est joué. Il en va toujours ainsi avec elle : prise la main dans le sac, elle essaie encore de vous séduire avec un ravissant sourire ou un de ces rires en cascade dont elle a le secret.

— Vous êtes incroyable, Mata, incroyable au sens propre ! Vous rendez-vous compte du tort que risquent de vous causer ces informations contradictoires que vous lancez au petit bonheur ? Votre capacité d'invention est remarquable, j'en conviens, mais elle finira par vous discréditer. Vous devriez vous en méfier.

— Vous prenez ça trop à cœur, Gabriel... Comment voulez-vous que je fasse ? Si je servais la même histoire à tous les journalistes qui sollicitent des interviews, ce serait d'un ennui mortel. Je peux bien m'amuser un peu, non ?

— Amusez-vous, ma chère, amusez-vous, mais n'oubliez pas que si les paroles s'envolent, les écrits restent !

— Vous n'êtes pas drôle ce matin, Gabriel, pas drôle du tout ! Votre visite ressemble à celle d'un vieux professeur venu sermonner une élève récalcitrante.

Maintenant, c'est M. Astruc qui s'esclaffe. Madame a ce talent-là, on ne peut pas nier, elle réussirait à vous dérider un troupeau d'éléphants.

— C'est bien ce que vous êtes, Mata, récalcitrante. Une forte tête qui tire à hue et à dia et rend mon travail difficile. Mais je vous aime bien, allez...

— Moi aussi, je vous aime bien, Gabriel, surtout quand vous m'apportez de bonnes nouvelles... Cherchez bien, vous ne vous êtes tout de même pas déplacé pour m'accabler de reproches et de sermons ?

— Non, en effet... Que diriez-vous d'aller danser en Espagne ? J'ai une proposition du Central Kursaal de Madrid. Vous passeriez deux semaines là-bas...

— Madrid ! Et vous ne le disiez pas, vous préfériez jouer au Père fouettard, vous me laissiez parler d'opéra. Oh ! Gabriel, je vous déteste ! Quand partons-nous ?

Voilà, ils sont raccommodés. On ne va pas s'en plaindre : Madame a eu le savon qu'elle méritait et, pendant qu'on époussette les Grâces avec une ferveur nouvelle, elle doit signer son contrat pour Madrid. Il faut fêter ça, on va lui apporter un nouveau café...

Après l'Espagne, où elle subjugue les Madrilènes comme elle a subjugué les Parisiens, Mata Hari se produit à Monte-Carlo dans *Le Roi de Lahore*, un ballet de Jules Massenet. Dans une lettre enflammée, le vieux compositeur qui a assisté au spectacle se déclare conquis par son art autant que par ses charmes. Est-ce la consécration pour elle qui rêve d'égaler, voire de supplanter des novatrices telles que Maud Allen ou Isadora Duncan ? Elle ne prend pas le temps de s'appesantir sur la question : en février 1906 une nouvelle toquade l'emporte vers Berlin où elle se jette dans les bras d'un lieutenant de hussards, Alfred Kiepert. Outre l'uniforme qu'il arbore et qui exerce sur elle une formidable fascination, ce nouvel amant présente l'avantage d'être un riche propriétaire terrien. C'est la première de ses éclipses : avant de quitter Paris, elle a liquidé l'appartement de la rue de Balzac et vendu son mobilier. Au grand dam de Pauline, la voilà rendue au nomadisme de luxe qui, dit-elle, lui sied mieux que la vie casanière. Pendant quelques mois, elle oublie la danse pour s'afficher avec son lieutenant en compagnie duquel elle assiste même aux manœuvres de l'armée impériale. Mais Mata Hari est une inconstante toujours prête à céder à l'impulsion du moment : sur un appel de son imprésario qui lui propose un engagement à Vienne, elle tire sa révérence au hussard et quitte Berlin.

L'annonce de son arrivée dans la capitale de l'Empire austro-hongrois a déclenché une polémique : dansera-t-elle nue ou en collant ? Elle choisit de contenter tout le monde en dansant nue à la Salle d'Art dissident et moulée dans un collant à l'Apollo. Ses prestations devant le public viennois suscitent des critiques mitigées. L'*Arbeiter Zeitung* et le *Wiener Deutsches Tageblatt* restent sceptiques sur l'authenticité de ses danses et suggèrent que son succès repose essentiellement sur le tapage fait autour de son nom. Mais la confiance de Mata Hari et le crédit dont elle jouit auprès des Viennois qui se pressent aux caisses n'en sont nullement entamés. Encline à s'attacher plutôt au positif, elle fait litière des réserves fâcheuses et s'en tient aux échos qui lui sont favorables, lesquels ne manquent pas. A preuve, ces lignes d'un journaliste du *Fremdenblatt* qui décrit la danseuse en ces termes :

> *Grande et mince, Mata Hari possède la grâce féline d'un animal sauvage. Sa masse de cheveux noirs aux reflets bleutés encadre un visage petit qui donne une impression d'exotisme. Son front et son nez, d'une forme classique, rappellent l'Antiquité. De longs cils noirs bordent son regard, et ses sourcils sont si joliment arqués qu'on les croirait peints par un artiste.*

Tandis que Mata Hari danse et balaie de ses voiles les scènes des capitales européennes, le Vieux Monde change de visage. L'éclairage électrique se généralise dans les rues des grandes cités, les voies ferrées se multiplient, le progrès scientifique débouche sans cesse sur de nouvelles applications qui modifient grandement le quotidien. On applaudit le télégraphe sans fil, découverte de l'Italien Marconi, qui a permis d'effectuer avec succès les premières transmissions à travers l'océan. Partout le mouvement syndical s'organise et se développe, on assiste aux premières grèves de dockers et d'ouvriers qui réclament de meilleures conditions de travail et de vie. Les classes défavorisées aspirent à obtenir une part légitime de la prospérité économique et commencent à exprimer leurs revendications. Pourtant, l'ère de paix que connaît l'Europe depuis 1871 et qui a favorisé son essor industriel touche à sa fin. Dès l'année 1905, le Maroc est prétexte à ranimer le vieil antagonisme entre les deux blocs d'alliance, c'est l'amorce d'une série de crises internationales qui vont accélérer la course aux armements et précipiter le vieux continent vers le gouffre.

Mata Hari, dont l'intérêt pour les journaux se borne à la lecture de la rubrique spectacles ou de la chronique mondaine, demeure étrangère à ces bouleversements. L'état du monde et la politique ne la concernent guère et n'affectent en rien le cours de son existence. Tout au plus sait-elle que les matelots du cuirassé *Potemkine* se sont mutinés en juin 1905 car l'événement a suscité beaucoup d'effroi et nombre de commentaires parmi les exilés russes qu'elle fréquente. Dans le salon de la baronne Kireevsky, on a également évoqué la charge du peuple par les cosaques en ce fameux « dimanche rouge » de Saint-Pétersbourg et les propos de Lénine qui, mis au fait de cette sanglante fusillade, a préconisé l'établissement d'une dictature démocratique qui ouvrirait la voie au socialisme. Socialisme, capitalisme, marxisme, démocratie, régime parlementaire, tous ces mots restent dépourvus de signification pour la danseuse : ils relèvent d'un langage abscons, sans lien aucun avec la réalité des préoccupations qui régissent son univers.

Mata Hari mène l'existence légère et insouciante d'un papillon. Elle vole de succès en succès, se pose dans les palaces des capitales – le Ritz à Madrid, le Bristol à Vienne –, butine les plaisirs qui s'offrent, puis redéploie ses ailes dorées et translucides et va poursuivre plus loin sa quête. Inlassablement, elle volette de futilités en jouissances et ne songe qu'à s'enivrer des sucs de la vie. Bien qu'elle ne s'attache jamais aux hommes qu'elle honore de ses faveurs, les conquêtes masculines restent sa principale provende. L'expérience du mariage a été pour elle si désastreuse qu'elle semble avoir infecté à jamais son mode de relations amoureuses : le mépris que lui a inspiré Rudolph Mac Leod s'étend depuis lors à toute la gent masculine. Quel qu'il soit, l'amant auquel elle livre son corps est assimilé au mari honni, et perçu comme quantité négligeable, méprisable. Pourvu qu'il paye et la comble de ses libéralités, il est admis dans son lit, mais ne peut prétendre à mieux. Aucun homme, jusqu'ici, n'a su réduire ses préventions et toucher son cœur. A trente ans, la belle hétaïre qui collectionne les amants et les lauriers de la renommée ne connaît pas l'amour.

Elle est à peine plus ouverte aux joies de l'amitié. Certes, Mary van Shoonbeke lui a inspiré jadis cette affection adolescente et par là même ambiguë qui a été la grande histoire de sa jeunesse, mais les liens se sont relâchés et lentement dissous. Fatalité du temps, de la distance, des trajectoires qui divergent, Mary n'a plus aujourd'hui que la consistance d'un souvenir : c'est la petite touche de rose qui, parfois, rarement à vrai dire, s'allume aux braises de la nostalgie.

Femme émancipée et volage, Mata Hari se veut libre de tout attachement. Sa seule affection durable et sincère, la seule qui ne se soit jamais démentie est celle qu'elle éprouve pour son père. Il y a aussi Pauline qui, d'emblée, a gagné sa confiance et dont la présence lui est devenue indispensable. La petite femme de chambre, bien que de dix ans sa cadette, est tout à la fois sa suivante, sa servante, son habilleuse, son mentor, son garde-fou, son ange gardien et son âme damnée. Si précieuse lui est Pauline qu'elle s'en fait accompagner partout et exige qu'une chambre contiguë à la sienne lui soit réservée dans tous les palaces où elle descend.

Si le cœur de Mata Hari s'avère inhospitalier ou difficile à pénétrer, il n'est pas aride pour autant. Ainsi, elle ne peut oublier sa fille, la petite Jeanne-Louise dont elle a le sentiment qu'elle vit dans une autre nébuleuse, hors d'atteinte. Entérinée par un jugement de divorce en avril 1906, sa rupture avec Mac Leod rend improbable la perspective de la revoir jamais. Pourtant, Mata Hari s'obstine : au cours d'un bref séjour en Hollande, elle obtient de Rudolph un rendez-vous à la gare d'Arnhem où elle arrive, vêtue avec la dernière élégance, chapeautée et gantée. Son ex-mari, en revanche, ne s'est pas mis en frais pour l'occasion et offre un aspect des plus négligés. Elle note le costume qui poche aux genoux, le débraillé de la chemise et songe que, privé de l'uniforme, Rudolph Mac Leod a perdu toute sa superbe. La rencontre n'excédera pas quelques minutes et sera une répétition de la pénible scène qui les a réunis quelques années auparavant. Tandis que la fillette, debout près de son père, considère avec curiosité cette belle dame qui est pour elle une inconnue, on se salue du bout des lèvres, on évite de croiser le regard de l'autre, et chaque parole sonne creux, sonne faux. Margaretha s'efforce néanmoins de surmonter son malaise et, s'adressant à sa fille, lui propose de passer un moment avec elle. Jeanne-Louise répond qu'elle veut bien à condition que son papa l'y autorise. Comme Rudolph oppose un refus catégorique, l'échange s'arrête là et Mata Hari, ex-lady Mac Leod, s'éloigne en ravalant ses larmes.

Le début du déclin

— J' vois d'ici la tête de M'sieur Astruc quand il apprendra la nouvelle, grogne Pauline.

— Il fera la tête qu'il voudra, c'est le dernier de mes soucis ! J'ai beaucoup travaillé à Vienne, j'ai besoin de vacances après tout.

— N'empêche, j' crois pas qu'il appréciera et j' lui donne pas tort. Il s' démène pour votre carrière et quand tout marche à merveille, vous le plantez là, vous embarquez pour l'Égypte. D' vraies galères ces vacances qu' vous nous préparez, à croire qu'vous voulez ma mort. J' vais cuire sous le soleil d' là-bas, pauvre de moi...

— Ne fais pas ta mule, tu auras des chapeaux, des ombrelles, on protégera ta jolie peau de rousse, je te le promets.

Mais aucune protestation, aucune promesse ne saurait amadouer Pauline aujourd'hui : elle a décidé de *faire sa mule* jusqu'au bout.

— En plus, j'ai pas le pied marin, moi, j' vais y laisser mes tripes dans vot' voyage au long cours. Des jours et des jours de mal de mer pour aller voir des chameaux...

— Il y a autre chose à voir en Égypte que des chameaux, ma petite. Un peu de dépaysement et de culture ne te fera pas de mal.

Pauline est à cran, furieuse de se trouver embarquée

à son corps défendant dans cette aventure qui ne lui dit rien qui vaille, mais elle sait bien qu'au point où en sont les choses aucun argument ne fléchira sa maîtresse. Quand l'autre s'arrange toujours pour avoir le dernier mot, inutile de gaspiller sa salive, mieux vaut renoncer à poursuivre l'échange. Ah ! La vie n'est pas de tout repos avec Madame : il faut l'aimer beaucoup pour l'accompagner dans toutes ses lubies, une vie de romanichels qu'on mène, tantôt ici tantôt là, impossible de rester en place. L'appartement de la rue de Balzac, on s'y sentait bien, on s'était décarcassée pour tout arranger à la convenance de Madame, et elle tout feu tout flamme à l'époque, ravie d'avoir enfin un « chez soi ». Mais Madame s'est vite lassée de jouer à la maîtresse de maison, elle a décrété qu'elle préférait vivre à l'hôtel et on a tout bazardé en huit jours. Madame a la maladie de la bougeotte, on n'y peut rien. Maintenant, elle s'est mis martel en tête pour l'Égypte, allez savoir pourquoi. Le lieutenant Kiepert sera du voyage, on doit le rejoindre à Marseille d'ici deux jours, un retour de passion sans doute.

— Je dois aussi emballer les bijoux ?

— Naturellement. Tu n'imagines tout de même pas que je vais les laisser à l'hôtel... A quoi penses-tu, Pauline ?

Elle ne pense à rien, Pauline, elle s'efforce de faire bon cœur contre mauvaise fortune et elle s'active en maugréant au milieu du déballage de malles qui encombre la chambre. Tout est sens dessus dessous, le lit, les fauteuils, les consoles croulent sous des empilements de linges et d'objets qu'il faut encore une fois ranger sans rien omettre avant le grand départ. Les robes, les chaussures, les chapeaux, les fourrures, la garde-robe au complet, on emporte tout. Et les bijoux dans leurs écrins. Le pire, c'est qu'on vit comme des escargots : où qu'on aille, on se déplace avec les possessions de Madame, une dizaine de grandes malles, tout un fatras de bagages que Pauline doit surveiller sans cesse, son gros souci chaque fois qu'on voyage.

La parenthèse égyptienne dure deux mois au bout desquels Mata Hari regagne l'Europe assez désappointée. Certes, on a vu des chameaux, des crocodiles, des troupes d'autruches, on a même remonté le Nil jusqu'à Assouan mais la danseuse espérait que son séjour en Égypte renouvellerait son inspiration artistique et il n'en est rien.

A la fin du mois de mars 1907, sitôt débarquée à Marseille, elle file vers Rome toujours flanquée de Pauline et de sa dizaine de malles. Le ferment de l'ambition continue à la travailler : elle vient d'apprendre que Gabriel Astruc s'apprête à monter la *Salomé* de Richard Strauss au Châtelet et désire ardemment compter dans la distribution. Elle adresse aussitôt à son imprésario une longue lettre où elle plaide le bien-fondé de sa « candidature » :

Je vous en prie, écrit-elle, *faites-moi danser la grande danse devant Hérode. Je vous donnerai une impression que personne encore n'a eue et que pas une danseuse n'a su donner. Il n'y a pas deux femmes qui peuvent traduire cette pensée de la séduction...*

Et, n'hésitant pas à faire sa propre apologie, elle établit un parallèle entre sa personnalité et celle de l'héroïne, affirme comprendre de l'intérieur le délire érotique aussi bien que l'aspiration désespérée à la pureté de la fille d'Hérodias. De son point de vue, nulle ne saurait mieux qu'elle tenir le rôle, elle estime être l'interprète idéale de la « vraie pensée » de Salomé. Elle fait l'impasse sur sa défection coupable qui a grandement indisposé Astruc, elle le caresse, elle le cajole. Jusqu'ici, elle a su forcer le destin et obtenir ce qu'elle voulait : aussi ne doute-t-elle pas du succès de sa démarche. Pour plus de sûreté, elle joint à son envoi une requête destinée à Richard Strauss lui-même. Mais ce courrier restera lettre morte. Gabriel Astruc, qui mesure mieux que quiconque les capacités artistiques de Mata Hari et ses limites, se garde bien de transmettre cette proposition fantaisiste au maître.

La première représentation de *Salomé* a lieu à Paris le

10 mai 1907 et Mata Hari n'est pas à l'affiche. Elle digère sa déception à Berlin en compagnie d'Alfred Kiepert. Si sa mise à l'écart l'ulcère secrètement, elle n'en montre rien car elle n'a pas renoncé et refuse de s'avouer vaincue : elle a la conviction que tôt ou tard elle dansera sur la musique de Strauss.

Lorsqu'elle quitte le lieutenant Kiepert et rentre à Paris, elle s'installe à l'hôtel Meurice et bat aussitôt le rappel des journalistes. Comme on s'étonne de son absence prolongée, elle explique qu'elle vient d'effectuer un long périple qui l'a conduite de l'Égypte à l'Inde, aux sources mêmes de son art. Une fois encore, elle maquille la vérité, l'enjolive et s'ingénie à en distordre les données face à des interlocuteurs ébahis et complaisants.

Mata Hari n'a jamais su s'accommoder du caractère abrupt et déplaisant du réel : pour vivre, elle a besoin de lui substituer une réalité autre, plus aimable et plus conforme à ses vœux. Néanmoins, il arrive que ce réel la rattrape et la terrasse : tel est le cas lorsqu'elle découvre que des « rivales » ont mis à profit son séjour à l'étranger pour l'imiter. Elles sont des kyrielles à présent qui s'exhibent plus ou moins dévêtues sur les scènes des théâtres et des cabarets parisiens. Parmi elles, la romancière Colette se taille même un joli succès au Moulin-Rouge en apparaissant à moitié nue, les seins dissimulés sous des coupelles métalliques et parée de bracelets. Mata Hari estime non sans raison qu'elle est victime d'un intolérable plagiat. La contrefaçon est si flagrante que, dans un premier temps, elle ne peut décolérer : elle fustige avec violence le toupet de ces « pâles imitatrices » et leur manque de talent. Puis il lui faut admettre — et cela ne va pas sans douleur — que les choses ont changé, qu'elle-même a atteint la trentaine et doit peut-être envisager de réformer son style. Au cours de cette période, Pauline a fort à faire pour combattre la morosité de sa maîtresse.

— J' vois pas pourquoi vous prenez ça tant à cœur. A vot' place, j' serais fière qu'on utilise mes recettes, ça prouve au moins qu'elles sont bonnes !

— Mais je ne suis plus la seule, Pauline. C'est moi qui

ai osé, c'est moi qui ai ouvert la voie, les autres ne font que me singer et récoltent maintenant ce que j'ai semé. Il y a de quoi enrager !

— Vous êtes toujours la meilleure, c'est tout c' qui compte. Vous avez dansé hier au Trocadéro, on vous réclame à Pont-aux-Dames, à Houlgate... Vous êtes belle, tous les hommes sont à vos pieds, y a pas d' raison d' broyer du noir.

Lorsqu'elle témoigne d'un si bel optimisme et s'efforce de réconforter sa maîtresse, Pauline n'est qu'à demi sincère. Ces protestations lui sont dictées par son affection et une loyauté indéfectible, mais elle a trop de bon sens et de lucidité pour ignorer que la carrière de Mata Hari bat de l'aile. Elle connaît l'inconstance du public et sent bien que son intérêt pour la danseuse commence à s'émousser. Bien sûr, ce ne sont pas là des choses qu'on peut dire de but en blanc à l'intéressée. On n'est pas là pour la désespérer, on l'aime trop. On sait aussi que Madame est en partie responsable de la situation. Elle a commis trop de maladresses, toutes ces absences, ces éclipses finissent par nuire à une carrière, quand le chat n'est pas là, les souris dansent, c'est précisément ce qui arrive, mais ce qui est fait est fait, on ne va pas l'accabler, de toute façon Madame n'en fait jamais qu'à sa tête.

Quand bien même elle se refuse à l'admettre — confortée dans cette illusion par la fidèle Pauline —, Mata Hari n'est plus au sommet de la gloire. Une page de son histoire s'est tournée à son insu et ce au moment même où le monde entame un nouveau et cruel chapitre de l'Histoire universelle. La mécanique des forces qui vont engendrer la guerre se met en place peu à peu. En juillet 1910, Guillaume II qui persiste dans ses visées expansionnistes fait pointer les canons allemands du *Panther* sur les côtes d'Agadir et somme la France d'accepter une négociation à propos du Maroc. Tiré à hue et à dia, Joseph Caillaux, alors président du Conseil, choisit de négocier. Les tractations aboutissent à un accord en vertu duquel les Français obtiennent d'avoir les mains libres au Maroc avec pour contrepartie la cession d'un morceau du Congo à l'Allemagne. Mais ce traité qui ne satisfait ni l'opinion française ni l'opinion allemande provoque un tollé général. A Berlin les nationalistes protestent et organisent des manifestations tandis qu'à Paris les parlementaires se déchaînent tant et si bien qu'ils parviennent à renverser Caillaux. C'est la fin de la République pacifique des radicaux et l'arrivée au pouvoir des partisans de la guerre menés par Poincaré qui s'attelle à renforcer les alliances et à réorganiser l'armée.

Pendant que les experts militaires travaillent à perfectionner l'armement et que se prépare une loi de recrutement visant à augmenter les effectifs, Mata Hari coule des jours heureux en Touraine. En juillet 1910, elle a rencontré le banquier Xavier Rousseau qui a loué à Esvres, non loin de Tours, le château de la Dorée. Perturbée par la désaffection du public et l'indigne concurrence de ses rivales, elle a pris un nouveau virage, quitté Paris et suivi son nouvel amant.

Le château de la Dorée est en réalité un élégant manoir du XVIIIe siècle douillettement niché au fond d'un parc. Des haies de buis taillé et de vastes pelouses organisent l'espace à proximité de la demeure et des bâtiments annexes. Une longue allée plantée d'ormes et tracée dans l'axe de la façade mène au corps de logis principal qui frappe dès l'abord par la grâce de ses proportions, l'harmonieuse scansion de ses ouvertures : fenêtres à la française sur deux niveaux et, engagées dans l'ardoise du toit, chiens assis qui prennent le jour pour des greniers à trésors, des soupentes inexplorées. Surmontée d'un fronton, l'entrée ouvre sur un hall au centre duquel s'élève un escalier de marbre qui dessert l'étage. Les pièces de réception et les appartements privés donnent sur de gracieuses galeries ornées de stucs et de peintures, et l'ensemble de la décoration témoigne du goût exquis, un tantinet précieux de l'époque.

C'est dans ce décor raffiné, marqué au sceau d'un luxe de bon aloi que se déroule désormais l'existence de Mata Hari. Aux premiers jours de son installation, elle s'est crue l'invitée des fées, la princesse attendue et vénérée en cette résidence bucolique cernée de bois et de vignes à perte de vue. Mais passé la surprise et l'émerveillement de la découverte, à présent qu'elle a pris ses quartiers à Esvres, il lui semble être née pour mener cette vie de châtelaine, vie légère et insoucieuse qu'elle partage entre sa toilette, la musique et son cheval Radjah. Car l'attrait essentiel du château de la Dorée est qu'il renferme dans ses écuries quatre magnifiques chevaux entre lesquels Mata Hari a élu Radjah, un pur-sang qu'elle prend plaisir à monter chaque jour. Excellente cavalière, elle passe des heures à cheval et les paysans des alentours commencent à se familiariser avec la silhouette de cette amazone qu'ils entrevoient dans l'éclair d'un galop, mince et moulée dans le drap sombre de son costume, le voile de son chapeau soulevé par le vent de la course. Ils la trouvent hautaine et inabordable, mais il est difficile de décider si cette impression résulte du maintien commun aux cavalières sur leur monture ou si Mata Hari, imbue de son rôle de châtelaine, affecte de snober les indigènes tourangeaux... Tout le monde à la ronde croit que la belle amazone est Mme Rousseau. En vérité, l'épouse légitime du banquier vit à Paris et ignore jusqu'à l'existence de ce château que son mari a loué pour y installer l'illustre danseuse. M. Rousseau, comme tant d'autres, mène une double vie et ne rejoint sa maîtresse qu'en fin de semaine. Bien qu'elle passe seule le plus clair de son temps, Mata Hari ne se plaint pas du statu quo. Elle a des gens pour la servir, elle a Pauline, elle a Radjah. Après la frénésie et les mondanités de Paris, le rythme paisible de ses jours lui convient parfaitement et elle jure ses grands dieux que jamais elle ne retournera à la vie citadine.

Pauline, quant à elle, trouve beaucoup moins d'avantages à cette retraite dorée. La campagne l'ennuie, les distractions y sont rares, on ne voit jamais personne, et quand le mauvais temps s'en mêle, il vous oblige à vous claquemurer à l'intérieur et à tourner en rond. Bref, la petite femme de chambre se sent en pénitence et ronge son frein en attendant des jours meilleurs. Pour elle, ce nouveau caprice de Madame ne saurait durer et elle guette les premiers signes de lassitude qui préluderont forcément au départ. Mais elle guette en vain : voilà plus de six mois que l'on vit cet aimable train-train provincial et rien ne présage que la situation doive changer. Madame, qui ne parle plus de danser, est fraîche comme une fleur et se félicite tous les jours de son existence champêtre. Quand on voit cette femme à l'emploi du temps si régulier, aux occupations si sages, qui ne ressemble en rien à celle qu'on a connue, on se demande parfois si on a la berlue. Chaque matin, après sa toilette, elle s'entretient longuement avec la cuisinière qui est une rigolote et lui concocte d'excellents petits menus car Madame apprécie la bonne chère et les plaisirs de la table. Ensuite, le jardinier lui présente un choix de fleurs coupées, écloses en la serre du château, et elle compose ses bouquets, les dispose à travers les pièces, s'attarde à juger de l'effet obtenu. Cette tâche l'occupe jusqu'à l'heure du déjeuner. L'après-midi, elle fait préparer son cheval et disparaît avec lui pendant des heures. Quand elle revient, excitée, en nage, et passablement crottée, on doit lui préparer un bain, ce qui n'est pas une mince affaire ici où on n'a même pas l'eau courante. C'est bien joli la vie de château, mais côté confort, ça ne vaut pas tripette. Il faut se coltiner des dizaines de seaux pour remplir la baignoire de zinc et, une fois que Madame s'y est bien prélassée, la vider de même. A force, on en a les reins rompus et on se dit chaque soir vivement le retour à Paris et à la civilisation !

Dans les derniers mois de 1910, l'annonce de la mort d'Adam Zelle parvient au château de la Dorée. Cette nouvelle frappe Mata Hari de plein fouet : des jours durant elle s'enferme et pleure son père tant aimé. Il n'est plus question de décoration florale ou de chevauchées dans la campagne environnante. Le phonographe reste muet, elle refuse même de s'alimenter et tous les soins, toute la tendresse que lui prodigue Pauline demeurent impuissants contre ce chagrin qui la submerge. Même M. Rousseau qui est l'homme le plus charmant, le plus aimant du monde, ne parvient pas à la faire sourire et à l'arracher à cette chambre aux volets clos où elle se terre. Il arrive chaque vendredi soir, les bras chargés de cadeaux, de parfums, de bijoux, il lui a même rapporté de Paris cette malle en galuchat dont elle avait grande envie, mais rien n'y fait : Madame reste cloîtrée dans le noir et se laisse dépérir. La petite femme de chambre ne sait plus qu'inventer pour distraire sa maîtresse. A présent que Madame se trouve plongée dans l'affliction, on donnerait cher, on donnerait n'importe quoi pour qu'elle retrouve son humeur et sa vitalité des jours anciens. Du matin au soir on bat sa coulpe, on arpente l'enfilade des pièces silencieuses en se tordant les mains, on se reproche ses mauvaises pensées, sa maussaderie, on jure qu'on acceptera tout sans plus discuter, même l'exil à vie au château de la Dorée, pourvu que Madame sorte de son affreuse tristesse et se rétablisse.

Un matin, ayant épuisé toutes les ressources de son imagination et de sa tendresse, Pauline appelle le cocher et lui demande de la conduire à Tours. Il y a déjà trois semaines que Madame s'est retranchée du monde des vivants et elle commence à craindre pour sa santé. Elle a pris sur elle d'aller chercher un médecin à la ville et de le ramener au château.

Il y a des jours et des jours que, dans la maison endeuillée, Pauline n'a pas entendu le son de sa propre voix et elle se sent un peu sevrée du plaisir de la conversation. Comme la route est longue et le vieux bonhomme de cocher tout disposé à bavarder, elle en profite pour se dérouiller un peu la langue :

— Vous d'vez bien connaître Tours, m'sieur Henri, j' crois qu' vous êtes de la région ?

— Parbleu ! C'est là qu' je suis né et qu' jai passé ma vie.

— Dans c' cas, vous connaissez sans doute un docteur qui accepterait de venir examiner Madame...

— Pour sûr, j'en connais. Mais pourquoi un docteur ? Not' dame n'est pas malade...

— C'est tout comme. Elle s'lève plus, elle mange à peine, elle a cette tristesse qui la tue.

— Moi, si j' srais vous, c'est pas un docteur que j' lui ramènerais.

— Et quoi alors ? Dites-moi…

— Not' dame est une artiste, pas vrai ? Elle joue du piano, elle a un phonographe, elle aime la musique, tout l' monde sait ça au château.

— Oui, elle aime la musique. Mais depuis la mort d' son papa, plus rien l'intéresse.

— Quand on aime la musique, ça intéresse toujours, moi j' vous l' dis. J'ai eu un patron, du violon qu'il jouait, lui, et c'était un sacré bon cavalier, tout comme not' dame. A soixante ans, il fait une chute, plus de jambes ou des jambes mortes si vous voulez : condamné au fauteuil roulant jusqu'à la fin d' ses jours, not' pauv Monsieur. Eh ben, j' vous garantis qu' cet infirme était un homme heureux : suffisait qu'on lui apporte son violon et son archet et qu' y s'mette à jouer. Croyez mon expérience, la musique, ça peut sauver…

— Peut-être… peut-être bien, après tout.

— Y a pas d' peut-être. C'est comme j' vous l' dis ! A Tours, j' connais une boutique où ils ont tout, les instruments, les partitions, les phonographes et les cylindres pour les phonographes. J'y allais souvent dans l' temps, pour mon patron. Si vous voulez, j' vous y conduis. Croyez-moi, contre la mélancolie, ça vaut mieux qu' le docteur. Remède garanti !

Dans la boutique qui est très vaste, très profonde, Pauline se sent embarrassée, un peu perdue. C'est la première fois qu'elle pénètre en un tel endroit et elle n'a aucune idée de ce qui pourrait plaire à sa maîtresse. Il est bien bon, monsieur Henri avec ses suggestions et ses remèdes miracles, mais encore faut-il s'y entendre un brin sur la chose à acheter. S'il s'agit de choisir une belle volaille, un fromage ou un melon sur un étal, elle n'a pas sa pareille, Pauline, elle connaît son affaire. Mais la musique ! Un vrai casse-tête que de se décider pour l'une

146

ou l'autre de ces boîtes qui renferment les cylindres et s'empilent sur des mètres de rayonnages. Alors elle erre à travers le magasin, tout agacée et empêtrée de son ignorance, elle fait mine d'admirer un violoncelle dressé sur un socle, elle contemple son reflet dans la laque miroitante d'un piano, plus loin elle laisse traîner ses doigts sur les cordes d'une harpe… Debout derrière le comptoir des partitions, un garçon observe son manège et s'en amuse : elle est mignonne cette petite rousse qui se serre frileusement dans son mantelet et s'empourpre chaque fois que leurs regards se croisent. Une fille que sa maîtresse a dû envoyer là sans consigne précise et qui ne sait pas à quelle gloire musicale se vouer. Mais toujours la petite revient vers les cylindres et les cires, et il la voit maintenant qui se hausse sur la pointe des pieds pour déchiffrer les titres et indications diverses portés sur les boîtes. Elle est vraiment charmante, peut-être pourrait-il s'approcher, se rendre utile, la renseigner. Il quitte son comptoir et va vers elle.

— Mademoiselle… Je peux peut-être vous aider ?

— Oh ! Sûrement, sûrement… vous êtes très aimable, monsieur.

— Que cherchez-vous ?

— Ben, d' la musique…

— J'entends bien. Mais quel genre de musique ?

Elle hésite, elle rougit, elle sent qu'elle va bafouiller et se montrer lamentable. Lui, dans ce trouble, la trouve plus ravissante que jamais.

— J' voudrais d'la musique qui rende gai. Vous comprenez, c'est pour ma maîtresse qui vient d' perdre son papa.

— Ah !… Mais encore ? Si vous me disiez ce qu'elle écoute d'habitude…

— Du piano, beaucoup de piano, elle en joue elle-même. Et puis des chants, des gens qui chantent ensemble, des chœurs j' crois qu'on dit.

— Des chœurs d'opéra ?

— Sans doute, ce doit être ça. C'est c' qu'elle préfère.

— Eh bien, nous avons certainement de quoi la contenter. Un instant, je vais vous montrer…

147

Il se détourne vers les casiers, s'éloigne un peu, elle remarque qu'il a le dos large, le corps mince, des cheveux noirs abondants, bien gominés, un joli garçon, ma foi, et très avenant, ce qui ne gâte rien. Il revient, le sourire aux lèvres, avec plusieurs boîtes qu'il dépose devant elle.

— Voilà, ce sont les dernières productions de la Deutsche Grammophon. Je peux vous proposer *La Bohème* de Puccini...

Le visage de Pauline s'illumine, ce nom lui est familier, elle le répète comme un mot de passe, un sésame définitif, elle s'exclame dans un sursaut victorieux :

— Oh ! oui, très bien ! Ma maîtresse connaît M. Puccini, ils se sont rencontrés à Monte-Carlo, il lui a même envoyé des fleurs !... Elle s'ra ravie... Et encore ?

— Nous avons aussi *Falstaff* de Verdi, *Parsifal* de Wagner, *Cavalleria rusticana* de Pietro Mascagni et *Carmen* de Georges Bizet. Tous ces enregistrements sont récents, il y a peu de chance que votre maîtresse les possède déjà.

— Alors, j' les prends tous !

Pauline a retrouvé tout son aplomb, le contentement allume des flammèches d'or dans le vert de ses yeux. Lui, tout en empaquetant les cylindres, l'observe du coin de l'œil et la trouve décidément très à son goût. Il lui faut inventer un moyen de la retenir, de ne pas la perdre si vite en tout cas.

— Vous savez, dit-il soudain, nous publions un catalogue tous les mois. Ainsi nos clients sont tenus au courant des dernières productions. Si vous me donniez votre adresse, je pourrais vous l'envoyer...

— Ben oui, pourquoi pas... Nous sommes à Esvres, château de la Dorée.

— Et vous avez un nom sans doute ?

— Pauline. Pauline Renard.

— Pauline... très joli, très joli. Voici votre paquet, la caisse est là-bas, près de la porte.

Et comme elle s'éloigne, il ajoute :

— Je vous envoie notre prochain catalogue, mademoiselle Pauline, c'est promis.

Le « traitement » musical semble avoir produit l'effet escompté. Monsieur Henri n'en est pas peu fier. Il raconte à qui veut l'entendre qu'il est le prescripteur de cette thérapie dont chacun peut vérifier l'efficacité : le son nasillard du phonographe qui s'échappe des appartements de Madame et vous vrille les tympans à longueur de journée prouve assez qu'elle surmonte sa mélancolie et reprend goût à la vie. Et quand elle n'est pas là à se passer des airs d'opéra, elle bat à nouveau la campagne avec son Radjah, lequel piaffe de plaisir et d'impatience dès qu'il la voit franchir la porte de l'écurie.

Quant à Pauline, ce petit voyage à Tours l'a complètement tourneboulée. La voilà qui se met à apprécier la musique, qui s'intéresse aux instruments, qui s'assoit maintenant devant le piano et s'y attarde, le regard perdu, caressant le clavier sans oser toutefois appuyer sur les touches.

C'est vrai qu'on n'ose pas et qu'on a du vague à l'âme. Il arrive qu'on soit là, vacante, plongée dans cette rêverie délicieuse et que Madame surgisse, fasse l'étonnée :

— Encore à rêvasser Pauline ?... Toi, tu es amoureuse, j'en mettrais ma main au feu.

Si on s'en défend, si on proteste, Madame prend son ton de blague :

— Tu as beau dire, petite, tu nous couves une maladie d'amour, je connais les symptômes. Tu penses à ce garçon du magasin de musique, pas vrai ?

Sans doute l'a-t-on décrit avec trop d'enthousiasme, sans faire grâce d'aucun détail de la rencontre et Madame profite de la confidence pour se gausser. C'est une fine mouche, pas moyen de s'en tirer avec une pirouette, elle vous dépiaute l'âme comme on ferait d'un lapin.

— Tu crois que je ne te vois pas courir à la rencontre du facteur tous les matins ? Tu attends ce fameux catalogue, n'est-ce pas ?

– Bien sûr que j' l'attends. C'est pour vous. Il y aura de nouvelles musiques, il l'a promis.

– Et tu retourneras à Tours pour les acheter, n'est-ce pas ?

– Ben... c'est vous qui décid'rez.

– Évidemment, c'est moi qui déciderai. Je consulterai le catalogue et, s'il propose des choses intéressantes, je t'enverrai à Tours. Mais dans le cas contraire, le déplacement sera inutile. Je m'en voudrais de te déranger pour rien, ma fille.

Un éclat de rire, un bruissement de jupes, elle est déjà sortie, laissant la petite empêtrée d'une colère sans emploi devant le piano béant et silencieux.

Il y a de l'agrément à noter que l'humeur taquine de Madame est revenue ; on ne va pas s'en plaindre même si on en fait les frais. On a promis de faire amende honorable et de tout accepter, même d'être sa tête de Turc, pas question de l'oublier.

Au cours de l'été 1911, on célèbre les fiançailles de Pauline et de son « vendeur de musique » au château de la Dorée. Nonobstant ses railleries des débuts, Mata Hari a grandement favorisé les amours de sa femme de chambre et du jeune Tourangeau. Avec l'assentiment et la complicité de M. Rousseau, elle a organisé pour eux une grande fête qui doit réunir les parents des promis, quelques proches voisins et les domestiques de la maison.

On a dressé une longue table sur la pelouse, dans l'ombre verte des tilleuls, car cette journée d'août promet d'être très chaude, très bleue, une journée idéale pour des accordailles à condition de se protéger des ardeurs du soleil. Mata Hari a écarté Pauline des préparatifs et veillé à tout. Il faut que cette fête soit celle de sa petite renarde, une fête telle qu'elle ne l'oublie jamais.

Des bouquets de lobélias bleus mêlés à des delphiniums roses et blancs scandent la longueur de la table couverte d'une nappe en damas blanc. Le festin

Mariage de Mata Hari avec le capitaine
Rudolf Mac Leod *(Coll. Viollet)*

Bij A. ZELLE,
in de Klok
te LEEUWARDEN,
is het Magazijn ruim voorzien van
alle soorten
Hoeden en Petten,
naar de nieuwste modellen.
Leverancier van
Wapens, Equipe-
mentstukken, Cha-
cots.
HOEDEN en PETTEN
voor alle mogelijke Uniformen.

La maison natale de Mata Hari à Leeuwarden *(Coll. Viollet)*

Ci-contre : Mata Hari peinte par son ar[...]
Piet Van der Hem *(Coll. Viollet)*

Ci-dessous : Mata Hari dansant dans
la « Revue en chemise » aux Folies-
Bergère *(Harlingue-Viollet)*

Mata Hari déguisée en hussard *(Coll. part.)*

Ci-contre : Mata Hari
en 1905 *(Coll. Viollet)*

Ci-dessous : Mata Hari
couchée sur un sofa
(Harlingue-Viollet)

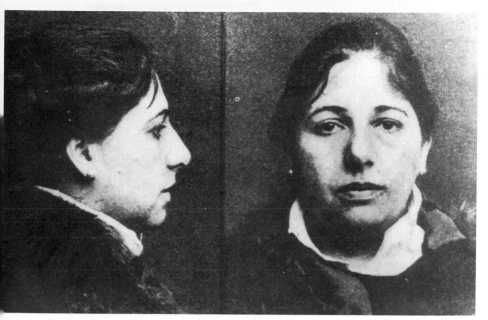

Dernières photos de Mata Hari prises à Vincennes en 1917 *(Coll. Viollet)*

Cérémonie à la préfecture de police. Au centre, Priolet,
qui fit fusiller Mata Hari *(Coll. Viollet)*

Mata Hari lors
de son procès
(Harlingue-Viollet)

Dessin représentant
Mata Hari à l'audience
(Harlingue-Viollet)

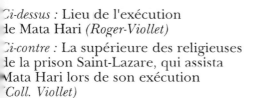

Ci-dessus : Lieu de l'exécution
de Mata Hari *(Roger-Viollet)*

Ci-contre : La supérieure des religieuses
de la prison Saint-Lazare, qui assista
Mata Hari lors de son exécution
(Coll. Viollet)

Dessin représentant l'exécution de Mata Hari *(Harlingue-Viollet)*

Mannequin représentant Mata Hari
au musée de figures de cire de Londres *(Coll. Viollet)*

– cochons de lait, faisans, pâtés en croûte, sandres de Loire, sorbets, soufflé au curaçao – sera servi dans de la porcelaine de Sèvres et, outre le champagne offert par M. Rousseau, on boira les vins du cru, vouvray, mont-louis et bourgueil, dans des verres en cristal.

La plupart des invités sont déjà arrivés et piétinent l'herbe rase sous le couvert des arbres. Les parents des promis se tiennent aux abords de la table, un peu gau-ches, un peu intimidés par tant de magnificence. On attend la fiancée. Quelques dames du voisinage, des femmes de notables, s'étonnent qu'on déploie tout ce faste pour des gens du vulgaire, pensez donc une domes-tique et un commis en magasin ! La châtelaine de la Dorée a dû perdre l'esprit, chuchote-t-on sous les ombrelles, il paraît même que les employés de la mai-son, jusqu'au cocher, prendront place à table, a-t-on jamais vu pareille bizarrerie...

Mais Mata Hari n'a pas perdu l'esprit, elle sait ce qu'elle fait, elle tient à récompenser sept années de dévouement et de fidélité, elle tient à rendre grâce et, à cette fin, elle a entraîné Pauline dans sa propre chambre pour s'occuper d'elle. Aujourd'hui, les rôles sont inver-sés, c'est elle qui coiffe et habille, ainsi en a-t-elle décidé et la petite a beau renâcler, la reine du jour c'est elle et elle sera traitée comme telle.

– Allons, quitte ton tablier, déshabille-toi... Les invités sont là, ils nous attendent en bas.

– Mais Madame...

– Encore des mais, que tu es agaçante ! Faut-il que je t'enlève moi-même ton corset, sacrée mule ?

Pauline vient de découvrir, étalée sur le lit, la robe en mousseline de soie gréée de dentelles que sa maîtresse a commandée pour elle aux sœurs Callot, et devant cette merveille, devant l'ombrelle, les escarpins, les gants assortis, elle hésite encore entre l'effroi et le ravissement.

– C'est pour moi ? répète-t-elle stupidement.

– Et pour qui sinon ? Y a-t-il une autre fiancée dans la maison ?

– C'est qu' j'ai jamais porté d' soie...

– Eh bien, excellente occasion pour commencer !

151

Allons, lève les bras, aide-moi un peu... Incroyable comme tu es empotée, tu n'as pas plus de réactions qu'une poupée de son !

Madame dit vrai. C'est que l'abondance des bienfaits dont elle est l'objet oblige Pauline à une gymnastique sévère, qui met à l'épreuve la stabilité de ses principes et menace l'édifice si bien maçonné de la servitude. Voir sa maîtresse agenouillée à ses pieds en train de s'acharner sur les lacets de ses bottines lui fait, au sens propre, perdre l'équilibre, et elle chancelle, et elle vacille sur des jambes de coton.

Un peu plus tard, lorsque enfin elle aura pris place entre son père et le beau Jean Métayer, lorsqu'on lui aura servi une coupe de champagne et un verre de vin, elle retrouvera son aisance et sa faconde naturelle, elle s'habituera aux glissements de la soie sur sa peau : Madame a dit vrai, il suffit de commencer !

A l'autre bout de la table sont assis Mata Hari et Xavier Rousseau qui se parlent dans un murmure, penchés l'un vers l'autre.

— Regardez-la, dit-elle, n'est-elle pas belle en fiancée rayonnante ?

— Très belle, tout à fait charmante.

Mais le regard de Xavier Rousseau se détourne vite de Pauline, pour s'appuyer, plein d'une investigation tendre, sur les traits de sa maîtresse.

— Qu'avez-vous, Mata ? Je vous sens lasse, je vous sens triste.

— Ni lasse ni triste, mon ami, rassurez-vous. Je suis juste un peu fâchée contre ce voleur de couleurs...

— De qui parlez-vous ? Qui est ce voleur de couleurs ?

— Mais, le fiancé naturellement, ce Jean Métayer. Bientôt, il emportera ma renarde, et je perdrai l'or et le roux, toute cette poudre de lumière, les couleurs de Pauline en somme.

Et elle se tait, secourue par des voix fraîches, des voix d'enfants qui, là-bas, derrière la charmille d'ormes, égrènent une comptine qu'elle fait mine d'écouter. Elle ne veut ni assombrir cette journée ni inquiéter son amant. Aussi ne dira-t-elle pas que sa relégation campagnarde commence à lui peser et qu'elle se sent désormais en sursis à la Dorée. Elle se donne pour échéance le mariage de Pauline. Quand la renarde la quittera, elle n'aura plus rien à faire ici et retournera à Paris, sa décision est déjà prise.

Le chant de la troupe enfantine s'est éloigné. Alors, pour donner le change, Mata Hari fait remplir son verre et le lève au-dessus de l'argent fourbi et des cristaux qui étincellent, le lève au-dessus des fleurs, des arrangements de fruits, et entraînant la tablée tout entière, elle boit au bonheur de sa petite renarde et du voleur de couleurs.

Dans la tourmente

Il y a trois jours, Pauline Renard a épousé Jean Métayer. Mata Hari était le témoin de la mariée : tout au long de la cérémonie, elle a émis des ondes d'impatience, des frémissements de cavale à la bride. Les autres ont remarqué qu'elle s'obligeait pourtant à sourire. Ensuite, elle a signé le grand registre avec le maire et les époux, elle a serré la renarde dans ses bras pour la dernière fois, a fait appeler le cocher et l'a prié de la ramener au château.

Sur la route du retour, dans la berline bien close, malgré la couverture de chinchilla qui lui couvre les jambes, elle frissonne et elle pense : Je dois trouver une remplaçante à Pauline que personne ne remplacera jamais. Et parce qu'elle voudrait chasser cette vérité importune, elle renverse sa tête contre les coussins, s'y appuie, dolente, et ferme les yeux. Cette posture, loin de la détendre et de lui apporter l'oubli nécessaire, la précipite vers ce qu'elle redoute depuis le réveil : dès qu'elle s'est retranchée dans l'ombre de ses paupières, le dol irrémédiable qu'elle vient de subir lui enflamme les yeux, une brûlure s'insinue, un incendie intime se déclare que de petites glandes complaisantes s'activent aussitôt à éteindre : elle pleure. Elle pleure en larmes lentes qu'elle n'essuie même pas, qui lui vernissent les joues et vont

154

se perdre dans l'ombre rose de son cou. Néanmoins la crise est courte, cet abandon n'aura duré qu'un instant : le temps de traverser une nappe de brouillard aux contours argentés et déjà elle a révoqué l'amie puérile qui ne lui passait rien et lui pardonnait tout, sa renarde au regard d'empoisonneuse, son bel animal retors et vertueux.

Elle songe maintenant qu'il lui faut quitter cet éden rural dont elle a épuisé et récusé tous les charmes, elle se dit que la fréquentation prolongée du paradis débouche fatalement sur l'enfer de l'ennui et que, à tout prendre, elle préfère transiter dans des purgatoires provisoires et improvisés.

Des arbres qui haussent vers un ciel hostile leurs carcasses obscènes à force d'être nues, des buissons qui ploient sous les bourrasques de pluie, c'est tout ce qu'elle distingue à travers la vitre embuée de la voiture tandis qu'on approche de la Dorée. Mais elle veut ignorer cette désolation hivernale pour se concentrer toute sur son paysage intérieur : elle suit en elle la montée de cette pulsation, de ces picotements de désir qu'elle reconnaît, qu'elle sait identifier et qui annoncent le retour à cette ébriété légère où elle trouve, si aberrant que cela paraisse, un équilibre paradoxal et naturel. La perspective du départ imminent la rend à elle-même, la replace dans la ronde vivante, la soulève dans un tressaillement joyeux : déjà, elle n'a plus froid.

Demain, dans deux jours, une fois ses malles bouclées, elle prendra le train pour Paris. Elle a toujours aimé partir.

Le nouveau domicile de Mata Hari se situe au 11 de la rue de Windsor, à Neuilly-sur-Seine. Grand prince, Xavier Rousseau a voulu marquer la fin de leur idylle en lui offrant cette jolie maison à colombages précédée d'une cour, pourvue à l'arrière d'un jardin tout corseté de buis taillés et dont la pelouse rouillée exhale en cette saison une odeur de champignons et de feuilles putréfiées. Il y a aussi, ô joie, des écuries pour abriter les chevaux qu'elle a ramenés de Touraine. Anna Lintjens, sa nouvelle femme de chambre est une jeune Hollandaise, créature assez timide et effacée qui ne rappelle en rien la remuante et volubile Pauline.

Le séjour au château de la Dorée a été une parenthèse singulière, une sorte d'embardée qui a dévié la trajectoire de la danseuse. Mais elle sort indemne de cette période sédentaire, de cet « accident de parcours » et retrouve intact l'arsenal de ses rêves : bien qu'âgée à présent de trente-cinq ans, elle aspire encore à monter sur scène et à glaner d'autres lauriers, des brassées de lauriers. Toujours la réalité du monde lui échappe et elle refuse d'admettre qu'à l'instar de la science et de l'économie l'art ne cesse d'évoluer depuis le début du siècle. Sans cesse de nouvelles formes naissent et s'imposent : en peinture, les fauves, puis les cubistes, ont succédé aux impressionnistes. Les théories esthétiques de Picasso mobilisent l'attention des critiques qui s'interrogent sur le sens de cette recherche et en observent l'évolution. Serge Diaghilev et Nijinsky viennent de faire irruption sur les scènes de danse européennes et le public, après avoir crié au scandale lors de la première représentation du *Sacre du printemps,* les porte maintenant aux nues. Les danses orientales ou antiques, avec leurs jeux de lumière et autres afféteries, sont devenues obsolètes au regard des Ballets russes qui incarnent l'innovation chorégraphique.

Mais Mata Hari est aussi dénuée de lucidité qu'un enfant au berceau. Elle ne veut pas admettre que l'engouement qui a favorisé sa carrière et celle de ses consœurs – Isadora Duncan, Maud Allen, Loïe Fuller – a fait long feu. Elle ne désarme pas et continue à se bercer d'illusions. Lorsque Gabriel Astruc lui propose, en janvier 1912, un engagement à la Scala de Milan, elle peut croire que tout recommence et qu'elle a encore le vent en poupe. Danser sur la scène la plus prestigieuse du monde lui apparaît comme la consécration ultime. Elle fait donc ses malles aussitôt et, fermant son logis « provisoire et improvisé » de Neuilly, elle part pour l'Italie.

A Milan l'attend le rôle de Vénus dans un ballet intitulé *Bacchus et Gambrinus,* sur une musique de Marenco. Si sa prestation ne déchaîne pas l'enthousiasme des foules, on lui accorde cependant un certain talent pour le mime, une intelligence inventive et une grande force d'expression. Mais Mata Hari, toujours encline à l'optimisme et à l'exagération, force le trait quand elle écrit à son imprésario :

> *Tous les journaux sont unanimes à dire que je suis la Vénus idéale. Je la joue avec mes cheveux à moi, donc brune. On a été étonné. Mais je réponds que Vénus est une chose abstraite, qui est le symbole de la beauté, et qu'elle peut être brune, rousse ou blonde, et on m'a approuvée.*

Dans ce billet qu'elle a le mérite d'écrire en français, la maladresse de sa formulation souligne le caractère de vanité obtuse qui sous-tend sa personnalité et la maintient dans un état d'exaltation quasi permanent.

Stimulée par son succès milanais, ou ce qu'elle juge tel, elle se rend à Rome avec la ferme intention d'y danser cette fois la *Salomé* de Richard Strauss. Ce rêve qu'elle caresse depuis des années va se réaliser et son obstination être enfin récompensée : elle se produit en privé, chez le prince di San Faustino, devant une assemblée réduite mais composée d'amateurs. A l'issue du spectacle, l'aristocratie romaine l'acclame sans réserve et salue si chaleureusement son talent que la nouvelle Salomé, encensée et couverte de louanges, se sent euphorique et bénie des dieux ainsi qu'à ses débuts. Si sa confiance, parfois, s'est trouvée ébranlée, elle la retrouve à Rome, intacte et souveraine.

Intacte est aussi sa boulimie de plaisirs, de luxe, d'aventures, d'honneurs et de futilités. De retour à Paris, elle reprend ses habitudes et mène un train ruineux. Elle tient table ouverte rue de Windsor, y donne soir après soir des réceptions pour une société cosmopolite devant laquelle il lui arrive de danser, moitié nue, sur le gazon de son jardin, dans un rayon de lune. Sa rage de dépenses l'a reprise, elle succombe à toutes les tentations, ne sait éviter aucun gâchis. Imprévoyante et brouillonne, elle est toujours à court d'argent. Pauline n'est

157

plus là pour la tancer, la modérer dans son délire dispendieux, et la maison de Neuilly, ravagée par le gaspillage et l'incurie, va à vau-l'eau. Ceux de ses amis qui fréquentent la rue de Windsor notent au fil des mois les signes de gêne, les prémices de naufrage. Au reste, Mata Hari ne cache pas ses difficultés financières et les affres que lui inspirent ses démêlés avec ses créanciers. A l'été de 1912, elle écrit :

J'attends la visite d'un de mes amis qui probablement m'aidera. Sinon, je suis décidée : je tue mes chevaux et mon chien de garde, je casse mon service et mes valeurs en cristaux plutôt que de me laisser prendre tout par la bande des hommes d'affaires et mon propriétaire...

A la même époque, elle cherche à obtenir un prêt par l'entremise de Gabriel Astruc et propose de donner en garantie tout ce qu'elle possède à Neuilly, chevaux et voitures compris. Cette démarche qu'elle tente sur un coup de panique a peu de chance d'aboutir et restera d'ailleurs sans suite. Mata Hari est aux abois. Mata Hari se débat et, pour colmater les brèches, elle recourt de plus en plus souvent au fatal et vieil expédient : la prostitution. Elle fréquente plusieurs maisons de rendez-vous dans le quartier de l'Étoile et s'ingénie à faire croire à chacune des tenancières qu'elle lui réserve l'exclusivité. Ses clients, des provinciaux pour la plupart, paient entre 600 et 1 000 francs le « moment » qu'ils partagent avec l'hétaïre dansante.

En cette année 1912, un sort ironique et cruel travaille à faire converger le destin de l'Europe et celui de cette femme que la débâcle menace et qui se soucie comme d'une guigne des affaires du monde. Ce conflit qui en ce moment même déchire les Balkans et dont les retombées vont grever l'avenir ? Mata Hari l'ignore superbement. Pourtant, pas à pas, jour après jour, la danseuse et l'Europe s'acheminent vers le gouffre où la guerre va les précipiter et régler les détails de leur tragique rencontre.

Ni les dettes ni les tracas dont elle est accablée n'entament cependant la belle assurance de Mata Hari. Le triomphe des Ballets russes, leur renommée toujours grandissante viennent d'allumer en elle la plus folle des convoitises. Forte du crédit qu'elle accorde à son talent, elle veut désormais rallier la troupe de Diaghilev où elle ne doute pas de faire merveille. Inénarrable Mata Hari. Elle est aussi inapte à maîtriser son ambition qu'à gouverner sa maison : dans l'un et l'autre cas, elle cède à l'excès. Elle s'estime comme elle vit : très au-dessus de ses moyens. Mais nul au monde ne saurait lui jeter cette vérité à la face et la convaincre de l'inanité de ses prétentions. Même son imprésario, le très sollicité Gabriel Astruc qui dirige maintenant le Théâtre des Champs-Élysées, se garde bien de prendre ce risque. Au contraire, il s'empresse de satisfaire à sa requête et lui organise un rendez-vous avec Diaghilev à Monte-Carlo. Car le maître russe impose une audition préalable à tout engagement et, donc, une rencontre s'impose.

Mais cette rencontre n'aura pas lieu. Diaghilev, occupé par des répétitions qui se poursuivent fort avant dans la nuit, se fait excuser auprès de la danseuse et lui délègue son bras droit, le décorateur Léon Bakst. Un tel manque d'égards froisse la susceptibilité de Mata Hari qui trouve inconvenante cette désinvolture vis-à-vis d'une artiste de son renom. Le traitement qu'on lui réserve va être plus décevant encore : lorsqu'elle se présente à sa convocation, Bakst lui demande de se dévêtir entièrement devant lui. Cette exigence surprend Mata Hari qui, néanmoins, obtempère. L'entrevue n'excède pas le temps nécessaire au déshabillage et au rhabillage. Bakst demeure évasif quant au résultat de l'examen, s'abrite derrière son rôle de sous-fifre et se borne à promettre qu'il en référera au maître.

Mata Hari est d'autant plus ulcérée qu'elle a déjà vendu la peau de cet ours qui se dérobe : avant de quitter Paris elle a annoncé à tous ses amis qu'elle acceptait de danser avec Diaghilev. Elle quitte Monte-Carlo, mortifiée, la rage au cœur.

Le refus qu'elle vient d'essuyer lui a été une déception terrible mais elle n'en montre rien et continue à parader pour la galerie. Un jour on la voit aux courses, vêtue

159

d'un modèle de Paquin, un autre elle caracole, très crâne, dans les allées du bois, montée sur Radjah ou sur Cacatoès, ses deux chevaux préférés.

Pourtant derrière la morgue, derrière l'affectation de sérénité à laquelle elle s'astreint, l'angoisse monte : les contrats se font de plus en plus rares, elle a le sentiment que son imprésario, fort occupé par ailleurs, la néglige. Le fait est que, requis par ses nouvelles fonctions, Gabriel Astruc n'est plus aussi disponible que naguère. Il n'accorde à Mata Hari que des miettes de son temps et de son attention, et s'il passe encore rue de Windsor, c'est toujours en coup de vent, l'air distrait. La danseuse s'en offusque et, un jour qu'elle le tient dans son salon, finit par lâcher la bonde aux reproches et à l'amertume :

— Si je ne vous intéresse plus, dites-le-moi franchement... Vous arrivez ici, vous n'ôtez même pas votre chapeau, vous refusez de vous asseoir sous prétexte qu'un autre rendez-vous vous attend, vous regardez sans cesse votre montre et c'est à peine si vous m'écoutez. Ah ! Il est bien loin le temps où vous fumiez votre cigare en sirotant un café avec moi...

— Mais vous me faites une scène, Mata... Vous savez pourtant que je n'y mets aucune mauvaise volonté, j'ai des responsabilités qui m'accaparent, je ne peux disposer de mon temps à ma guise. Allons, ma chère, soyez raisonnable, laissez ces enfantillages...

— Des enfantillages, vous appelez ça des enfantillages ! Mais il s'agit de ma carrière, monsieur, de ma vie !

Elle était assise devant une vasque de cristal noir où flottaient des nymphéas, mais elle ne l'est plus. Dans un élan de colère, elle vient de se dresser et, de son bras tendu, avec une brusquerie et une force insoupçonnables, elle balaie la vasque qui s'envole et va exploser, sur le sol, à deux mètres de là.

Gabriel Astruc, médusé, tortille les bords de son chapeau et contemple le saccage sans mot dire. Elle fait un pas vers le cordon de service, lui imprime une brève secousse et, lorsque la femme de chambre apparaît, elle ordonne d'un ton sec :

– Anna, ramassez ces débris et mettez ces fleurs dans un autre vase s'il vous plaît !

Pendant que la jeune fille s'exécute, ils l'observent en silence : accroupie sur le sol humide, elle ramasse un à un les morceaux de cristal et les tient contre elle dans son tablier relevé en pochon. Ils évitent de se regarder, elle déjà honteuse de sa violence inutile, lui cherchant le moyen de se tirer de ce mauvais cas. L'opération terminée, une fois que la petite a quitté la pièce, il demande :

– Celle-ci est nouvelle ? Vous n'avez plus la jolie rousse ?

La perche est tendue, elle la saisit :

– Pauline s'est mariée, elle vit à Tours.

L'information est livrée comme telle, sans sécheresse mais sans aménité. Mata Hari se considère comme l'offensée et attend que son imprésario fasse le premier pas vers la réconciliation. Lui, qui la pratique depuis longtemps et ne manque pas de finesse, entend très bien ce qui bruit dans le silence qui vient de se refermer sur eux comme une eau grasse.

– Je l'aimais bien, cette Pauline, dit-il. Elle nous faisait un excellent café.

– En voulez-vous ? Il ne sera pas de Pauline, mais Anna le prépare très bien aussi, il faut lui rendre cette justice.

Seconde perche tendue, seconde perche saisie.

– Avec plaisir, Mata. J'ai encore un moment, nous pourrons bavarder.

Et voilà. Gabriel Astruc est un homme qui sait y mettre du sien dès lors qu'il s'agit de désamorcer un conflit. Quant à Mata Hari, elle est sans rancune, elle oublie vite et, si elle ne recule pas devant un éclat, elle adore se rabibocher.

Le moment du pardon va être aussi celui d'une mise au point nécessaire : il suffit de mettre des gants à chacune de ses phrases et l'on peut vider son sac sans dommage.

À la danseuse qui se plaint de tirer le diable par la queue, l'imprésario répond entre deux bouffées de cigare qu'elle vivrait largement si elle observait quelques simples règles d'ordre et d'économie. Mata Hari qui répugne à discuter de ce sujet avec quiconque – et surtout avec elle-même – sent que le débat est mal engagé et se mord les lèvres. Les périphrases lui coûtent et, dans l'état d'exaspération où elle se trouve, elle peine à faire patte de velours. Pourtant elle a trop besoin d'Astruc pour risquer la querelle, elle perçoit confusément que le rapport des forces a changé et qu'elle doit éviter tout affrontement avec lui. Évoquer la question des contrats qui la tourmente serait maladroit, elle choisit donc de laisser l'initiative à son interlocuteur et lorsqu'il y vient enfin, abandonnant toute forfanterie, elle joue cartes sur table. Elle veut danser, elle s'affirme prête à danser à n'importe quel prix, elle acceptera des cachets plus modestes, elle consentira à tout pourvu qu'on lui permette de remonter sur scène. Gabriel Astruc écoute cette surprenante profession de foi, à demi détourné vers la fenêtre où bat la branche d'un marronnier. C'est bien la voix grave et harmonieuse de Mata, c'est bien son accent, mais les mots qu'elle prononce résonnent si étrangement à son oreille qu'il doit « accommoder », au sens où l'œil accommode pour identifier une forme dans la pénombre. Les mots inouïs qui l'obligent à fournir cet effort, les mots improbables qui sortent de la bouche de Mata Hari attestent que le crépuscule pour elle est venu et qu'elle en a pris conscience. Il en éprouve une gêne, une sorte de douleur diffuse, et c'est pourquoi il préfère tenir son regard fixé sur la petite main verte qui taquine le carreau. Quand il se décidera à faire face à cette femme qui a renoncé à sa superbe et qui, toute honte bue, se fait pressante, implorante, il sait que ses yeux se poseront sur une reine déchue. La main végétale qui flagelle toujours la vitre semble le narguer et commence à lui porter sur les nerfs. Il se sent lâche, il redoute le moment où il lui faudra affronter cette Mata sans masque et pitoyable, cette inconnue. Un gros cylindre de cendre se détache soudain de son cigare et se désagrège à ses pieds : il contemple d'un air effaré cette poussière grise qui souille l'empeigne de ses souliers bien cirés,

162

comme s'il n'en comprenait pas l'origine. Alors Mata Hari se penche au-dessus du guéridon qui les sépare et pousse vers lui un cendrier. Ce geste accompli avec tout le naturel et la grâce d'une hôtesse attentive rompt enfin le maléfice : il la regarde, il bredouille des excuses, des remerciements. Il la regarde et s'étonne de retrouver les beaux yeux d'un brun mordoré, les petites dents blanches, parfaites, que le sourire découvre, la masse obscure de la chevelure.

— Croyez-vous que j'aurai encore des propositions, Gabriel ? demande-t-elle.

— Vous en aurez, Mata. Vous danserez encore, je vous le promets.

— Je suis prête à accepter toutes les conditions, répète-t-elle. Tout, pourvu que je puisse danser.

Derrière le sourire qu'il arbore, aussi faux qu'un postiche, Gabriel Astruc se défend. Il se défend contre cette incongruité qu'il sent poindre en lui, Mata Hari ne peut pas, ne doit pas inspirer ce sentiment de pitié, ni à lui ni à personne, c'est intolérable. Il tousse, il s'éclaircit la voix et affirme :

— Vous continuerez à danser, Mata. Je m'en charge, ne vous faites aucun souci.

Parce qu'il est un homme d'honneur respectueux de la parole donnée, Gabriel Astruc met en jeu ses relations, son influence et se démène en sorte d'offrir à Mata Hari de nouveaux contrats. Certes, les engagements qu'il propose à la danseuse sont loin d'être aussi prestigieux que par le passé, mais elle les accepte sans barguigner. Le temps où la déesse nimbée de voiles arachnéens et parée comme une châsse magnétisait les foules est bel et bien révolu. Elle donne des conférences-spectacles, se produit dans une comédie musicale, puis dans *La Revue en chemise* des Folies-Bergère où elle reste à l'affiche tout au long de la saison d'été 1913. Elle danse encore au cinéma Gaumont, au Trianon-Palace — un café-concert de Palerme —, au musée Galliera. Elle danse, mais

163

l'oiseau fabuleux, le paon magnifique, est devenu un roitelet qui picore des miettes.

De loin en loin, il lui arrive toutefois de s'insurger contre le sort mauvais qui la réduit à des rôles de figurante et la pousse sournoisement vers les oubliettes. Naïve, elle espère encore infléchir le cours des choses et ne cesse de solliciter ses vieux amis, ceux qui l'entouraient, la soutenaient dans sa période faste. Quand l'idée lui vient de monter un ballet égyptien, elle adresse à M. Guimet qui a parrainé ses débuts une longue lettre où elle lui expose son projet. Le billet qu'elle reçoit en retour est une fin de non-recevoir des plus abruptes : *Chère madame*, lui écrit l'orientaliste, *faire un ballet égyptien est une excellente idée à condition qu'il soit vraiment égyptien.*

Dépitée, déçue par ses amis français qui restent sourds à ses prières et se détournent d'elle, Mata Hari liquide sa maison de Neuilly, vend ses meubles, ses chevaux, et confie ses affaires – pour l'essentiel du linge, de l'argenterie, de la vaisselle – à un garde-meuble. Sur un nouveau coup de tête, une fois rompus les ponts avec Paris, elle part pour Berlin dans les premières semaines de 1914. Là, elle s'installe à l'hôtel Cumberland et renoue aussitôt avec le lieutenant Kiepert. On les voit dîner en tête à tête dans les endroits chics, fréquenter les salles de concert et, où qu'ils aillent, on remarque cette longue femme brune couverte de fourrures, toujours flanquée de son bel officier.

Si ses retrouvailles avec Alfred Kiepert et l'Allemagne permettent à Mata Hari d'oublier déboires et humiliations, elle n'en reste pas moins habitée par son idée fixe : danser. Et à Berlin comme à Paris, elle multiplie les démarches pour trouver une scène susceptible de l'accueillir. Kiepert, toujours épris, l'encourage dans cette voie et l'aide de son mieux. En mai 1914, elle réussit enfin à décrocher un engagement au théâtre Metropol. Elle dansera dans une opérette intitulée *Der Millionendieb* dont la première est prévue au mois de septembre.

Mata Hari exulte : son contrat signé en poche, elle est confiante, elle est certaine qu'aucun nuage ne viendra obscurcir le ciel de l'été tout proche. Cet été, elle prévoit de le partager entre les plaisirs et le travail des répétitions car elle veut assurer son avantage et donner une magnifique performance au Metropol. Elle oublie toujours – ou refuse de savoir – que le monde est constitué de nations aux intérêts antagonistes et que l'instinct belliqueux des hommes, assoupi pendant des années, se réveille. Les gouvernements des grandes puissances multiplient les appels sous les drapeaux, intensifient la production d'armements, et s'emploient à consolider leurs alliances. Sous forme de discours enflammés et d'articles vengeurs, les propagandes nationalistes travaillent partout à échauffer les esprits et exacerbent le sentiment patriotique des foules. Mais Mata Hari ne sait pas prendre le vent, ou peut-être manque-t-elle d'odorat : le parfum des fleurs qui embaument l'air de ce printemps 1914 lui masque l'odeur empoisonnée, chaque jour plus prégnante, qu'exhale une Europe excitée par la proximité du conflit et prête à s'élancer dans le brasier.

Le 28 juin, quand les agences de presse annoncent l'assassinat à Sarajevo du prince héritier d'Autriche, l'archiduc François-Ferdinand, et de son épouse, la danseuse tombe des nues. Cet attentat qui bouleverse les gouvernements et les opinions publiques fait aussitôt monter la tension de plusieurs crans. Dans la rue, les cafés, les salons, il n'est question que de l'ultimatum de l'Autriche à la Serbie, de l'appui que Berlin promet à Vienne, de la position intransigeante des Russes.

En dépit de l'alarme générale, Mata Hari continue à s'en tenir à la politique de l'autruche. La menace toujours plus précise du cataclysme qui va dévaster l'Europe et sa propre vie n'altère son humeur ni ne modifie ses projets : tout au long du mois de juillet 1914, elle travaille sa forme physique et soumet son corps à un entraînement intensif.

Le 3 août cependant, l'annonce de la déclaration de guerre que Allemagne vient de notifier à la France arrache brutalement Mata Hari à ses songes. Cette nouvelle sonne le glas de ses espérances : mesurant soudain l'ampleur du péril et la précarité de sa situation, elle bascule dans le cauchemar. Car elle est étrangère, ressortissante d'un pays neutre, et l'hystérie qui gagne les Berlinois la terrifie. Elle n'a plus qu'une idée en tête : fuir la capitale allemande. En bonne logique, elle devrait chercher à rejoindre les Pays-Bas, mais elle n'y songe même pas. Son cœur l'appelle à Paris, elle veut regagner la France.

Le 6 août, elle quitte Berlin à destination de la Suisse où elle est refoulée à la frontière au motif que ses papiers ne sont pas en règle. Expédiés avant son départ, ses nombreux bagages sont perdus dans la nature et elle se retrouve à son point de départ totalement démunie.

Le 7 août, une femme au comportement des plus étranges erre entre le hall et les salons de l'hôtel Cumberland. Elle va et vient d'un pas nerveux, sans se poser un instant, et son visage défait, l'agitation de ses mains témoignent d'un désarroi tel qu'un homme finit par l'aborder et lui propose son assistance. Le « sauveur » est un homme d'affaires hollandais qui s'apprête à rentrer au pays, un certain M. K. Soulagée et ravie que la providence se présente sous l'aspect d'un compatriote, Mata Hari lui conte sa mésaventure et profite de l'opportunité pour modifier ses plans : elle déclare qu'elle veut aussi retourner en Hollande, mais précise qu'elle a perdu ses bagages et ne possède rien d'autre que ce qu'elle porte sur le dos. L'homme, ému par sa beauté et plein de compassion, la rassure : il remettra un billet de train pour elle à la réception de l'hôtel.

Mais la circulation est malaisée en temps de guerre, Mata Hari vient de le découvrir à ses dépens. Échaudée par son expérience malheureuse à la frontière suisse, elle prend cette fois la précaution de se renseigner et apprend qu'elle doit se procurer un laissez-passer pour voyager. À la mi-août, le consulat hollandais de Francfort lui délivre ce document et elle peut enfin quitter l'Allemagne à destination des Pays-Bas.

La danse du cygne

Mme K. n'a jamais émis le moindre jugement négatif ni risqué une critique sur les agissements ou les initiatives de son époux. Elle estime que tout ce qu'il fait est juste et bon. Il y a trente ans qu'elle pense de la sorte et elle s'en porte très bien.

Lorsque, dès son retour de Berlin, M. K. l'a informée qu'il s'était trouvé dans la situation de secourir une compatriote – et quelle compatriote ! –, elle s'est contentée de hocher la tête et de demander doucement :

– Est-elle aussi belle que sur ses photographies ?

– Très belle encore, oui.

Telle fut la réponse de l'homme loyal qu'elle chérit depuis des années et qui, l'ayant enlacée de son bras, l'attira alors contre lui sur le canapé.

Au fil du temps, la tête de Mme K. a fait son nid au creux de l'épaule de M. K. Elle peut rester là de longs moments sans bouger, sans même parler : à travers le veston et la chair, elle entend les pulsations sourdes et régulières du muscle qui bat là, dans la poitrine aimée, cela lui suffit. Ce jour-là comme tant d'autres, elle se laisse aller contre son mari avec un abandon enfantin, elle jouit de la chaleur de ce grand corps qui l'enveloppe et la rassure, et se tait. Ensemble ils se taisent et ensemble ils pensent à la célèbre danseuse. Mme K. sait que son mari en a une image toute récente, et vivante, puisqu'il l'a vue, lui a parlé voici moins de quinze jours. Pour sa part, elle ne connaît de Mata Hari que ses portraits parus dans les gazettes du temps de sa gloire. Une belle femme assurément. A l'époque, on vendait aussi des paquets de cigarettes et des boîtes de biscuits frappés à son effigie, Mme K. s'en souvient très bien. Elle n'a jamais acheté de cigarettes *Mata Hari* pour l'excellente raison qu'elle ne fume pas. En revanche, elle est très gourmande et elle aimait beaucoup ces biscuits-là, il lui semble même qu'elle a conservé une de ces boîtes métalliques où elle remisait les lacets dépareillés, des morceaux de rubans et de dentelles, des boutons, tout un ramassis de vieilleries inutiles que l'on ne se décide jamais à jeter. Cette boîte traîne sans doute encore dans quelque recoin, il suffirait de souffler sur son couvercle pour chasser la poussière des ans et voir apparaître le beau visage de la danseuse...

Il y a bien dix minutes qu'ils voguent ainsi côte à côte, portés par le flux paisible de leurs pensées, quand Mme K. demande soudain :

— Pensez-vous qu'elle nous rendra visite ?

M. K. bouge un peu, à peine, de manière à améliorer le creux où niche la douce tête blanche.

— Comment savoir... En tout cas, je lui ai donné notre adresse et l'ai priée de venir nous voir si elle passait par Amsterdam.

— Savez-vous si elle avait un point de chute, s'il lui reste des attaches chez nous ?

— Je l'ignore, ma chérie, elle n'a guère eu le temps de me faire des confidences, vous savez.

— Vous disiez pourtant qu'elle avait l'air au désespoir, là-bas, à Berlin.

— Elle l'était. Elle se sentait prise au piège dans un pays en guerre, ses bagages avaient disparu, elle se retrouvait sans rien.

— La malheureuse !... Le retour au pays ne sera pas chose facile pour elle après tant d'années, j'en ai peur...

168

Deux jours après ce doux échange entre les époux K., Mata Hari débarque à Amsterdam où elle prend ses quartiers à l'hôtel Victoria. Jamais elle ne s'est trouvée aussi seule, aussi dépossédée, aussi abandonnée. Son père est mort, elle ignore ce que sont devenus ses frères, elle a perdu tous ses repères dans son propre pays. Est-ce elle qui a changé, est-ce la terre natale, le fait est qu'elle s'y sent plus étrangère que partout ailleurs. Les réfugiés qui affluent alors en Hollande par milliers ont sans doute moins de difficulté qu'elle à s'adapter à leur existence d'exilés. Ainsi que l'a pressenti la bonne Mme K., Mata Hari vit ce retour comme une épreuve douloureuse, une insupportable et ultime mortification. Dans les jours qui suivent son arrivée à Amsterdam, elle atteint un état voisin de la déréliction.

Mais, défaite ou désespérée, Mata Hari ne l'est jamais au point de déroger à ses vieux principes, le choix de l'hôtel où elle est descendue en atteste : aussi plate que soit sa bourse, elle n'a pas renoncé au luxe et au confort. En cet été 1914 à Amsterdam, comme à Paris autrefois, elle mise sur le hasard et compte bien qu'il s'entremettra pour pourvoir à ses besoins.

Et le hasard, en effet, se comporte en allié bienveillant, il place sur son chemin le « pourvoyeur » idéal, M. van der Schalk, banquier de son état. Sans doute abusé par l'élégance de sa toilette et son allure, l'homme l'a prise pour une Parisienne et, d'emblée, s'est adressé à elle en français. Mata Hari, entrevoyant aussitôt le parti à tirer d'une pareille méprise, lui a répondu dans cette langue qu'elle maîtrise parfaitement. Lorsqu'un monsieur se flatte d'avoir séduit une Parisienne, pourquoi le détromper et risquer de le décevoir ? Mata Hari n'en est plus à une mystification près, elle peut donc se prêter au jeu avec d'autant plus de naturel, voire de sincérité, qu'elle se réclame de Paris bien plus que de sa Frise natale et se sent parisienne jusqu'au bout des ongles.

Comme bien d'autres avant lui, M. van der Schalk prend très vite le pli de régler les notes d'hôtel et les factures de Mata Hari. Dès lors, l'avenir paraît moins compromis et elle peut songer au passé. Dans ce passé subsiste une zone interdite, un regret vivace et lancinant qui a nom Jeanne-Louise. En dépit de ses tentatives malheureuses ou maladroites qui toutes ont avorté, Mata Hari est à nouveau obsédée par le désir de revoir sa fille. Les nouvelles qu'elle en a sont rares mais elle sait que la jeune fille, âgée maintenant de seize ans, fréquente depuis peu l'école normale de La Haye. Sans doute a-t-elle entendu pis que pendre sur le compte de sa mère tout au long de son enfance, Rudolph Mac Leod n'a pas dû se priver de calomnier et de dénigrer l'absente. Mais tout peut encore changer, Jeanne-Louise n'est plus une enfant, il suffira de lui expliquer, elle comprendra, il leur reste beaucoup à vivre et à partager, se dit Mata Hari...

Partir à la conquête de sa fille, la reprendre à Mac Leod, tel est le nouveau cheval de bataille qu'enfourche Mata Hari. Mue par un fol espoir, elle lui écrit dans cet esprit au mois de septembre. Mais Jeanne-Louise transmet la requête à son père, et c'est Rudolph qui répond : en deux phrases cinglantes, il stigmatise l'audace de sa démarche et lui enjoint de s'adresser à lui pour obtenir l'autorisation souhaitée. Mata Hari est prête à tout, même à se placer sous les fourches caudines de son ex-mari. Elle choisit donc de ménager sa susceptibilité et lui envoie cette supplique :

> *Mon cher ami,*
> *Puisque vous le désirez, je vous prie personnellement d'avoir la bonté de me laisser voir ma fille. Dites-moi comment il faut que je fasse et je vous remercie d'avance de m'accorder ce que je désire tant.*
> *Recevez mes compliments les meilleurs.*
> *Margaretha*

Elle a commis l'erreur de rédiger ce billet en français, ce dont Rudolph prend ombrage et ne manque pas de lui faire reproche : aurait-elle oublié sa langue maternelle ? Les vieilles chicanes recommencent. Mac Leod accepte le principe d'une rencontre entre la mère et la fille mais prétend qu'elle ait lieu à Rotterdam. Bien que rien ne justifie ce choix, Margaretha s'incline et attend qu'on lui fixe une date. Dans cette attente, on s'écrit :

170

propositions, pinailleries, tergiversations qui usent le temps et la patience sans autre bénéfice pour les parties, font l'essentiel de la correspondance qui s'établit entre les anciens époux. Au bout de quelques semaines de cet échange affligeant, Mac Leod informe Margaretha que sa maigre retraite ne lui permet pas de payer le voyage à Rotterdam. Le jeu du chat et de la souris est fini : Margaretha comprend qu'elle ne reverra pas Jeanne-Louise aussi longtemps que Rudolph vivra. Elle renonce.

Le baron Edouard Willem van der Capellen a pris la succession de M. van der Schalk. Colonel de cavalerie, chef du corps des hussards de l'armée hollandaise, c'est un aristocrate d'une cinquantaine d'années, une ancienne relation de la danseuse. Le retrouver est pour Mata Hari une aubaine car elle vient de louer à La Haye une maison dont l'état nécessite quelques travaux de réfection et elle sait pertinemment qu'elle ne pourra en assurer le paiement sur ses fonds personnels.

Oubliant son instabilité foncière, elle est à nouveau sur la brèche et consacre à cette restauration toutes ses énergies. Elle a prévu en priorité l'installation du gaz, de l'électricité et d'une salle de bains convenable car elle ne saurait se passer des éléments du confort moderne auquel elle est habituée. Devant un van der Capellen amusé et tout disposé à contribuer à ces aménagements d'envergure, elle s'enthousiasme et tire des plans sur sa vie future, quand elle aura pris possession de sa nouvelle maison. A l'entendre, on la croirait prête à s'embourgeoiser, à mener désormais l'existence paisible et sans histoire d'une femme ordinaire. Mais c'est un paradoxe de Mata Hari que de se donner tout entière et sans réserve à ce qu'elle fait, d'y mettre toute sa foi et sa passion, alors que des forces obscures travaillent déjà à la pousser plus loin...

En cette fin d'année 1914, aussi absorbée qu'elle soit par ses projets domestiques, Mata Hari aspire toujours à remonter sur scène. Elle n'a jamais dansé en Hollande mais elle sait que la presse s'est fait l'écho de ses succès à l'Étranger. Des publicitaires ont même exploité sa célébrité pour mettre sur le marché des cigarettes et des biscuits *Mata Hari*, aucun de ses compatriotes ne peut donc ignorer qu'elle a été une artiste de renommée internationale. Dès lors, elle entame la tournée des producteurs de spectacles et le raisonnement qu'elle leur tient est des plus simples : la seule mention de son nom sur une affiche ou un programme attirera les foules, cela ne fait aucun doute, il faut miser sur la curiosité du public et tenter l'expérience.

Mata Hari sait se montrer si persuasive que le directeur du Théâtre royal de La Haye, estimant cette argumentation frappée au coin du bon sens, n'hésite guère à « tenter l'expérience » et lui signe un engagement. Le 14 décembre 1914, elle se produit donc pour la première fois sur une scène hollandaise dans un ballet intitulé *Les Folies françaises*. La foule qui se presse aux guichets est nombreuse, excitée à l'idée de voir enfin la danseuse sacrée dans son fameux numéro d'effeuillage. Mais Mata Hari a trente-huit ans et, si elle apparaît encore dans ses voiles, elle ne les ôte plus. Le Théâtre royal a fait salle comble et rempli ses caisses, mais le public est déçu.

La semaine suivante, ce ballet est repris au théâtre municipal d'Arnhem, ville où résident toujours Rudolph et Jeanne-Louise. Mata Hari vit les heures qui précèdent la représentation dans la plus grande agitation. Au moindre prétexte, elle houspille la pauvre Anna Lintjens qu'elle dépêche de quart d'heure en quart d'heure à la réception de l'hôtel avec mission de vérifier « si une jeune fille n'aurait pas demandé à voir Mme Mata Hari ». Car dès l'annonce de ce spectacle à Arnhem la mécanique têtue de l'espoir s'est remise en branle et maintenant elle attend sa fille. Jeanne-Louise sait qu'elle est en ville, il ne peut en être autrement, elle va donc faire en sorte de la rencontrer, dût-elle pour cela tromper la vigilance de son père, n'importe quelle adolescente agirait ainsi. Ou peut-être Rudolph est-il revenu à de meilleurs sentiments et a-t-il décidé d'amener sa fille au théâtre ce soir ? Dans ce cas, ils viendront la saluer dans sa loge après le spectacle... Mata Hari n'est jamais à cours d'imagination, elle dispose de plusieurs variantes à ce scénario des retrouvailles et en explore toutes les incidentes.

Cependant le temps s'écoule et Anna lui ramène toujours la même réponse :

— Personne n'a demandé Madame à la réception.

— Et un message ? Il n'y a pas de message, tu es bien sûre ? As-tu posé la question au moins ?

— Il n'y a aucun message, Madame.

— C'est impossible !... Elle a dû venir, mais elle est trop timide... Une enfant comme elle, tu penses, entrer dans un hôtel, elle n'a pas dû oser...

Dehors, l'édredon gris qui pesait sur la ville vient de crever et de lents flocons s'en échappent, qui volettent dans le crépuscule précoce de cet après-midi d'hiver.

— Voilà qu'il neige maintenant...

Elle a prononcé ces mots sur un ton de ressentiment — un blâme implicite au ciel qui semble s'acharner contre elle — et, avec une nervosité croissante, elle continue à soliloquer tout en arpentant la chambre où déjà Anna a allumé les lampes.

— Mais elle viendra, je sens qu'elle va venir... Anna, je vais m'étendre un moment, il faut que je me repose. Toi, mets-toi à la fenêtre et surveille l'entrée de l'hôtel. Si une jeune fille s'en approche, appelle-moi. Tu as bien compris ? Ne la laisse pas repartir, avertis-moi aussitôt.

Docile, Anna Lintjens a pris son poste de vigile à la fenêtre. Au bout d'un moment, elle décroche son regard de la rue pour le porter sur la danseuse qui gît, les yeux fermés, dans le mitan du lit.

— Voulez-vous que je vous prépare des compresses à l'eau de bleuet ? demande-t-elle.

— Non, reste où tu es, répond la voix dolente de Mata Hari qui commence à s'assoupir. Je n'ai besoin de rien.

Il fait nuit noire lorsqu'elle ouvre les yeux deux heures plus tard sur une ombre monstrueuse jetée en travers du plafond. Mais ce n'est que la silhouette d'Anna, sentinelle immobile et muette dans le cadre de la fenêtre qu'éclaire la lueur d'un réverbère.

— Anna ! Anna ! Quelle heure est-il ?

Dressée sur la couche, elle s'agrippe des deux mains au montant du lit comme une naufragée et roule en tous sens des yeux affolés.

— Presque huit heures, Madame.

— Mon Dieu ! Déjà... Et personne n'est venu ?...

— Personne, Madame, je suis désolée.

— Alors, c'est qu'ils viendront au théâtre... Prépare-moi un bain et fais-moi monter du café, Anna, beaucoup de café ! J'ai besoin d'un coup de fouet, ce soir ma fille sera là, je dois donner le meilleur...

Au-delà de la rampe illuminée, la salle est un grand trou noir d'où monte la respiration sourde d'une foule invisible. Entre deux tableaux, l'œil collé à une fente du rideau de scène, Mata Hari scrute l'obscurité dont elle voudrait voir émerger la tache claire d'un visage, mais c'est en vain. Pourtant, le public est là, tapi dans cette ombre comme une bête multiple, une créature sournoise munie de milliers d'yeux qui bientôt vont se braquer sur elle... Et la danseuse tremble, la danseuse a peur. Oh, elle ne craint rien de ces inconnus impatients de découvrir la scandaleuse Mata Hari, ceux-là en seront pour leurs frais, elle ne laissera pas choir ses voiles, elle se moque bien de les décevoir. Mais dans deux minutes, le rideau se lèvera et elle se trouvera en pleine lumière sous le seul regard qui lui importe, celui de sa fille.

Elle n'a pas cessé de trembler, elle a même trébuché au cours de la danse des sept voiles. Cette défaillance est la première de sa longue carrière. Il n'y en aura pas d'autre car, bien qu'elle l'ignore encore, elle vient de donner à Arnhem sa danse du cygne, la dernière. Jamais plus elle ne montera sur une scène.

Rudolph et Jeanne-Louise ne sont pas venus la saluer dans sa loge à l'issue du spectacle. L'ex-commandant Mac Leod n'a sans doute pas jugé bon de se déplacer pour l'occasion. Pourtant, lorsqu'elle quitte Arnhem le lendemain, Mata Hari emporte la certitude — l'illusion roborative — que sa fille était dans la salle. Le baron van der Capellen qui l'attend sur le quai à La Haye voit une femme rayonnante descendre du train, une femme qui brode ses rêves sur la trame du néant et lui jette tout à trac :

— Ah ! mon cher, quelle émotion à Arnhem ! Ma fille était là, ma fille m'a vue danser !

— J'en suis ravi pour vous, Mata. L'enfant a dû changer... Avez-vous pu lui parler, l'entretenir de vos projets ?

— Mais non, voyons... La pauvre petite n'a pu se manifester. Son père l'accompagnait, vous pensez bien. Tel que je le connais, il s'est mis en travers et l'en a empêchée. Mais elle est venue : tout le temps que je dansais, je sentais son regard sur moi !

Ni Anna Lintjens ni le baron van der Capellen qui l'écoutent d'un air navré n'auront le cœur de la détromper.

En Hollande comme en France, les artisans et les fournisseurs ont la prétention de se faire payer sans consentir de délai. Pendant quelques semaines, Mata Hari s'empoigne avec eux et ne décolère pas. Ces orages domestiques ont au moins le mérite de l'occuper jusqu'à l'été 1915. Quand enfin tout est en ordre et qu'elle peut emménager au 16 Nieuwe Uitleg, la maison a déjà cessé de l'intéresser : elle s'y ennuie. Du reste, tout l'ennuie ici. Dans ce pays où tout est plat, sans fantaisie, elle se sent à l'étroit et elle étouffe. Ses concitoyens dont elle ne comprend plus la mentalité lui paraissent trop sages, trop conformes ; aucun échange avec eux n'est possible car, à leurs yeux, elle est « la Française » dont ils se défient. Elle a le sentiment de s'enfermer jour après jour dans un univers étriqué, de piétiner un îlot de solitude où elle a échoué avec ses rêves naufragés. Elle se languit de Paris, la France lui manque terriblement mais cette guerre qui s'éternise contrecarre ses désirs d'évasion. Ce conflit qui reste pour elle une abstraction, une péripétie désagréable n'a que trop duré à son gré. A travers des hommes et les uniformes qu'ils portaient, elle a connu, elle a aimé les nations belligérantes, et l'idée qu'elles s'affrontent aujourd'hui lui est intolérable.

Cette guerre est une ineptie, elle fait du tort à tous et principalement à elle, Mata Hari, puisqu'elle l'empêche de rejoindre le pays de son cœur.

Des mois durant, elle tait ce mal qui couve en elle, cette nostalgie inavouable. Mais elle l'entretient secrètement, elle la nourrit de ses songes, de ses questions. Où en est la mode à Paris ? Comment les femmes s'habillent-elles ? Les sœurs Callot, Poiret, Doucet, Paquin, tous les couturiers qu'elle fréquentait ont-ils encore pignon sur rue ou ont-ils été balayés par le cataclysme ?

La nuit, elle rêve de Paris, de ses plaisirs, de ses lumières, de l'existence brillante qu'elle y menait. C'est sur l'injonction de ces rêves toujours plus douloureux, toujours plus obsédants, qu'elle va se décider. Au mois de novembre 1915, elle annonce au baron van der Capellen son intention de regagner la France coûte que coûte. Elle prétend qu'elle y a des biens qu'elle souhaite rapporter à La Haye. Son amant a beau lui montrer tous les dangers que représente une telle expédition et tenter de la dissuader, elle s'entête. Une fois de plus, la pulsion migratoire étouffe en elle la voix de la raison et, le 30 novembre, ne pouvant traverser la Belgique occupée par les Allemands, elle part pour la France via l'Angleterre.

Sa réputation, sa célébrité l'y ont précédée. C'est ainsi en tout cas qu'elle se plaît à interpréter les événements lorsque, à Folkestone, les agents de Scotland Yard lui font subir un interrogatoire en règle. Avant de l'autoriser à embarquer pour Dieppe, ils organisent une fouille minutieuse de ses bagages, la questionnent sur son identité, le motif de ses déplacements, et elle, flattée de cette « attention » dont elle est l'objet, n'y voyant nullement matière à s'inquiéter, se prête à l'inquisition policière avec la grâce et la fantaisie qu'elle réserve d'ordinaire aux journalistes. Dans sa naïveté, elle est à mille lieues d'imaginer que ce traitement n'est pas le fait d'une bienveillance particulière de la part des Anglais mais bien le signe que, mis en alerte par ses relations notoires avec certains officiers allemands et ses séjours fréquents outre-Rhin, ils la tiennent pour suspecte.

Bien qu'elle se contredise dans ses déclarations – desservie par une mémoire défaillante ou qu'elle prétend telle, Mata Hari brouille toujours les lieux et les dates –, Scotland Yard ne relève rien de compromettant contre elle et la laisse donc monter à bord du *SS Arundel* qui part pour Dieppe ce 3 décembre 1915 en début d'après-midi.

Si les agents de Scotland Yard ont fait chou blanc, ils n'en persistent pas moins à considérer que Margaretha Zelle - Mac Leod, dite Mata Hari, « n'est pas une femme au-dessus de tout soupçon » et préconisent de « continuer à surveiller ses mouvements ». Une note dans ce sens est aussitôt adressée aux autorités françaises de Dieppe et du Havre.

Ainsi, pendant qu'à son insu se met en place le mécanisme qui va la broyer, Mata Hari reprend en toute innocence ses habitudes au Grand Hôtel. Dans les quelques heures qu'elle vient d'« accorder » à la police anglaise, elle ne voit qu'un intermède plaisant, une sorte de jeu dont elle s'amuse encore et qu'elle relate avec humour à ses amis parisiens retrouvés.

Pourtant le Paris de ce mois de décembre 1915 n'est plus celui qu'elle a quitté un an et demi plus tôt. L'ère de l'austérité et des restrictions a succédé à l'insouciance et à l'atmosphère de fête perpétuelle qui régnait avant-guerre. La souriante Belle Époque est révolue et Mata Hari se désole lorsqu'elle constate que les établissements de nuit sont fermés, qu'on ne donne plus de courses à Longchamp ou qu'on a renoncé à porter la tenue de soirée au théâtre. Dans les rues et les lieux publics, les femmes remplacent les hommes mobilisés : elles conduisent les tramways, contrôlent les billets, livrent le courrier. Partout on se plaint de la pénurie de domestiques car les bonnes désertent les offices des maisons bourgeoises pour aller trimer dans les usines où elles sont mieux payées. Les jeunes filles de la bonne société se

177

sont converties en infirmières et soignent les blessés qu'on ramène du front. En ce deuxième hiver de guerre, le charbon manque et l'on grelotte derrière les vitres obturées au papier journal ou badigeonnées au bleu de méthylène. La capitale qui redoute les attaques aériennes apprend à faire le gros dos et à s'accommoder de la pénombre. Il y a des sacs de sable entassés devant les vitrines des magasins et d'autres qui protègent les églises, les monuments historiques. L'effort patriotique et défensif, partout sensible, a défiguré le Paris indolent et charmeur que chérissait la « danseuse sacrée ».

Mais ces changements qui sautent aux yeux — même à ceux, si peu dessillés, de Mata Hari — ne constituent que la partie visible de l'iceberg. La métamorphose de Paris est plus profonde et ne date pas d'hier : tout a basculé peu après la déclaration de guerre quand, à l'euphorie des premières heures, a succédé la panique. En quelques jours, la peur de l'invasion a provoqué un exode massif des Parisiens vers la province. Début septembre 1914, l'armée allemande n'était plus qu'à une trentaine de kilomètres de la capitale et Gallieni prévoyait de faire sauter la tour Eiffel, les ponts qui enjambent la Seine, les usines de Puteaux, les poudreries et les manufactures. Tous les points stratégiques devaient être minés en sorte que les Allemands ne trouvent qu'une ville à demi détruite si par malheur ils s'emparaient de Paris. La contre-offensive française et la victoire de Joffre sur la Marne allaient heureusement éviter de recourir à ces mesures extrêmes. Mais on avait eu chaud et la haine de l'Allemand s'était exacerbée pendant cette alerte.

Mata Hari qui, pour s'être tenue à l'écart, ignore bien sûr le détail de ces péripéties, ne se doute pas que la suspicion des Français, nourrie de rumeurs angoissantes et de fausses nouvelles, a depuis lors viré à la xénophobie. Désormais, ils voient en tout étranger un espion potentiel. La chasse aux sorcières dont elle va faire les frais comme tant d'autres est déjà ouverte. Car cette guerre dont l'issue reste incertaine a réveillé les vieux démons : la délation bat son plein, on pourchasse les

178

traîtres, on les invente au besoin et les procès pour trahison se multiplient. Une société en guerre revient fatalement au barbare, il lui faut des victimes expiatoires pour se rassurer et conjurer le mauvais sort : tel est l'état d'esprit navrant de la France en cette année 1915.

C'est dans cette France qu'elle aime et où elle ne se sent nullement étrangère que Mata Hari vient d'arriver. Insouciante, incapable de mesurer à quel point le vent a tourné, elle a le sentiment de rentrer au bercail et ne pressent rien du danger. La genèse du malentendu qui va causer sa perte est là, dans cet aveuglement, dans ce défaut de lucidité qui la caractérisent depuis toujours.

Cependant, en ce mois de décembre 1915, Paris fourmille d'officiers et nombre d'entre eux logent au Grand Hôtel. La Mata Hari de trente-neuf ans est restée aussi sensible au prestige de l'uniforme qu'elle l'était dans son âge tendre. Qu'elle croise une vareuse rehaussée de galons et de décorations, une épaule où bat la fourragère, une poitrine ceinte d'un baudrier et elle ne peut résister, elle succombe aussitôt. Elle succombe donc et vit quelques brèves aventures qui poussent aux oubliettes son projet initial, celui de rapporter en Hollande ses affaires entreposées au garde-meuble de la rue de la Jonquière.

Un jour, elle entend parler de Diaghilev et, aussitôt reprise par sa fièvre russe, elle écrit à Gabriel Astruc :

> *Je suis de passage à Paris, et je retournerai dans quelques jours en Hollande. Je vois que Diaghilev existe toujours. Puisque j'ai quelques nouveautés assez étranges, ne pourriez-vous pas faire un engagement avec lui ?*
>
> *C'est moi, vous savez, qui invente tout cela moi-même. Ce n'est pas pour l'argent, car je suis très bien entretenue chez nous par un des officiers d'ordonnance de la reine, mais c'est pour la situation et le pouvoir. Il ne se plaindra pas, car je crois que je suis intéressante pour lui.*

Ce billet puéril et maladroit atteste que Mata Hari croit encore au miracle et continue à surestimer ses capacités et talents. Bien sûr, cette énième tentative n'aboutira pas davantage que les précédentes. Diaghilev, qui œuvre dans la cour des grands, en a toujours refusé l'accès à la danseuse pseudo-orientale. Pourquoi s'embarrasserait-il d'elle aujourd'hui ? Gabriel Astruc, en homme responsable et avisé, s'abstient donc de communiquer l'aberrante demande et la jette au panier. Exit Mata Hari.

Le miracle n'a pas eu lieu et Paris, adonné à l'effort de guerre, soumis aux restrictions, a perdu tout attrait aux yeux de Mata Hari. Début janvier 1916, elle rassemble ses affaires – une dizaine de malles – et repart pour La Haye. Ce séjour de quelques semaines dans la capitale française lui aura au moins permis de faire le constat douloureux qu'elle éludait jusque-là et d'en tirer les conséquences : sa carrière artistique est bien finie, elle doit songer à se reconvertir.

Le coup de foudre

Herr Krämer, le consul d'Allemagne à La Haye, habite Nieuwe Uitleg, à quelques maisons de celle qu'occupe Mata Hari. Bien que chacun connaisse l'existence de l'autre, leurs relations se limitent à des échanges de bon voisinage : lorsqu'il leur arrive de se croiser dans la rue, elle lui sourit, il se découvre, lui adresse un bref salut et passe son chemin. On ne saurait être plus courtois ni plus distant. Pourtant, en dépit de cette réserve apparente, Krämer s'intéresse de très près à l'ancienne danseuse. Spécialiste du renseignement, agent recruteur pour l'Allemagne, l'homme n'ignore à peu près rien de son illustre voisine et de ses antécédents. Au cours des derniers mois, il a amassé sur elle un grand nombre d'informations biographiques et détient désormais un dossier détaillé de ses faits et gestes tout au long de la décennie écoulée. Il sait, entre autres choses, que cette femme cosmopolite a eu par le passé des contacts avec des personnalités de haut rang et qu'elle a conservé des amitiés précieuses dans les sphères de la politique et de l'armée. Il a même établi une liste de ses amants où certains noms sont cochés à l'encre rouge :
— M. Messimy, ancien ministre de la Guerre.
— M. Jules Cambon, ambassadeur de France.

— M. van der Linden, président du Conseil hollandais.

— Herr Griebel, chef de police à Berlin.

Et d'autres encore, généraux, attachés militaires, officiers gradés de toutes armes et de toutes nationalités. Pareil « curriculum » ne peut laisser indifférent un agent des services secrets. Mais Krämer est un professionnel, il ne veut rien brusquer et attend son heure.

A la mi-mars 1916, il apprend que sa belle voisine est malade et alitée. L'occasion lui paraît propice : il lui envoie des fleurs et, jour après jour, se tient informé de sa santé par l'entremise des domestiques. Puis, lorsqu'il la sait rétablie, il décide de lui rendre visite.

En homme policé, soucieux de respecter les formes, il a pris la précaution de solliciter un entretien et Mata Hari a fait répondre qu'elle serait ravie de le recevoir pour le thé. L'intérêt soudain que lui témoigne Herr Krämer la flatte et l'intrigue au plus haut point. Que peut-il bien lui vouloir ? Coquette invétérée, elle ne peut lui imaginer d'autre mobile qu'amoureux. Elle invente déjà une romance et emploie les heures qui précèdent la rencontre à mettre en place ses batteries de séduction.

Ce 28 mars 1916, le cartel du salon jaune marque cinq heures précises quand Anna Lintjens introduit le consul Krämer au 16 Nieuwe Uitleg. Au-dessus d'un cou puissant, le visage est inexpressif et ne vit que par l'éclat métallique du regard. L'homme est grand, vêtu avec une certaine recherche. Mata Hari a également soigné sa toilette : sur une jupe noire en lainage, elle porte une longue veste à carreaux noirs et blancs, cintrée à la taille, dont les basques s'arrondissent sous les hanches. C'est un tailleur de Chéruit, l'une de ses dernières acquisitions parisiennes. Un jabot de dentelle bouillonne entre les parements de sa veste. Ses cheveux sont remontés en chignon sur le haut de sa tête, mais quelques mèches savantes s'en échappent et bouclent de chaque côté de son visage. Si elle s'est un peu empâtée avec l'âge, elle reste assez belle, note le consul Krämer.

Ils se tiennent de part et d'autre d'une table en marqueterie où la femme de chambre a déjà disposé le plateau du thé. C'est étrange, se dit Mata Hari, depuis qu'il est assis, Herr Krämer n'est plus le même homme : par une sorte de mouvement télescopique, il semble avoir coulissé en lui-même, ce qui diminue sa taille de moitié. Ils s'observent, sourient, égrènent des banalités. Le printemps précoce qui déjà fait éclore les tulipes dans les parterres des jardins leur sert à modeler leurs premières phrases. Mata Hari se plaint de l'humidité de l'air, évoque le soleil d'Italie, la douceur des contrées méridionales. Après cinq minutes de ces palabres à caractère climatologique, Krämer estime que le temps sacrifié aux préliminaires est suffisant et abat ses cartes sans plus de circonlocutions.

— Chère madame, nous connaissons vos sympathies pour l'Allemagne. Par ailleurs, vous êtes une artiste de grand renom et les liens que vous avez pu tisser tout au long de votre brillante carrière sont de nature à nous intéresser... Me comprenez-vous ?

— Pas vraiment... Mais poursuivez, je vous en prie.

Néanmoins, elle a déjà compris que ce monsieur « raccourci » par la station assise n'est pas là pour jouer le joli cœur. Dans ce cas, de quel jeu s'agit-il ? Elle ne va pas tarder à l'apprendre.

— Vous pourriez nous être une alliée précieuse, une alliée rémunérée, cela va sans dire... Il vous suffirait de recueillir des informations et de nous les transmettre.

— Si je vous entends bien, vous suggérez que j'espionne pour le compte de l'Allemagne ?

L'écho de cette question résonne en petit vibrato indigné.

— Parler d'espionnage est peut-être un peu inadéquat, en tout cas bien excessif pour ce qui vous concerne... Les services que vous pourriez nous rendre seraient ceux d'une néophyte. En fait, votre tâche se bornerait à nous rapporter les renseignements auxquels vous pourriez avoir accès lors de vos déplacements.

— Je ne me déplace plus guère, vous devez le savoir, fait-elle remarquer sur un ton où perce un rien d'agacement.

— Je sais. Mais vous en avez toujours le désir. Vous

n'êtes pas femme à vous satisfaire de l'existence que vous menez ici.

Voilà un homme qui ne manque pas de perspicacité, songe-t-elle. Mais elle évite les yeux d'acier, et bien que la perspective de jouer à l'espionne soulève déjà son âme aventureuse, elle fait mine d'hésiter encore.

– Une telle proposition exige réflexion, Herr Krämer. Pouvez-vous m'accorder quelques jours ?

– Cela va sans dire, chère madame. Mais n'oubliez pas que nous sommes prêts à vous verser 20 000 francs dès que nous aurons votre accord. Vous fumez ?

Il lui présente, ouvert, un étui d'ambre qu'il vient de sortir de sa poche. Et elle qui ne fume pas se penche gracieusement, prélève dans l'étui offert cette cigarette dont elle n'a que faire mais dont elle espère qu'elle lui donnera la contenance nécessaire pour tenir tête à son interlocuteur. Car elle ne veut dire ni oui ni non, il faut faire lanterner le bonhomme en sorte de pouvoir, ensuite, surenchérir...

Mais la fumée l'indispose, déjà des larmes lui picotent les yeux, elle sent qu'elle va se mettre à tousser, Dieu s'il pouvait partir maintenant que tout est dit !

Alors, comme s'il entendait sa prière, Herr Krämer commence à se dérouler du fond de son fauteuil. Il a retrouvé sa taille normale et elle le sourire, quand il annonce :

– Je crois qu'il est temps que je me retire. Je reste à votre disposition, madame. A vous de fixer notre prochain rendez-vous.

Elle abandonne subrepticement sa cigarette dans le cendrier, se lève à son tour, lui coule son regard de velours et susurre :

– Je vous donnerai ma réponse dans trois jours.

Les Diaghilev, Astruc, Guimet et consorts la croyaient finie, eh bien ils vont voir ! Dans la grande distribution de la vie, on lui offre enfin un rôle à sa hauteur, un rôle inespéré : agent secret. Ce titre ne recouvre en vérité pour elle qu'une série de clichés, vagues réminiscences de lectures adolescentes, visions romanesques qui l'exaltent mais lui masquent les implications réelles de l'engagement auquel elle s'apprête à souscrire. En un moment où elle ne survit que grâce aux largesses de van der Capellen, cette offre des Allemands lui est une bénédiction et elle l'accueille comme une nouvelle marque de la sollicitude du destin à son endroit. Pendant dix ans, elle a dansé en pleine lumière, à présent on l'invite à œuvrer dans l'ombre et ce contraste, loin de lui déplaire, lui semble de très bon augure : elle brillera dans les coulisses aussi bien qu'elle a brillé sur scène !

Le seul élément qui la chagrine dans cette affaire est la somme ridicule annoncée par Krämer. 20 000 francs, c'est bien peu en effet pour une femme qui dépense des deux mains et en claque des dizaines de milliers le temps d'un battement de cils. Il faudra discuter, argumenter afin d'en d'obtenir davantage. Si les Allemands souhaitent sa collaboration, ils devront payer !

Deux liasses égales, garrottées d'une bandelette de papier blanc sur le feutre vert de la table de bridge : 20 000 francs en billets de banque français, pas un centime de plus. Malgré les protestations de Mata Hari, Herr Krämer s'est montré inflexible sur le montant de la rémunération. Arguant que tout débutant dans les services secrets doit faire la preuve de son efficacité et de ses compétences avant d'émettre des prétentions, il vient de conclure d'un brutal :

— C'est à prendre ou à laisser !

Cette mise au point énoncée d'un ton sans appel ne pouvait qu'aggraver la tension entre l'agent recruteur et sa nouvelle recrue, affublée désormais du matricule H21. La dernière phrase jetée par Krämer siffle encore comme un brandon enflammé dans l'espace qui les sépare. Mata Hari n'a pas même offert à son visiteur de s'asseoir. Ils se tiennent debout de part et d'autre de la table de bridge, devant la mallette ouverte dont Krämer vient de sortir les billets.

— Je dois également vous remettre ceci...

Joignant le geste à la parole, il extrait de sa mallette trois flacons qu'il aligne à côté des liasses : deux d'entre eux contiennent un liquide blanc, le troisième un liquide vert absinthe.

— Il s'agit d'encres sympathiques. En connaissez-vous l'usage ?

— Comment le connaîtrais-je ? réplique-t-elle avec un peu d'aigreur. Je débute, vous venez de le rappeler.

— Très juste. Je vais donc vous apprendre à les utiliser. Voyez comme la chose est simple…

Et devant une Mata Hari ébahie et quelque peu réticente, il entreprend de badigeonner un papier à l'aide du premier flacon, puis trace quelques mots avec le second et efface ce qu'il vient d'écrire avec le troisième.

— Voilà. C'est ainsi qu'il vous faudra procéder lorsque vous aurez des renseignements à nous communiquer. Sur une feuille préparée de la sorte, vous rédigerez votre texte secret que vous couvrirez ensuite de quelques phrases banales écrites à l'encre ordinaire. Ce courrier devra être adressé à mon nom, avec la mention « Personnel ». Est-ce clair ?

Lorsque Krämer la quitte ce soir-là, lui laissant argent et flacons, Mata Hari est furieuse et tout à fait déterminée à ne tenir aucun compte des consignes reçues. La clarté de la démonstration à laquelle elle vient d'assister n'est nullement en cause. Ce sont les manières abruptes du bonhomme qu'elle juge inacceptables : à subir les diktats de ce malotru tout au long de cette séance de « travaux pratiques », son antipathie pour lui n'a fait que croître et embellir. Voilà un monsieur qui, non content de rétribuer ses services à vil prix, s'amuse à faire des tours de magie sous son nez et prétend les lui enseigner. S'il croit qu'elle va se livrer à de telles pitreries pour servir la cause allemande, il se trompe du tout au tout. Certes, elle va se rendre en France, — l'ordre de Krämer rejoint son désir et lui donne l'élan nécessaire —, mais jamais elle ne tombera dans le ridicule de manipuler ces flacons d'encre secrète. Elle est bien décidée à s'en débarrasser à la première occasion, et qu'il vienne le lui reprocher, elle l'attend de pied ferme !

Dans ces moments où Mata Hari concentre toute sa hargne sur la personne de Herr Krämer et fomente un acte d'insubordination comme prélude à sa carrière d'espionne, elle cherche à occulter le sentiment de révolte qui bouillonne en elle depuis qu'elle connaît la décision prise à son encontre par les autorités anglaises. En raison de ses sympathies pro-allemandes, celles-ci viennent en effet de lui refuser son visa d'entrée sur le territoire britannique où elle espérait faire escale. Pour gagner la France, il va lui falloir transiter par l'Espagne, complication dont elle se serait bien dispensée. Pourquoi ces satanés Anglais la jugent-ils indésirable, pourquoi s'obstinent-ils à la persécuter de la sorte ? Ces questions qu'elle a pris la peine d'aller poser au consulat anglais de Rotterdam ont suscité quelque gêne mais c'est bien tout le bénéfice et la satisfaction qu'elle a pu tirer de sa démarche. Le fonctionnaire préposé à la délivrance des visas s'est borné à confirmer le veto qui la frappe sans lui fournir la moindre explication. Bon gré mal gré, il va lui falloir s'accommoder de cette mesure et modifier ses plans.

Le 24 mai 1916, Mata Hari monte donc à bord du *Zeelandia* qui s'apprête à quitter le port d'Amsterdam pour l'Espagne. Les passagers qui viennent d'embarquer se pressent de la poupe à la proue du bateau, bruyants, effusifs, curieux d'assister aux manœuvres d'appareillage. Anonyme dans cette cohue, Mata Hari est cette grande femme qui se tient à l'écart, la tête prise dans une toque noire surmontée d'une aigrette pourpre, l'arc du corps tendu à l'extrême, les muscles raidis par le ressentiment. Debout contre le bastingage auquel elle évite de s'accouder, elle considère d'un œil indifférent la foule amassée sur le débarcadère. Seul le mouvement fébrile de ses mains gantées qui s'ouvrent et se referment spasmodiquement sur le bois de la rambarde pourrait trahir sa nervosité, mais on largue les amarres et nul ne lui prête attention.

Avec une lenteur extrême, la masse énorme du navire

187

se détache du quai, et cet arrachement écartèle l'âme, met dans les poitrines une sorte de crispation douloureuse ; certains restent là, fascinés, les yeux fixés sur cette bande d'eau glauque qui va s'élargissant entre la terre et la coque du bateau, d'autres agitent des mouchoirs et adressent des adieux aux silhouettes amies restées en contrebas, qui déjà s'amenuisent...

Mais la danseuse-espionne ne ressent rien de tel. L'appel des sirènes, le ballet des remorqueurs, les ordres aboyés par un porte-voix, les chocs sourds et les trépidations qui montent de la salle des machines ont cessé de l'émouvoir depuis longtemps. Rompue aux voyages, elle ne peut considérer ce départ comme un événement remarquable : partir est pour elle un mouvement naturel, accordé à son rythme intime.

Néanmoins, ces gens agglutinés autour d'elle commencent à l'agacer : des gêneurs qui l'empêchent d'accomplir son dessein. A présent que le bateau a viré de bord et s'éloigne vers le large dans le sillage des remorqueurs, ils devraient regagner leurs cabines et vaquer à leurs affaires, mais non, ils restent là à bader sous la fumée noire que trousse la brise, à s'esbaudir du vol des goélands qui tournoient au-dessus de leurs têtes ou de la manœuvre d'un cargo à tribord. A ce train-là, il lui faudra attendre la nuit pour se débarrasser des flacons d'encre secrète qui forment un léger renflement dans la poche de sa jaquette et qu'elle tâte de temps à autre d'un geste compulsif. Au milieu de la foule amassée sur le pont, elle s'exhorte donc à la patience, à la prudence, et cette discipline qu'elle s'impose, si contraire à sa nature, lui durcit les traits, la mure dans une attitude hautaine qui décourage toute velléité d'approche.

Le navire a gagné la haute mer, la nuit est enfin venue. Dans la salle à manger illuminée, les passagers sont attablés et commencent à lier connaissance ; on se présente, on se salue, et sachant que l'on devra se côtoyer – se supporter – le temps du voyage, on sacrifie aux fadaises d'usage qui donnent le ton de la conversation. Les places restées vides sont signalées au maître d'hôtel, lequel, sans se départir de son air placide, s'empresse de faire retirer les couverts des absents. A chaque voyage, il a son quota de nauséeux décimés par le mal de mer qui préfèrent renoncer au dîner et demeurent confinés dans leur cabine. Il y a de fortes chances qu'on ne les voie pas de toute la traversée...

Mata Hari est là-bas, à la place d'honneur, assise près du commandant du *Zeelandia* qui a requis sa présence à sa table comme une insigne faveur. Cette invitation qu'elle ne pouvait décemment décliner contrarie quelque peu son programme mais elle n'en laisse rien paraître : seule femme dans cette assemblée de mâles composée des officiers du bord et de quelques civils qui échangent considérations et commentaires sur l'évolution du conflit, elle affiche un intérêt poli mais se garde d'intervenir. On évoque le sort des prisonniers, les excès de la censure dans les deux camps et la propagande qui tend à manipuler l'opinion, la pénurie des denrées alimentaires, l'enfer des tranchées à Verdun, les récents raids des zeppelins sur l'Angleterre... Mais voilà que les échanges cessent de rouler sur la guerre, on a enfin épuisé le sujet, et aussitôt elle s'anime, dispense à la ronde sourires et œillades, accueille les compliments avec une charmante modestie et se montre pleine d'à-propos dans ses reparties. Le commandant ne regrette certes pas son initiative, à l'évidence toute la tablée est sous le charme de cette femme si décorative, capable de jongler avec les langues, qui répond en français à son voisin de droite puis passe sans transition à l'espagnol quand son vis-à-vis madrilène l'interroge. Sollicitée de tous côtés, cernée d'hommages masculins qui s'expriment par des regards, des paroles, des signes faciles à décoder, Mata Hari sent monter en elle une griserie délicieuse, dangereuse. Dangereuse, oui, car elle ne doit pas baisser sa garde, il lui faut rester vigilante et lucide.

Maintenant, on sert le café et les liqueurs. Dans un moment, on quittera la table et l'un de ces messieurs proposera à coup sûr de la raccompagner jusqu'à sa cabine, voudra peut-être en franchir le seuil. Elle devra résister. Car elle n'oublie pas qu'elle a laissé sur sa toilette, mêlés

189

à ses fioles de parfum et à ses crèmes de beauté, les trois flacons d'encre secrète.

Son intuition ne l'a pas trompée. Quand tous se lèvent et repoussent leurs chaises, c'est le *caballero* madrilène – un industriel du textile à ce qu'elle a compris – qui s'empresse auprès d'elle, lui offre son bras, lui murmure :

– *Me agradeceria mucho llevarla a su camarote. Me lo permite Vd*[1] ?

Elle ne peut le permettre, elle prétend qu'elle se sent fatiguée, qu'elle a grand besoin de dormir. Mais la dérobade est formulée dans un castillan chantant et en termes si gracieux que le *caballero* ne saurait en prendre offense. Il s'incline, lui baise la main et la regarde s'éloigner le long de la coursive.

Elle ne s'est pas dévêtue. Embusquée derrière la porte de sa cabine, elle écoute décroître les bruits – encore des pas, quelques chuchotements, l'écho d'un rire –, elle attend que le bâtiment tout entier se soit assoupi pour ouvrir sa porte et se glisser vers l'écoutille. Quand elle émerge sur le pont, tout est désert et silencieux alentour : la voie est libre. Morceau de nuit à silhouette de femme qui progresse dans les ténèbres mouillées d'embruns, elle s'approche de la lisse, et là, d'un ample geste de tragédienne, elle jette par-dessus bord ses trois flacons. Ils n'ont jamais existé, elle ne les a jamais possédés. Ainsi pense-t-elle, penchée sur l'eau noire et complice qui vient d'engloutir en silence les accessoires magiques du sieur Krämer. Puis elle se redresse avec un soupir de soulagement, adresse un pied de nez mental à son agent recruteur et, la tête renversée, sourit aux étoiles. Maintenant, oui, elle peut aller dormir.

Dans la seconde où elle posait sa main gantée sur la barre de cuivre, alors même qu'elle s'engageait dans le tambour de la porte du Grand Hôtel, une sorte d'éclair blanc l'a projetée sur le côté avec une telle violence que, n'était le réflexe du petit groom qui a tendu la main vers

1. J'aimerais vous reconduire jusqu'à votre cabine. Me le permettez-vous ?

elle, elle se serait étalée sur le trottoir. Sous le choc, son chapeau est tombé et elle a laissé choir son sac.

— Pas de mal, Madame ? demande le jeune garçon qui s'est empressé de ramasser sac et chapeau, et les lui remet.

— Non, ce n'est rien. Merci.

Elle a beau dire, elle en est encore tout étourdie et regarde autour d'elle sans comprendre ce qui vient de se passer.

— C'est ce monsieur, là-bas, qui vous a bousculée, explique le groom. De son index pointé, il désigne à travers les vitres des portes tournantes la silhouette d'un officier en uniforme blanc et épaulettes dorées qui gesticule devant le comptoir de la réception. Dos tourné à cette porte qu'il vient de franchir, l'énergumène interpelle avec véhémence un autre officier, lui-même vêtu de blanc, qui semble faire assez peu de cas de son agitation et de ses propos. Au bout de quelques secondes de cet étrange face-à-face, l'interlocuteur se détourne vers le concierge, se fait remettre la clef de sa chambre et, sur un bref salut, plante là l'« éclair blanc » qui en reste les bras ballants, comme douché : un pantin dont on aurait soudain sectionné les fils. Sur le trottoir, au-delà du lent manège des vitres qui continuent à tournoyer, le petit groom et Mata Hari ont observé la scène et le voient maintenant pivoter vers la porte, ils lui voient ce beau visage de dormeur arraché à ses songes, et ces yeux, mon Dieu, ces yeux quand ils glissent puis s'arrêtent sur la femme que, dans sa précipitation, il vient de malmener ! Elle ne bouge pas, elle le regarde venir, s'engager dans le tambour, s'avancer vers elle. Il n'est plus qu'à deux pas quand il dit :

— Madame, je me suis conduit comme un goujat. Veuillez accepter mes excuses et me permettre de réparer.

Réparer quoi ? Comment réparer cet irréparable en train de s'accomplir, comment se soustraire à l'emprise de ces yeux-là ?

Il dit encore :

– Accepterez-vous de venir prendre un verre avec moi ?

Il y a du violet dans le bleu profond de ses yeux, ce bleu incomparable, ce bleu des iris qui jaillissaient en touffes serrées dans le jardin d'enfance, à Leeuwarden. Ce bleu unique, inoubliable, la tient là, fascinée, ravagée, incapable de répondre lorsqu'il répète :

– Acceptez-vous ?

De la tête, elle fait un petit signe d'assentiment. Alors, il lui prend délicatement le coude, s'efface cette fois pour lui permettre de franchir le tambour, et comme il la suit, comme elle ne voit plus ses yeux, c'est sa voix qu'elle entend, qui résonne en elle. Son accent. Russe, il doit être russe.

Quelques instants plus tard, ils sont assis dans la pénombre bleutée du bar. Il vient de se présenter, il a dit :

– Lieutenant Vadime de Massloff.

Et elle sous le regard de cet « éclair blanc » qui l'a foudroyée, elle qui souffre d'une douleur délicieuse et inconnue, de ce dommage irréparable qu'il vient de lui infliger, murmure dans un souffle :

– Lady Mac Leod ou, si vous préférez, Mata Hari.

– Mata Hari ?... Ce nom me dit quelque chose...

– Ce qui signifie pas grand-chose, n'est-ce pas ? remarque-t-elle avec un petit rire qui se lézarde sur son dernier trille.

– Pas grand-chose, c'est vrai, je suis confus.

– Il n'y a pas de quoi. C'était mon nom de scène. J'étais danseuse. Mais je ne danse plus.

Ce passé qu'elle a employé bien malgré elle, qui a surgi par effraction sur ses lèvres, la frappe avec la violence d'un boomerang. Pour la première fois de sa vie, elle vient d'émettre un aveu d'impuissance, elle a reconnu sa faillite, et ce constat la laisse pantelante. Encore quelques secondes et, à la lumière crue de cette lucidité nouvelle, elle découvrira sa position sur l'échiquier de la vie : un pion balayé par le coup de poing du destin, une femme que le temps a mise hors jeu. Le temps, toutes ces années perdues entre les iris de Leeuwarden et les yeux du lieutenant Massloff, le temps, un monceau d'années gaspillées en aventures médiocres, de liaisons en ruptures, de fuites en exils, sans savoir que ces yeux-là existaient. La révélation de cet amour qu'elle vient de recevoir comme une gifle est si brutale qu'elle s'écarte un peu et cherche à se rencogner dans l'ombre : son cœur bat, ses joues brûlent, jamais elle n'aurait cru, à presque quarante ans... Le coup de foudre, maintenant, pour cet archange blanc et blond, est-ce possible ? Il ne doit pas soupçonner son trouble, elle ne peut s'offrir ce ridicule, elle se sent si vieille auprès de lui. Mais le cœur ne se laisse pas museler à volonté. Dans sa poitrine, il s'affole de questions que la bouche ne posera pas. Vadime, pourquoi es-tu venu si tard ? Vadime au visage juvénile, aux yeux d'enfance, quel âge peux-tu avoir ? Et parce qu'elle préfère l'ignorer, elle demande d'une voix posée, dont elle exagère la neutralité.

— Pourquoi étiez-vous si pressé, lieutenant Massloff ?

La question, à l'évidence, l'a pris au dépourvu. Il avale d'un coup la vodka qu'il s'est fait servir, repose son verre, amène sa main droite jusqu'à ses lèvres et lisse sa moustache blonde.

— J'avais un message urgent à transmettre à cet ami que vous avez sans doute aperçu. Mais cela n'excuse pas ma conduite, je ne peux me la pardonner...

Elle n'est pas sûre qu'il soit sincère, elle pense même qu'il ment ; elle a une si longue pratique du mensonge qu'elle peut le détecter sans faillir chez les autres. On n'apprend pas au vieux singe à faire la grimace. Tant pis si la formule est cruelle, elle a le mérite d'être adéquate. Il reste aux vieilles guenons crucifiées d'amour sur une banquette de velours la ressource de la feinte. Affecter l'indifférence ou, à tout le moins, une sorte de bienveillance maternelle, s'en tenir à des propos conventionnels, inoffensifs.

— Que faites-vous à Paris, lieutenant Massloff ?

— Je suis en permission. J'appartiens au 1er régiment de l'armée russe. Mon unité est stationnée près de Châlons-sur-Marne. Je dois la rejoindre dès demain, hélas...

193

Mais nous pourrions peut-être dîner ensemble ce soir ?
Enfin, si vous êtes libre...

Elle bâille, elle s'étire, elle se roule d'un bord à l'autre du lit d'amour où ils viennent de s'étreindre, où elle vient de renaître. Vadime est parti à l'aube : du fond de son sommeil, elle a senti ses lèvres un instant appuyées sur son épaule nue et, maintenant qu'un flot de lumière vive inonde la chambre, elle se contorsionne dans l'espoir d'atteindre à son tour, pour le baiser, ce petit rond de chair radieuse où la bouche du bien-aimé s'est posée. Mais l'exercice relève de l'acrobatie, elle préfère y renoncer pour reprendre ses roulades de chatte sur la couche froissée où elle folâtre tant et si bien qu'elle se retrouve bientôt entortillée dans ses draps comme une momie. Mais elle n'est pas une momie, elle a quinze ans et elle habite enfin son rêve, elle habitera désormais les bras du lieutenant Massloff, il la tiendra toujours chavirée, embrassée contre lui. Cette nuit l'a cousue des couleurs virginales, le blanc et le bleu de Vadime, cette nuit lui a ouvert un espace sacré, inimaginable, où le temps n'a plus cours. Hier encore, dans l'ombre bleue du bar, les années l'étouffaient, mais ce matin de miracle l'exempte de tous ses âges, de tous ses errements, et elle est jeune par la grâce d'une seule assurance, d'une seule certitude : Vadime existe, l'amour existe.
Prise d'une impulsion juvénile, elle vient de sauter à bas du lit et, entravée de linges blancs jusqu'aux chevilles, elle marche à petits pas vers la psyché qui lui renvoie non pas l'image d'une momie mais celle d'une chrysalide receleuse de toutes les promesses, et elle s'admire, elle prend des poses, elle retrouve la grâce d'une fille-fleur qui salue son reflet... Puis, sous le coup d'une injonction de la pensée, elle fait volte-face et, se propulsant par petits bonds vers la fenêtre, elle en soulève le rideau pour une vérification sans surprise. Ils sont bien là, fidèles au poste, sur le trottoir d'en face. Ils doivent commencer à trouver le temps long, se dit-elle. Et elle s'étonne de son calme, d'une sorte de mansuétude

194

qu'elle éprouve à leur égard. Hier, elle aurait maudit leur acharnement à la traquer, elle se serait insurgée contre leur présence obstinée. Mais elle n'est plus la même qu'hier, elle n'est plus la femme qui, voici quelques semaines, a passé la frontière française à Hendaye et qui, depuis, se sent, se sait surveillée. Aujourd'hui – en ce matin glorieux –, ce savoir la laisse indifférente. Qu'ils continuent à la guetter, à la suivre, à épier ses faits et gestes, si ça leur chante, elle s'en moque désormais. Cette surveillance sans relâche qui s'exerce sur elle depuis des jours et des jours ne rime à rien : à aucun moment ils n'ont pu la prendre en défaut ou enregistrer de sa part un comportement suspect. Faute de mieux, les rapports de filature doivent mentionner quantité de rencontres, de déjeuners et de dîners avec des officiers de toutes armes et de toutes nationalités. Et quoi ? Est-ce sa faute si le Grand Hôtel où elle a ses habitudes est devenu une sorte de caserne de luxe qui abrite les gradés en permission ? Son goût pour l'uniforme et, subséquemment, le plaisir qu'elle trouve à fréquenter des officiers est un fait notoire qui n'a rien de répréhensible en soi. Puisque les inspecteurs de la Sûreté française ont du temps à perdre et tiennent à dresser l'inventaire des hommes qui défilent dans son alcôve, qu'ils agissent à leur guise, le petit jeu peut se poursuivre, elle n'y voit pas d'inconvénient. Quant au reste, ils en seront pour leurs frais et continueront à rentrer bredouilles au rapport.

A nouveau, elle jette un coup d'œil aux deux mornes silhouettes qui stationnent en bas et, si un sourire fripon étire ses lèvres, c'est qu'elle s'amuse à imaginer le maigre butin que leur apportera cette belle journée d'été. Ont-ils déjà consigné que la dame Margaretha Zelle - Mac Leod, dite Mata Hari, est tombée en amour pour un bel officier blond qui l'a bousculée à cinq heures de l'après-midi, hier, comme elle s'apprêtait à franchir le seuil du Grand Hôtel ? Elle en doute. Ces gens-là ignorent les beautés de la vie et ne s'attachent qu'à ses aspects les plus triviaux. Ils préféreront s'en tenir à un compte rendu détaillé de son emploi du temps, sans omettre aucun de ses déplacements, aucune de ses rencontres. Ils auront sans doute noté qu'elle a acheté trois paires de chaussures chez un bottier de la rue Royale vers onze heures du matin, qu'elle est ensuite passée à la banque, qu'après un déjeuner pris dans sa chambre, elle s'est rendue chez Mme Doyen, ancienne artiste de variétés et que, quittant cette dame, elle a visité un appartement avenue Henri-Martin avant de regagner le Grand Hôtel.

En somme, ces deux pauvres bougres qui battent la semelle dehors n'ont que des mondanités, des broutilles à se mettre sous la dent. Mais parce que Vadime de Massloff existe, parce que son amour la porte à l'indulgence, voire à la compassion, elle décroche son téléphone et demande tout à trac qu'on lui prépare un bain, qu'on lui monte un petit déjeuner copieux, du papier et de l'encre. Car avant toute chose, elle veut écrire à Vadime. Vite, vite, il lui faut tout très vite !

Dans un moment, quand elle sera baignée, parfumée, restaurée, une fois sa lettre écrite et remise au concierge, elle se lancera dehors, ses suiveurs accrochés à ses basques, et elle les promènera dans les rues de Paris, ainsi que la veille, ainsi que tous les jours depuis son arrivée. Vite, car c'est assez de décevoir ces messieurs, il serait malséant de les faire attendre !

Le piège

Madame Zina donne ses consultations dans son appartement de la rue Réaumur entre cinq heures de l'après-midi et minuit. Si l'on s'étonne de ces horaires singuliers, elle explique que le don de voyance impose des rythmes qui diffèrent de ceux du commun et ajoute qu'elle ne se sent jamais extralucide le matin : son pouvoir de médium ne lui revient qu'au fil des heures et ce, au prix d'un gros effort de concentration. Madame Zina est une femme à part, pétrie de vertu et de conscience professionnelle, elle pratique le métier comme un véritable apostolat et ne souffrirait pas qu'on l'assimile à ces diseuses de bonne aventure qui ne respectent pas la clientèle et abusent de sa crédulité.

On ne peut rien reprocher à Madame Zina, sinon que l'antre où elle officie est une pièce vouée à la pénombre, aveuglée de jour comme de nuit d'épaisses tentures et de rideaux, un espace confiné dont l'air et la lumière sont proscrits depuis presque un demi-siècle. Cernée jusqu'à l'étouffement des sédiments de sa vie, entourée d'un fatras d'objets poussiéreux, de fleurs artificielles, de coussins élimés, d'ex-voto et d'icônes devant lesquels brûlent en permanence les flammes d'une multitude de veilleuses et de bougies, Madame Zina vous attend là, ses chairs opulentes débordant du fauteuil capitonné où

197

elle se tient assise, pareille à une idole païenne. Sur son corps obèse, à grand-peine contenu dans une manière de kaftan rouge sang, est vissé un visage de gnome hilare, maquillé à l'excès, dont les traits disparaissent sous la gangue adipeuse. Un édifice compliqué de cheveux couleur de carotte cuite – car s'ils furent roux, ils ont blanchi et elle en est réduite à la teinture –, de rubans chatoyants et de peignes incrustés de gemmes coiffe le tout.

Derrière Madame Zina, plaqué contre le mur du fond, se dresse le seul meuble qui, ici, ne soit pas masqué ou enturbanné d'oripeaux bariolés : toute une collection de cadres minuscules, en argent, en bois ou en cuir, y est exposée sur plusieurs niveaux, et chacun de ces cadres enferme la photographie d'un visage réduit à la dimension d'un timbre-poste. Visages d'hommes, de femmes, d'enfants, des dizaines, peut-être des centaines de visages mis sous verre, une galerie de portraits insolite, un peu mortifère, qui suscite le malaise et autorise toutes les hypothèses. Devant ces effigies alignées comme le seraient des pierres tombales, on songe à un peuple décimé ou à quelque armée morte dont Madame Zina entretiendrait le culte, on l'imagine gardienne de cette étrange nécropole, seule rescapée d'un monstrueux holocauste, grand-mère survivante d'un monde défunt. On peut tout imaginer : si Madame Zina consent à révéler l'avenir, elle cèle le passé.

Mata Hari a sonné et, sans attendre qu'on l'y invite – alourdie par ses graisses, Madame Zina est quasi impotente et ne se déplace jamais pour accueillir le client –, elle a poussé la porte, s'est glissée dans le corridor obscur. Elle entre ici en pays de connaissance, elle fréquente la maison depuis des années et sait qu'elle est attendue.

La « grand-mère du monde » l'attend en effet dans cette pièce du fond qui tient de la caverne et du temple hindou, les avant-bras appuyés sur une table ronde couverte de morceaux d'étoffes précieuses et disparates, lambeaux résiduels de splendeurs passées qui s'effrangent et montrent des trames usées où luisent encore des fils d'or et d'argent. Sans un mot, Mata Hari prend place en face de la voyante et se prépare à entendre les roucoulades qui préludent à la cérémonie.

— Chèrrre âme, quel plaisirrr de vous revoirrr.

Elle a voix de colombe quand elle vous donne ainsi du « Chère âme », quand sur sa langue les r roulent comme des galets blancs dans le lit d'un torrent, et vous caressent, et vous rassurent. Aujourd'hui, plus que jamais, Mata Hari se sent le cœur caressé, doucement abrasé qu'il est par l'accent slave de Madame Zina. Entre elles gît le jeu de tarots et une nouvelle cascade de galets blancs jaillit de la gorge de la voyante :

— Coupez, ma chèrre, et tirrez !

Il n'y a pas d'autre préambule. Penchée sur la table, Madame Zina a déjà repris les cartes et ses doigts boudinés, dotés néanmoins d'une agilité étonnante, les étalent devant elle. Une sorte de mélopée indistincte – qui, dit-elle, favorise sa concentration – sourd d'entre ses lèvres tandis qu'elle examine les figures.

— Je vois une nuée d'hommes, grommelle-t-elle. Tous ces hommes qui vous entourrrent... Beaucoup d'hommes, c'est beaucoup d'ennuis, ma chèrrre.

La réprobation que lui inspire sa vision perce dans les inflexions de sa voix, sa grosse tête de gargouille s'anime d'un mouvement pendulaire et dans l'invraisemblable agencement de cheveux, de rubans et de peignes qui la surmonte, les gemmes se réveillent, lancent leurs feux jaunes, rouges, verts... Soudain, toute la personne de Madame Zina se met à clignoter comme un sémaphore et Mata Hari, que troublent ces signaux d'alarme, se tortille sur son siège, tente une justification :

— C'est que... je n'ai pas d'autre moyen d'existence, vous savez.

— Mais je ne juge pas, chèrrre âme. Je dis ce que je vois.

— Et lui, le voyez-vous ?

— Lui ?

— Celui que j'aime, le seul qui m'importe. Un officier russe.

— Rrrusse ? répète Madame Zina avec ravissement. Bel homme, alors ?

199

– Oui. Très beau. Je voudrais l'épouser… C'est pourquoi… j'ai besoin de savoir si vous voyez un mariage.

De l'étonnement mâtiné de commisération monte dans le regard de la voyante qui, à nouveau, branle du chef, rallumant les gemmes de sa coiffure. Elle ramasse les cartes avec un soupir, les rassemble en tas et ordonne :

– Coupez encorre !

Mata Hari obtempère puis reste en suspens, les yeux fixés sur cette femme qui scrute les figures en silence. Ses doigts malaxent nerveusement un petit mouchoir de dentelle, son cœur bat, elle attend le verdict qui va tomber de la grande bouche fardée…

– Oui, il est là… Il n'y a pas marriage, mais… je vois blessurre sur votrre Rrusse.

– Oh non ! Je vous en prie, non !

A présent, elle tremble de tout son corps. Ses mains s'affolent au-dessus de la table, elle se dresse, elle veut voir la carte qui condamne Vadime.

– Voyons, chèrre âme, ne vous effrrayez pas, roucoule Madame Zina. J'ai dit blessurre, pas mourrir…

La lecture des tarots et celle des rapports de police coïncident : l'une et l'autre révèlent les mœurs dissolues de Margaretha Zelle - Mac Leod, dite Mata Hari qui, en cet été 1916, déploie ses charmes tous azimuts. Cependant, à la différence de Madame Zina qui s'est bornée à évoquer une « nuée d'hommes », les agents chargés de la surveillance de l'ex-danseuse rendent compte de leur investigation de manière très précise et s'emploient à établir une liste exhaustive de ses conquêtes. A la mi-août y figurent déjà un sous-lieutenant français, Jean Hallaure, le marquis de Beaufort, commandant au 4e lanciers belge, un commandant monténégrin, le sous-lieutenant anglais Gasfield, l'Italien Mariani qui arbore les insignes de capitaine, et d'autres encore, tous officiers permissionnaires. Le nom du lieutenant Vadime de Massloff apparaît également, mais sans mention particulière car l'irruption du bien-aimé dans son existence n'a nullement modifié les habitudes de Mata Hari. Son coup de foudre a échappé à la perspicacité des limiers français, lesquels s'en tiennent aux apparences et continuent à dresser un état minutieux de ses rencontres, de ses sorties et de ses coucheries.

Tandis que, jour après jour, les péripéties de sa vie galante sont consignées dans des fiches de police, Mata Hari éprouve de plus en plus de peine à concilier ses activités de courtisane et les exigences de son cœur. Ce cœur virginal s'accommode mal des turpitudes du corps qu'il habite et renâcle à le suivre. Mais, bien que l'amour vénal lui inspire une aversion grandissante et lui donne maille à partir avec sa conscience, elle ne dispose pas d'autre moyen d'existence. Vadime ignore tout de son style de vie, elle n'a pas eu le courage de lui assener la vérité. A cette vérité qui lui fait honte, elle voudrait en substituer une autre, moins accablante, et qui soit digne du sentiment qui la porte. Mais comment faire table rase du passé, comment l'escamoter, le réduire au silence ? Elle voudrait pouvoir restaurer en elle l'innocence perdue, se retrouver blanche et pure afin de mériter que Vadime passe l'anneau d'or à son doigt. Elle voudrait l'épouser, elle voudrait se consacrer corps et âme à l'homme qu'elle aime pour le temps qui lui reste à vivre. Des rêves de midinette la chahutent, les lendemains se déploient en grandes échancrures bleues et la bercent de visions idylliques : elle voit une grande maison au milieu des arbres, une datcha peut-être, là-bas, sous le tendre ciel d'Ukraine, où ils couleraient leurs jours et leurs nuits l'un contre l'autre. Elle rêve d'une existence sans contrainte et sans histoires, tout entière vouée à la paix et au bonheur. Mais pour la datcha, pour la paix et le bonheur, il faut de l'argent, et ce maudit argent qui file entre les doigts est la condition préalable, l'arbitre auquel ce bel avenir est subordonné.

De sa décevante confrontation avec Krämer, Mata Hari a déjà déduit que l'espionnage ne l'enrichira pas, elle le sait d'autant mieux qu'elle n'a fourni à ce jour aucune contrepartie aux Allemands. Ayant renoncé à tout espoir de remonter sur scène, la prostitution de luxe reste donc sa seule ressource. Mais il y a Vadime. Comment rendre compatibles ces données inconciliables ? Cette question la hante tout au long des jours, elle tourmente ses nuits, lui inflige la torture de cauchemars dont elle sort épuisée, l'âme en déroute. Prise au piège dans ce dilemme, elle en oublie qu'elle est surveillée, elle en a même oublié la funeste prédiction de Madame Zina quand un soir, alors qu'elle se trouve au bar du Grand Hôtel, un chasseur vient l'informer qu'on la demande dans le hall.

Elle le reconnaît aussitôt, il porte l'uniforme du régiment de Vadime, c'est l'officier qu'elle a entr'aperçu ici même voici quelques semaines, l'homme qui opposait un si grand calme aux invectives de son bien-aimé. Au premier regard, elle pressent qu'il est le messager du malheur et en a confirmation aussitôt, quand, l'ayant saluée, il dit très vite, sans chercher à y mettre des formes :

— Madame, je suis un ami du lieutenant de Massloff qui vient d'être blessé au cours d'une embuscade en Champagne. Il m'a chargé de vous dire qu'il était évacué sur un hôpital de Vittel.

Elle sent qu'elle va défaillir, s'effondrer comme une chiffe aux pieds de l'officier russe qui déjà s'incline et s'apprête à tourner les talons. Avec des gestes saccadés d'automate, sans qu'elle le veuille, son bras droit s'écarte de son corps, sa main s'agrippe à la manche de l'uniforme blanc, tandis que sa bouche laisse échapper un lamentable gargouillis :

— Est-il gravement blessé ? Je vous en prie, dites-moi...

— Je ne crois pas. Ne vous inquiétez pas. Venez... il faut vous asseoir, appuyez-vous sur moi.

La voir si mal en point lui a ôté soudain toute sa raideur. Il lui offre son bras et, la soutenant, il la conduit vers le salon le plus proche, l'installe dans un fauteuil profond, se penche vers elle, empressé et confus.

— J'ai été un peu brusque, pardonnez-moi... Il vous faut boire quelque chose de fort. Que désirez-vous ?

Elle a pris sa décision dans l'heure : il faut qu'elle rejoigne Vadime, sa place est auprès de lui, elle doit se rendre à Vittel coûte que coûte et sans délai. Préoccupée avant tout de son drame personnel et négligeant selon son habitude les réalités du monde, Mata Hari va découvrir que l'on ne circule pas à sa guise dans un pays en guerre : un titre de voyage ne suffit pas pour se rendre à Vittel, lui objecte-t-on quand elle se présente à la gare dès le lendemain, il faut être muni d'un sauf-conduit.

Elle se rend donc aussitôt au commissariat de police de la rue Taitbout où elle dépose une demande en vue d'obtenir ce document. Mais on la fait attendre, on la laisse piétiner là des heures sans lui délivrer le précieux sauf-conduit. Elle devra revenir par trois fois et patienter longuement dans les locaux du commissariat pour s'entendre finalement signifier un refus.

Au motif que Vittel est situé dans la zone des armées, on la brime, on la prive de sa liberté de mouvement, on l'empêche de rejoindre son amour. Elle a beau tempêter, supplier, expliquer que Vadime est blessé, qu'il a besoin d'elle, rien ne parvient à fléchir ces fonctionnaires qui s'abritent derrière leurs règlements inhumains.

Ce soir-là, c'est une Mata Hari déprimée qui retrouve le sous-lieutenant Hallaure qu'elle a rencontré en 1913 et avec lequel elle entretient depuis lors une liaison intermittente. Au cours du dîner, elle arbore un visage tendu, s'exprime par monosyllabes et chipote devant la nourriture qu'on lui présente. Cette attitude et son manque d'appétit finissent par inquiéter Hallaure qui lui demande, non sans humour :

– Vous n'avez pas l'air dans votre assiette, Mata. Que se passe-t-il ?

Cette question est proférée avec tant de gentillesse qu'elle suffit à débander les nerfs à vif de la jeune femme. D'un seul jet, sans reprendre haleine, elle raconte ses récents déboires avec la police française et décrit les affres où elle se trouve parce qu'elle ne peut rejoindre son bien-aimé Massloff. Jamais Hallaure ne l'a vue si vulnérable, si désemparée. Ému par sa détresse, il se penche au-dessus de la table, pose sa main sur la sienne et dit dans un murmure :

— Mata, vous tenez vraiment à aller à Vittel ?

— Quelle question ! Bien sûr que j'y tiens ! Je ne désire rien d'autre au monde !

— Dans ce cas, il y a peut-être une solution...

— Laquelle ?... Laquelle ? Dites vite !

— Vous n'obtiendrez jamais votre sauf-conduit par la filière normale...

— Ça, je le sais ! Je n'ai plus aucune illusion, votre administration est trop obtuse pour...

Du geste et de la voix, il l'interrompt, tente de la calmer.

— Ne montez pas sur vos grands chevaux, Mata, cela ne vous avancera guère. Écoutez-moi... Au point où vous en êtes, je ne vois qu'une instance susceptible de vous délivrer cette autorisation : le Deuxième Bureau.

— Le Deuxième Bureau ?

— Les services du contre-espionnage, si vous préférez. Présentez-vous au 282, boulevard Saint-Germain et exposez votre cas. Il y a de grandes chances que votre requête soit entendue et satisfaite.

Au lendemain de cet entretien, lorsque sur le conseil du sous-lieutenant Hallaure Mata Hari pénètre pour la première fois dans l'immeuble sis au 282, boulevard Saint-Germain, elle commence par s'y perdre. Renvoyée de planton en huissier, priée d'expliciter le motif de sa présence en ce lieu à chaque étage, elle se retrouve comme par extraordinaire dans le bureau de Georges Ladoux qui dirige le contre-espionnage français et n'est autre que le chef direct de Jean Hallaure. Car, la veille, dans le moment où il encourageait la jeune femme à tenter cette démarche, ce dernier obéissait aux ordres et non à un élan de sympathie ou de compassion. Il se peut même que le refus notifié à Mata Hari par le commissariat de la rue Taitbout l'ait été sur instructions de l'autorité supérieure, à seule fin de lui barrer toute issue et de l'acculer à cette visite.

Le fait est que le chef du contre-espionnage français et la femme qu'il suspecte et fait surveiller depuis des mois sont maintenant face à face. Assis de part et d'autre du bureau de Ladoux, ils s'observent. Chacun d'eux se tient sur la défensive et remercie le ciel que sa pensée reste indéchiffrable à l'autre car les réflexions qu'ils s'inspirent mutuellement seraient de nature à compromettre la cordialité de l'échange. Dès l'abord – il ne s'est pas levé, ne l'a pas invitée à s'asseoir –, Mata Hari s'est sentie hérissée par l'accueil et l'aspect de l'homme. Avec ce visage rébarbatif barré d'une moustache noire, ce corps trapu, bien carré dans son fauteuil, elle le voit comme une sorte de monolithe sanglé dans un uniforme bleu horizon et devine qu'il ne bronchera pas tant qu'elle-même n'aura pas jeté ses dés. Le capitaine Ladoux lui rappelle vaguement Rudolph Mac Leod, c'est dire s'il lui déplaît. Il doit avoir la voix bourrue et le phrasé syncopé du chef militaire, se dit-elle en relevant sa voilette. Et lui, dans l'instant où elle dévoile son visage, note de son côté : « Ainsi, c'est elle... une cocotte, en somme... De beaux restes, ma foi... l'œil langoureux, de la classe, mais trop de fard, trop de parfum... Faudra aérer quand elle sortira d'ici. »

Elle ne l'entend pas penser et c'est dommage parce qu'elle aurait confirmation de son intuition : il pratique le staccato en virtuose tout comme son ex-mari. En même temps, c'est heureux car la piètre idée qu'il se fait d'elle lui ôterait tout son courage.

– Je viens de la part du sous-lieutenant Hallaure, risque-t-elle soudain pour amorcer l'échange.

– Hallaure ?

Il répète le nom de son subordonné comme s'il lui était inconnu, il simule un coûteux effort de mémoire alors que Jean Hallaure est son collaborateur le plus proche et sans doute son meilleur agent. Que cela tienne à sa personnalité ou que sa fonction l'y oblige, le capitaine Ladoux a pour méthode de se présenter de biais et d'offrir toujours un profil fuyant à son interlocuteur.

– Et pour quelle raison ce Hallaure vous a-t-il conseillé de vous adresser à moi ?

Parce qu'elle veut sortir d'ici avec son sauf-conduit en poche, Mata Hari a décidé de jouer franc jeu et d'abattre ses cartes d'un coup. Elle s'oblige donc à le regarder droit dans les yeux et répond :

— Je souhaite me rendre à Vittel mais on me refuse mon sauf-conduit. Le sous-lieutenant Hallaure m'a promis que vous pourriez arranger cela.

— Ah... Vittel... zone militaire, vous devez le savoir.

— Je sais. Mais j'ai là-bas un ami blessé, un officier russe. Ma présence lui serait d'un grand réconfort. Je dois y aller de toute urgence.

— Un ami, dites-vous... Son nom ?

Il fait mine de vouloir noter l'information, se saisit d'un crayon, rapproche un calepin et attend, l'air interrogateur.

— Il s'appelle Vadime de Massloff, du 1er régiment russe stationné à Châlons-sur-Marne. A vrai dire, il est plus qu'un ami et j'ignore tout de son état. Vous comprenez mon inquiétude, mon impatience...

— Je comprends... comprends fort bien. Mais il reste que Vittel est en zone militaire, ce qui nous oblige à la prudence. Sommes en guerre... ne pas l'oublier...

— Je ne l'oublie pas. Le sort de mon ami me le rappelle à chaque instant... Acceptez-vous de m'aider, capitaine ?

— Ce serait faire une grave entorse au règlement... Vous me demandez là une dérogation exceptionnelle.

— Oui, je vous la demande, je vous supplie de me l'accorder.

Il émet une série de hum ! hum ! dont le son rappelle les explosions poussives d'un moteur récalcitrant et finit par déclarer :

— Difficile de prendre une telle décision sur-le-champ. Laissez-moi le temps de la réflexion et revoyons-nous d'ici quelques jours...

Le temps presse, mais Ladoux ergote et finasse à n'en plus finir. A trois reprises déjà il a reçu Mata Hari dans

206

son bureau du boulevard Saint-Germain mais il n'a toujours pas accédé à sa demande.

Mata Hari ne comprend pas pourquoi il tergiverse de la sorte. Elle est à bout de patience et s'est juré que leur entrevue d'aujourd'hui serait la dernière : si elle ne parvient pas à lui arracher ce maudit sauf-conduit, eh bien elle s'en passera et partira tout de même pour Vittel ! Elle est prête à affronter tous les risques qu'implique cette décision.

Ainsi qu'à l'accoutumée, il n'a pas jugé bon de se lever et de se porter à sa rencontre. Il s'est contenté d'aboyer un retentissant « Entrez ! » et quand le planton de service s'efface pour livrer passage à la jeune femme, elle le trouve tapi derrière son bureau, telle une araignée velue bien arrimée au centre de sa toile...

Elle se pose en face de lui, relève sa voilette, retire ses gants, ordonnant chacun de ses gestes avec le plus grand calme. Afficher la sérénité face à Ladoux est une mise en condition nécessaire, la pratique qu'elle a de l'homme le lui a appris. Elle sait aussi qu'il ne sert à rien de l'aborder de front : mieux vaut le laisser venir.

Il ne lui a pas encore accordé un regard. Il affecte d'être occupé à la consultation d'un dossier et déplace sans nécessité des feuillets étalés devant lui.

— Alors, où en sommes-nous ? demande-t-il soudain sans lever la tête, fourrageant toujours dans sa paperasse.

— C'est à vous de le dire, capitaine.

— Ah... oui... avons peut-être un accord à vous proposer.

— Je vous écoute.

— Nous pourrions nous entendre à condition toutefois que vous acceptiez de nous prêter votre concours...

— Mon concours ?

— Oui, un échange de bons procédés en quelque sorte. Vous avez des relations à l'étranger... En outre, il paraît que vous aimez la France... S'agirait de le prouver.

Voilà, on y est. A sa manière contournée, il lui propose ni plus ni moins qu'un troc : le sauf-conduit contre des renseignements. Elle songe à Krämer et la cocasserie de la situation lui donne grande envie de pouffer mais

elle préfère jouer à l'âne qui réclame du son. Elle
s'oblige au plus grand sérieux pour demander :

— Et comment devrai-je prouver mon attachement à
la France, capitaine ?

— Eh bien... en travaillant pour elle, bien sûr.

— C'est-à-dire pour vous ?

— Pour nos services, oui... A vous de dire si cet arrangement vous convient. Un simple appel de votre part et
je fais porter le sauf-conduit à votre hôtel... Le Grand
Hôtel, si je ne me trompe ?

— Le Grand Hôtel, en effet. Les agents que vous char-
gez de ma surveillance y sont tous les jours, vous ne pouvez pas vous tromper, capitaine...

Contre son habitude, Ladoux s'est montré on ne peut
plus clair : c'est donnant, donnant. Mata Hari n'a pas le
choix. Deux heures plus tard, elle demande la communication avec le chef du contre-espionnage français et lui
signifie qu'elle accepte son marché. Elle aurait au
demeurant accepté n'importe quoi, elle aurait même
donné sa vie en échange de l'indispensable viatique :
tout, pourvu qu'elle puisse rejoindre Vadime.

Endosser le rôle d'agent double ne porte guère à
conséquence à ses yeux : c'est un changement de costume entre deux actes, rien de plus. Pas un instant elle
ne mesure la gravité de l'accord qu'elle vient de conclure
avec Ladoux ni ne s'interroge sur ses implications. C'est
en toute innocence, ou à tout le moins en toute incons-
cience, qu'elle s'apprête à trahir ses bailleurs de fonds
allemands. La proximité du départ la met dans un état
d'excitation tel que toute considération étrangère à
Vadime est oblitérée, balayée par un raz de marée de
joie. Elle a obtenu ce qu'elle désirait, ce pour quoi elle
était prête à se damner, c'est tout ce qui importe. Elle
ignore que le prix à payer sera lourd, très lourd, mais
le saurait-elle que cela n'y changerait rien : elle n'a
jamais été douée pour le calcul et la pinaillerie dès lors
que son désir était en jeu. Et cette fois son désir la porte

vers le bien-aimé qu'elle retrouvera demain, dans une poignée d'heures...

Le convoi qui emporte Mata Hari vers Vittel ce 1er septembre 1916 mettra non pas une poignée d'heures mais bien un jour et une nuit pour arriver à destination. En cette période et dans cette zone où le ciel lui-même est devenu un espace de combat, les trains ne circulent pas sans péril et le temps des parcours est une donnée qui échappe à toute prévision.

Peu avant le départ, quatre officiers italiens et un vieux couple, à l'évidence des gens de la campagne, sont montés dans le compartiment où Mata Hari a déjà pris place. La femme est sèche, noire et noueuse comme un sarment, le bonhomme a un visage simiesque tout agité de tics nerveux et porte une casquette qu'il ne retire jamais mais soulève sans cesse pour se gratter le crâne. Assis côte à côte face à Mata Hari, les deux vieux endimanchés observent un maintien compassé comme si un photographe leur avait demandé de prendre et de garder la pose pour une photo très solennelle. Pourquoi ont-ils entrepris un voyage si dangereux ? se demande Mata Hari qui se trouvait être la première sur le quai, avant même la mise en place du convoi, et a remarqué combien les civils étaient rares. La plupart des voyageurs sont en effet des soldats en fin de permission qui rejoignent le front de l'Est. Entassés dans les couloirs et les compartiments avec leur barda, certains trompent leur angoisse par des chamailleries et des divertissements de potaches – chants braillés, plaisanteries salaces –, d'autres se tiennent à l'écart du chahut et écrivent déjà à la fiancée, à la femme ou à la mère qu'ils viennent de quitter. Ils sont jeunes, songe-t-elle, le cœur étreint de compassion, ils ont l'âge de Vadime, et pour beaucoup d'entre eux ce voyage sera sans retour.

Les officiers italiens font bande à part. En gare de Troyes, l'un d'eux a sorti des cartes, ils ont calé entre eux une valise dont le couvercle fait office de table de jeu et sur lequel ils se tiennent penchés, battant le carton avec une concentration extrême. Mata Hari a suivi quelques parties sans réussir à identifier le jeu qui les absorbe si totalement. Les vieux époux n'ont pas échangé une parole depuis le départ. Hormis ce geste mécanique du bonhomme qui se gratte la tête à intervalles réguliers, ils restent là, imperturbables, comme absents, figés dans cette posture guindée qui longtemps a tenu Mata Hari fascinée, presque hypnotisée. Mais ses yeux se sont usés sur ces figures de cire, ils se sont lassés, ils se sont fermés, et malgré l'inconfort de la banquette de bois la jeune femme a fini par s'endormir.

Dans la soirée – le ciel d'été est encore très clair –, après une brève station à Neuilly-l'Évêque, le convoi est stoppé en pleine forêt dans le val de Gris. Très vite, le bruit se propage de wagon en wagon que l'on redoute une attaque aérienne ennemie. Les zeppelins et les avions allemands ayant les gares pour principal objectif, l'autorité militaire a décidé d'immobiliser le convoi sous le couvert des arbres jusqu'à la fin de l'alerte.

Mata Hari, qui dormait comme une bienheureuse, ouvre un œil, s'aperçoit que le train ne roule plus et qu'elle est seule avec la femme en noir. Les Italiens et le petit père à la casquette ont quitté le compartiment. Égaillés sur le remblai, les soldats profitent de l'arrêt pour fumer et se dégourdir les jambes le long du convoi. Lorsque le vieil homme revient, visiblement furibond et grognant des imprécations, elle lui demande :

— Que se passe-t-il ? Pourquoi sommes-nous à l'arrêt ?

— C'est encore ces foutus boches, ma bonne dame. Ces démons s'amusent à pilonner le quartier. Alors on bloque les trains, on peut rester en rade des heures... Moi, j' vous l' dis, au jour d'aujourd'hui, sous ce ciel qui crache le feu, on sait quand on part mais on sait jamais quand on arrivera...

— Ah... ? dit-elle simplement.

Au contraire du bonhomme que ce contretemps semble mettre en rage, Mata Hari ne manifeste ni impatience ni irritation : l'immense fatigue qui s'est abattue sur elle après tous ces jours de tension lui tient lieu de fatalisme. Elle n'aspire qu'à dormir. Avec un sourire à son informateur, elle se pelotonne dans son coin, prend le temps de penser qu'il serait bête de mourir si près de Vadime, et aussitôt se rendort.

— Le lieutenant de Massloff vient de sortir, madame, je suis désolée.

Elle en pleurerait de dépit. C'était bien la peine de se précipiter ici sitôt débarquée du train pour s'entendre dire que Vadime est sorti. Sans souci de sa robe froissée, de son visage qui aurait mérité d'être rafraîchi, elle a obéi à l'élan de son cœur, elle s'est fait conduire directement de la gare à l'hôpital, et Vadime n'est pas là...

L'infirmière, qui la voit désemparée, au bord des larmes, ajoute gentiment :

— Il fait si beau aujourd'hui. Il n'est sans doute pas très loin, il doit se promener dans le parc, vous aurez vite fait de le retrouver...

Cette femme a raison : la matinée est radieuse, tout resplendit sous le soleil de l'été finissant, et par la baie ouverte l'air apporte par bouffées une fraîche odeur d'herbe coupée.

— Je l'ai vu s'en aller vers le bassin... Prenez l'allée qui part sur la droite du perron, dit encore l'infirmière en indiquant la direction de son bras tendu.

— Merci... merci, balbutie Mata Hari. Et elle s'élance dehors.

Dehors : un jardin d'ombre et de lumière, de vastes étendues de pelouses d'où jaillissent çà et là des massifs d'asters et de dahlias, des allées de sable blond qui serpentent sous la voûte des feuillages pleins de chants d'oiseaux, une gloriette couverte des roses pâles de septembre, tout ici évoque l'insouciance et le bonheur de vivre. On songe à de joyeuses cavalcades, à des jeux, à des rires enfantins. Mais aucune bande d'enfants ne débouche des taillis, on rencontre seulement, au détour d'une allée, quelque rescapé de l'enfer perdu en ce paradis, on n'entend aucun rire, aucun cri, seulement le sable qui crisse sous les pas d'un homme brisé.

Mata Hari vient de croiser, assis sur un banc, un sol-

211

dat amputé d'une jambe : une main sur la béquille couchée près de lui, il fixait l'horizon, il n'a même pas cillé à son passage.

Ils sont nombreux ses pareils qui hantent les sentiers de ce jardin enchanté en une lente noria de morts-vivants. Ils déambulent, l'œil hagard, lestés d'une souffrance qui contracte leurs traits, qui les grime en vieillards – ou sont-ils des vieillards déguisés en enfants ? –, ils se traînent sur le sable doré, parfois soutenus par une infirmière bénévole qui prête son bras ou son épaule, et guide leurs pas. Chacune de ces rencontres éprouve Mata Hari, réactive son angoisse, chaque silhouette entrevue à travers les ramures lui donne un coup au cœur. Elle se hâte. Elle voudrait dépasser, elle voudrait ignorer ce douloureux, ce silencieux cortège d'éclopés qui s'étire le long des allées. Vadime est-il de ceux-là ? Dans quel état va-t-elle le trouver ? Elle ne connaît même pas la nature exacte de sa blessure, nul n'a pu ou n'a voulu l'en informer.

Pour s'épargner le spectacle de ces fantômes ambulants, de tous ces corps souffrants et mutilés, elle avance à présent tête baissée et note que, dans les zones ombragées où il est resté humide, le sable est presque gris. Plus loin, à découvert, il semble fait de millions de particules brillantes qui accrochent les rayons du soleil et réfractent la lumière. Mais soudain, à la limite de son champ de vision, un miroitement nouveau, une sorte d'éclat aquatique l'oblige à redresser la tête : elle se trouve à une quinzaine de mètres d'une pièce d'eau circulaire, circonscrite par une margelle de marbre blanc. Un homme se tient là, en contemplation devant les nymphéas et les jacinthes d'eau qui couvrent la surface du bassin. C'est lui ! Elle le découvre de dos mais cette carrure, ces hanches étroites, cette blondeur, elle les reconnaît, c'est lui ! Dans la fraction de seconde où elle l'a vu et identifié, son cœur est parti dans un galop fou mais le corps refuse de suivre. Une coulée de plomb lui immobilise les membres, elle reste là, tournée vers la blonde apparition, fichée dans le sable du chemin.

Il lui a fallu une éternité de secondes pour soulever

la chape de peur qui la tenait clouée là, pour retrouver sa mobilité et reprendre sa progression vers lui. Maintenant, elle avance à petits pas précautionneux, sans bruit, car elle ne veut pas l'effrayer. Dix mètres, huit mètres, quatre mètres... Fasciné qu'il est par l'eau dormante, il ne l'entend pas venir, il ne se retourne pas. Elle se rapproche encore, elle écarte les bras, les referme autour de la taille du bien-aimé, appuie sa joue contre le dos puissant et murmure :

— Vadime, je suis venue, je suis là...

Elle le sent frémir entre ses bras, il presse contre sa poitrine les mains qui l'étreignent, puis les écarte avec douceur pour pivoter lentement vers elle et c'est alors seulement qu'elle voit, c'est alors qu'elle bascule dans l'horreur. Un cri s'étrangle dans sa gorge, elle n'a plus de voix, elle n'a que ce geste puéril : elle pointe son index gainé de dentelle vers le bandeau noir qui masque l'œil gauche dans le visage émacié. Mais un sourire monte dans ce visage, lui rend sa beauté, et Vadime sourit, il cueille cette main gantée, l'amène jusqu'à ses lèvres et baise ce doigt toujours dressé, ce doigt qui hurle, il le replie même, il l'enferme entre ses paumes comme un oiseau blessé et dit :

— J'ai été gazé... Mais les médecins sont optimistes, ils pensent pouvoir sauver mon œil...

L'agent double ingénu

A Vittel comme à Paris, les agents dépêchés par Ladoux enregistrent jour après jour les faits et gestes de Mata Hari. Ils signalent que, dès son arrivée, elle s'est rendue à l'hôpital militaire où elle a retrouvé le dénommé Vadime de Massloff, lieutenant au 1er régiment impérial russe. L'état de son ami blessé ne nécessitant pas des soins spécifiques, la dame Margaretha Zelle - Mac Leod, dite Mata Hari, a sollicité l'autorisation de l'emmener avec elle à l'hôtel du Parc où elle a retenu une chambre et où elle prévoit de séjourner une quinzaine de jours. Enfreignant le règlement militaire, le médecin chef de l'hôpital a cédé aux instances de la femme Mac Leod et permis à l'officier russe de s'établir à l'hôtel en sa compagnie.

Hormis cette entorse faite à la loi sur son instigation, il n'y a rien à retenir contre l'intéressée dont le comportement n'appelle aucune remarque significative. Elle mène une vie des plus paisibles, passe deux heures aux Bains tous les matins puis consacre le reste de sa journée à l'officier Massloff qui semble avoir ici l'exclusivité de ses faveurs. Chaque soir, ils rentrent à l'hôtel du Parc et on peut les apercevoir échangeant des baisers devant la fenêtre de leur chambre. Plus tard, ils descendent dîner, le plus souvent en tête à tête, quelquefois avec d'autres officiers mais, quel que soit le cas de figure, les conversations à la table de la femme Mac Leod restent anodines et ne permettent pas de déduire qu'elle porte un intérêt particulier à la guerre.

La surveillance de son courrier ne donne pas davantage d'indication dans ce sens : toutes les lettres interceptées sont des missives d'une affligeante banalité. Dans celles qu'elle expédie, la femme Mac Leod évoque les bienfaits qu'elle retire de sa cure, la douceur de l'arrière-saison, la beauté du paysage vosgien, rien de plus. Les lettres qu'elle reçoit de Paris ou de La Haye proviennent d'hommes de loi et autres avocats chargés de ses affaires. Sa femme de chambre lui a déjà écrit à deux reprises pour l'exhorter à rentrer aux Pays-Bas mais ces suppliques sont restées lettre morte.

Ainsi, les rapports de filature rédigés à Vittel s'accumulent-ils sur le bureau de Ladoux sans lui apporter la moindre preuve d'une quelconque activité subversive à laquelle se livrerait Mata Hari. Sa conduite est celle d'une femme ordinaire, une femme follement éprise certes, mais cela ne constitue pas un fait nouveau.

Que Mata Hari soit amoureuse et très heureuse tout au long de son séjour à Vittel ne fait aucun doute. Passé le premier choc de ses retrouvailles avec Vadime au bord du bassin, elle a décidé d'être confiante en l'avenir : elle veut croire qu'il guérira, qu'il retrouvera l'usage de son œil gauche. Alors ils se marieront, alors elle achètera la grande maison qui abritera leurs amours. Le problème de l'argent nécessaire à cette acquisition ne la tourmente plus. Elle n'en dit rien à son amant – et pour cause –, mais elle commence à avoir une petite idée sur les moyens de se le procurer.

Dans cette attente, elle jouit de la parenthèse de bonheur qui lui est accordée. Chaque jour, elle part au bras de son aimé pour de longues promenades en forêt, elle peut marcher des heures, elle est à ce point infatigable que, toujours, Vadime doit demander grâce. Ils prennent alors le temps d'une halte dans quelque auberge où ils se font servir un bock de vin blanc bien frais qu'ils dégustent dehors, attablés sous une tonnelle, tout en regardant le jour s'éteindre sur les montagnes bleues.

Mata Hari thésaurise des joies, engrange des souvenirs : une fleur sauvage que Vadime a cueillie pour elle, des babioles sans valeur qu'elle achète dans les boutiques, des photographies. Elle adore être photographiée au côté de son beau lieutenant. Sur l'un de ces clichés, elle porte une longue robe de dentelle et se tient doucement appuyée contre le flanc de Vadime, superbe dans son uniforme blanc. Au verso de la photo, elle a noté de sa grande écriture pointue : *Vittel 1916. Souvenir des jours les plus beaux de ma vie avec mon Vadime que j'aime au-dessus de tout.*

Mais ce séjour idyllique touche bientôt à sa fin. La convalescence du lieutenant de Massloff s'achève, il lui faut rejoindre son unité à la mi-septembre. Deux jours plus tard, Mata Hari quitte Vittel à son tour et regagne la capitale.

Dès son retour à Paris, elle se rend boulevard Saint-Germain où Ladoux lui réserve un accueil des plus frais. Pour le chef du contre-espionnage français, l'épisode de Vittel équivaut à un coup d'épée dans l'eau. Il escomptait que Mata Hari s'y dévoilerait, commettrait quelque faux pas, se trahirait d'une manière ou d'une autre. Or, rien de tel ne s'est produit. Il a engagé cette absurde filature sur l'incitation des gens de Scotland Yard et se prend maintenant à douter de leurs allégations. Et si les Anglais se fourvoyaient ? Et si lui-même faisait fausse route avec cette femme ?

Parce que rien n'est venu étayer les soupçons qui pèsent sur Mata Hari, parce qu'il ne peut la confondre sur la foi des rapports de police, Ladoux biaise une fois de plus et prétend lui reprocher son manque d'empressement à servir la France.

— Avions conclu un marché, me semble…, grogne-t-il de sa voix bourrue, à peine s'est-elle assise. Vous avez eu votre laissez-passer… nous, rien.

Cette mauvaise foi évidente n'impressionne nullement

la jeune femme. A Vittel, elle a fait provision de forces vives et se sent capable de tenir tête à tous les Ladoux du monde.

— En me l'accordant, vous connaissiez mes intentions, proteste-t-elle sans se démonter. Je n'ai jamais cherché à vous les cacher : j'allais à Vittel rejoindre l'homme que j'aime...

Elle marque une pause suffisante pour que le bonhomme comprenne que sa tentative de déstabilisation a échoué, et reprend :

— ... mais je suis maintenant à votre disposition et prête à prouver ma bonne foi. Confiez-moi une mission, vous ne le regretterez pas.

Elle se lève alors et, dans un froissement de jupes, se dirige vers la fenêtre, jette un coup d'œil au boulevard, et le dos tourné au bureau, le front appuyé à la vitre, dit d'une voix ferme et tranquille :

— J'ai besoin d'argent, capitaine. Il me faut un million pour prix de ma collaboration.

Ladoux en reste interloqué. Cette femme lui donne le tournis. Est-elle plus rouée qu'il ne l'avait supposé, ou d'une naïveté inconcevable ? Il ne sait plus quoi penser, sa pomme d'Adam coulisse le long de son cou comme un ludion affolé. Il déglutit à plusieurs reprises avant de répéter :

— Un million ?

— Oui. Je vais me marier, changer de vie. J'ai besoin d'un million pour m'installer.

— Et vous pensez l'obtenir comme ça... sur simple demande ?

— Je les demande en paiement de mes services.

— Plaisantez, sans doute..., aboie-t-il. Un million pour des services que vous n'avez pas rendus !

— Mais je suis prête à les rendre, je vous le répète. J'attends vos ordres, capitaine.

C'en est trop cette fois pour Ladoux. Il abat soudain son poing devant lui, se dresse à demi, et vocifère :

— Sais pas si vos amis allemands font des avances !... Mais chez nous on paie les services rendus, pas les pro-

messes de services !... Un million !... Incroyable !
Incroyable !

Mata Hari n'a pas obtenu son million. Elle a dû en
rabattre et se soumettre aux conditions du chef du
contre-espionnage français : les renseignements d'abord,
l'argent après satisfaction.

Début octobre, lors d'un entretien moins houleux que
le précédent, elle propose à Ladoux de reprendre
contact avec un certain Wurfbain qui lui a naguère été
présenté à Amsterdam par son amant van der Schalk. A
l'époque, l'homme lui a fait des avances auxquelles elle
n'a pas donné suite mais il serait sans doute charmé de
la voir revenir à de meilleurs sentiments... Wurfbain,
explique-t-elle, est le banquier qui gère à Bruxelles les
affaires de l'état-major allemand. C'est un noceur, il ne
tient qu'à elle de se faire convier aux parties fines qu'il
organise pour ses clients et d'entrer en relations avec ces
derniers. Une fois introduite dans la place, elle se fait
fort d'obtenir tout ce qu'elle voudra.

Ladoux, plus sourcilleux et retors que jamais, reste sur
son quant-à-soi et se contente d'opiner. Soit, si elle
estime pouvoir approcher les Allemands par l'entremise
de ce Wurfbain, qu'elle aille en Belgique, il n'y voit pas
d'inconvénient. Mais pour rallier la Belgique, Mata Hari
doit transiter par les Pays-Bas et tient à consulter « son
chef » sur le trajet à emprunter : vaut-il mieux passer par
la Suisse et l'Allemagne ou par l'Espagne ? Qu'en pense-
t-il ? Ladoux se défile encore, il prétend n'avoir pas
d'avis sur le sujet et la laisse décider du choix de son
itinéraire. L'essentiel, lui dit-il, est qu'elle regagne La
Haye et qu'elle y attende ses instructions.

Tout autre que Mata Hari trouverait dans l'attitude
réticente de Ladoux motif à s'inquiéter ou du moins à
s'interroger. Il ne lui a confié aucune mission précise, ne
lui a donné ni argent ni numéro d'ordre mais elle ne
voit là aucune anomalie : obnubilée par le désir qu'elle
a de faire ses preuves pour obtenir ce million indisso-
ciable de son rêve d'amour, elle est prête à se lancer

dans l'aventure sans autre garantie que la vague approbation du chef du contre-espionnage français.

En ce mois d'octobre 1916, Mata Hari est à nouveau à court d'argent et ne dispose même pas de la somme nécessaire pour payer son voyage. Par chance, elle est en excellents termes avec le secrétaire de la légation hollandaise, le comte de Limburg-Styrum, et le consul des Pays-Bas à Paris. Grâce à ces relations, son courrier est acheminé par la valise diplomatique et elle peut charger sa servante Anna Lintjens de faire appel à la générosité du baron van der Capellen. Début novembre, elle reçoit 5 000 francs et s'empresse de prélever sur cette somme 500 francs qu'elle envoie à son bien-aimé Vadime.

Elle a opté pour l'itinéraire espagnol. Au soir du 5 novembre, elle prend donc le train pour Madrid et embarque quelques jours plus tard sur le *Hollandia,* dans le port de Vigo.

Mais la marine britannique assure toujours la police des mers et, comme la plupart des bâtiments qui naviguent sous pavillon neutre, le *Hollandia* est arraisonné et dérouté sur Falmouth en vue du classique contrôle des passagers, du courrier et de la cargaison.

Après une fouille minutieuse pratiquée sur sa personne par une femme policier, Mata Hari est soumise à un interrogatoire en règle au cours duquel on lui demande si le nom qui figure sur son passeport est bien le sien. Comme elle s'offusque de l'absurdité d'une telle question, l'officier anglais la dévisage longuement puis lui montre la photographie en pied d'une femme coiffée d'une mantille, une dénommée Clara Benedix qui travaille pour l'Allemagne et opère en Espagne. Mata Hari examine le cliché et découvre que cette femme présente une ressemblance lointaine avec elle, d'où la méprise.

– Je n'ai rien à voir avec cette Clara Benedix ! proteste-t-elle vivement. Regardez bien, elle est plus petite et plus forte que moi !

L'officier lui demande alors si elle connaît Malaga, ville où la photo a été prise.

– Je n'y ai jamais mis les pieds ! Je vous répète que

219

je ne suis pas Clara Benedix mais Margaretha Zelle - Mac Leod !

— Eh bien, c'est ce que nous allons devoir vérifier, madame.

A l'instant où il prononce ces mots et en dépit des dénégations de la prévenue, l'officier Georges Reid Grant est persuadé que la femme assise en face de lui est bel et bien Clara Benedix, espionne allemande, originaire de Hambourg, sur laquelle les Anglais rêvent de mettre la main depuis des mois. En conséquence, Mata Hari est arrêtée et déférée à Londres, dans les locaux de Scotland Yard où elle sera mise en demeure de prouver son identité.

Tout au long d'une série de confrontations où elle tente de dénouer cet imbroglio, elle s'empêtre dans des contradictions et, avec sa maladresse habituelle, va même jusqu'à reconnaître avoir rencontré une dame Clara Benedix dans un train l'année précédente. Les enquêteurs anglais sont perplexes et elle au bord de l'hystérie. A preuve, ce S.O.S. qu'elle envoie à l'ambassadeur des Pays-Bas à Londres le jour même de son arrestation :

Excellence,

Puis-je demander avec déférence à Votre Excellence de faire au plus vite tout son possible pour me venir en aide ?

J'ai été impliquée dans une terrible affaire. Je suis Mme Mac Leod, née Zelle, divorcée. Je me rendais en Hollande via l'Espagne, munie de mon très authentique passeport. Mais la police anglaise prétend qu'il est faux et que je ne suis pas Mme Zelle. Je suis à bout de nerfs, emprisonnée depuis ce matin à Scotland Yard. Je vous en prie, venez à mon secours.

J'habite La Haye, 16, Nieuwe Uitleg, et je suis aussi connue là-bas qu'à Paris où j'ai résidé durant des années.

Je suis toute seule ici et je fais serment qu'absolument tout est en règle dans ma situation. C'est un malentendu, mais je vous en prie, aidez-moi.

Sincèrement,
Margaretha Zelle - Mac Leod

Comme la légation des Pays-Bas tarde à réagir et que les interrogatoires se poursuivent, Mata Hari est acculée à citer des noms de personnalités susceptibles de se porter garantes de son identité. Sur cette liste figurent pêle-mêle le colonel baron van der Capellen, M. Guimet, le marquis de Beaufort, le comte de Limburg-Styrum, le consul des Pays-Bas à Paris et M. Maunoury, directeur du cabinet du préfet de police.

Mais les jours passent et elle est toujours détenue. Elle adresse alors le télégramme suivant au comte de Limburg-Styrum :

Envoyez immédiatement quelqu'un de l'ambassade à Londres pour identification ou venez vous-même. Suis à Scotland Yard au désespoir.
Margaretha Zelle - Mac Leod, Mata Hari

Cet appel au secours restant à son tour sans effet, elle abat sa dernière carte et avoue aux agents de Scotland Yard qu'elle travaille pour les services secrets français. Invité à confirmer ses dires, le capitaine Ladoux se trouve très embarrassé : reconnaître qu'il a confié une mission à celle que les Anglais suspectent depuis des mois et contre laquelle ils l'ont prévenu le mettrait en délicate posture. Il choisit donc de démentir et préconise de refouler la dame Mac Leod sur l'Espagne.

Les autorités anglaises ont cependant fini par admettre que Clara Benedix et Mata Hari étaient deux personnes distinctes. Le 20 novembre, en conclusion des interrogatoires précédents, Scotland Yard libère la dame Mac Leod et l'autorise à demeurer au Savoy Hôtel dans l'attente d'un bateau en partance pour l'Espagne. Car si son identité n'est plus mise en doute, la présomption d'« activités contraires à la neutralité » continue à peser sur Mata Hari et on ne lui laisse d'autre issue que de regagner son point de départ.

Mais l'ex-danseuse ne peut se résoudre à se soumettre à la sommation des Anglais. Ni son incarcération ni les mesures vexatoires dont elle vient d'être victime n'ont entamé son espoir de réaliser le « grand coup » qui lui rapportera le million tant convoité. A peine installée à l'hôtel Savoy, alors que l'ordre d'expulsion vers l'Espagne lui a été clairement notifié, elle sollicite des autorités anglaises l'autorisation d'embarquer sur le *Nieuw Amsterdam* qui doit quitter Falmouth le 3 décembre à destination de Rotterdam. Ayant déposé cette requête au bureau des permis, elle espère sans doute que le cloisonnement des services lui permettra d'échapper à la vigilance de Scotland Yard et de « filer à l'anglaise ». Il n'en est rien, bien sûr : les instructions la visant sont connues de toutes les administrations concernées et l'information passe...

Le 28 novembre, sir Basil Thomson, chef du service des enquêtes criminelles de Scotland Yard, qui a dirigé en personne les interrogatoires de Mata Hari, lui adresse ce billet courtois mais ferme :

> *Madame,*
> *En réponse à votre lettre du 25 courant, je dois vous rappeler que, partant d'ici, vous n'êtes autorisée à aller ailleurs qu'en Espagne, d'où vous veniez. Je vous prie d'agréer, madame, l'expression de ma considération distinguée.*
> *Basil H. Thomson*

Dépitée, Mata Hari n'a alors d'autre ressource que de se conformer à la décision des autorités anglaises. Début décembre, elle prend un train pour Liverpool où elle embarque sur le *S. S. Araguaya* à destination de Vigo, Espagne.

Bien que les sympathies de son souverain, le roi Alphonse XIII, aillent à la cause des Alliés, l'Espagne demeure à l'écart du conflit et bénéficie du privilège de la neutralité tout comme les Pays-Bas, la Suisse et la Suède. Pourtant, sa situation géographique et la position stratégique qu'elle occupe en Méditerranée et sur l'océan Atlantique en font un pôle d'attraction pour les belligérants qui y développent leurs réseaux : en quelques mois, Madrid est devenue la capitale de la guerre secrète.

C'est dans cette ville qui fourmille d'espions de tous bords que débarque Mata Hari le 8 décembre 1916. Bien que Ladoux ait tenu un rôle pour le moins ambigu dans sa mésaventure anglaise, elle est plus déterminée que jamais à témoigner sa loyauté aux services secrets français et à leur administrer la preuve de ses capacités.

Ainsi qu'à l'accoutumée, elle a pris pension à l'hôtel Ritz. Au même étage qu'elle loge une jeune Lorraine, Marthe Betenfeld, épouse Richer qui, pour l'histoire, restera Marthe Richard. Cette jeune femme est un agent du contre-espionnage français, chargée de s'introduire dans les milieux allemands à Madrid. Au contraire de Mata Hari, Marthe Richard est devenue agent double sur ordre de Ladoux dont elle a toute la confiance. Elle a réussi à approcher l'attaché naval de l'ambassade d'Allemagne, Hans von Krohn, dont elle est devenue la maîtresse et auquel elle soutire des renseignements précieux pour les Alliés. Le hasard a donc réuni sous le même toit deux femmes aux ambitions similaires : servir la France en employant les armes de la séduction et de la féminité. Investies de la même mission — à cela près que leurs statuts diffèrent —, l'une d'elles se verra décorée, couverte d'honneurs et élevée au rang d'héroïne nationale, tandis que l'autre sera conduite au poteau d'exécution et fusillée.

Mais, pour l'heure, Mata Hari qui ignore la présence et jusqu'à l'existence de Marthe Richard ne songe qu'à mettre à exécution son petit plan. A peine arrivée, elle écrit au major Kalle, attaché militaire allemand en poste à Madrid, et le prie de lui accorder un rendez-vous.

Le 9 décembre en début d'après-midi, une voiture de l'hôtel Ritz la dépose devant le domicile de l'attaché militaire, 23, rue Castellana. Bien décidée à s'emparer en un moment de l'esprit et des sens de son hôte, elle a mis tous les atouts de son côté : coiffée d'un tricorne de velours noir, elle porte sur sa robe de soie très souple une redingote bleu de nuit bordée de martre. Un rang de perles fines met en valeur la peau lisse et mate de son cou...

Des proportions de salle de bal, des murs peints à fresque, de hauts plafonds où sont accrochés des lustres de cristal, la pièce où on l'a introduite tient davantage du salon d'apparat que du cabinet de travail. Là-bas, tout au fond, à l'opposé de la porte qu'elle vient de franchir, sont frileusement regroupés un bureau et quelques sièges qui occupent le quart de cet espace mieux fait pour des rondes d'infantes en crinoline que pour les complots diplomatiques. Mais l'entrée du maître des lieux coupe court à l'étonnement de la visiteuse. Il s'avance vers elle, salut militaire, claquement de talons, il dit :

— Veuillez m'excuser, j'avais quelques affaires à régler... Asseyons-nous... En quoi puis-je vous être utile ?

S'il croit qu'il va mener l'entretien tambour battant et à son rythme, il se trompe. Mata Hari déboutonne son manteau, le laisse glisser lentement de ses belles épaules, obligeant son hôte à rattraper le vêtement et, dans ce geste, à la frôler. Souriant à l'homme qui se tient là, le doux lainage parfumé sur les bras, elle fait battre ses longs cils et soupire :

— Il fait si chaud chez vous...

Le major Kalle s'excuse derechef — cette fois de la chaleur ambiante —, il abandonne le manteau sur le dossier d'un fauteuil et prend place en face de la jeune femme qui, subrepticement, pince la soie de sa robe, la remonte assez pour découvrir la bottine jolie, et plus haut encore, la cheville gracieuse, le bout de jambe bien galbée qui la prolonge. Elle n'a rien perdu de son art du dévoilement, elle s'en amuse, sa main droite joue des perles du collier tandis qu'elle entreprend de narrer au major l'incroyable méprise qui lui a valu d'être conduite et retenue dans les prisons anglaises. Le major compatit, s'étonne : il affirme ne pas connaître cette Clara Benedix mais promet de s'informer. Il interrogera à ce sujet le baron von Rollan qui dirige les services de renseignement allemands à Barcelone. Désormais, la glace est rompue, la jolie bottine se balance de plus belle au bout de la jambe gainée de soie, et parce que l'officier ne peut, si vite, s'extasier sur ses charmes, il prend prétexte de son excellent allemand pour complimenter Mata Hari :

– Vous maîtrisez parfaitement notre langue. Comment cela se fait-il ?

Sans cesser ses agaceries – balancement du pied, glissements de soie, jeu avec les perles –, elle affirme son attachement à l'Allemagne et, pour preuve, lui livre quelques broutilles glanées dans les journaux ou les salons, informations qui relèvent du secret de Polichinelle. Elle lui confie encore qu'elle a vécu trois mois à Berlin, qu'elle y a connu des officiers, et sa façon de les évoquer ne laisse aucune ambiguïté quant à la nature des relations qu'elle entretenait avec ces derniers. Dès lors, la conversation change de ton, s'infléchit vers un aimable marivaudage, dans la salle aux infantes le trouble du major grandit de minute en minute, ses yeux voyagent de la gorge de la visiteuse à ses jambes soyeuses, s'y attardent. Il a perdu cet air guindé qu'il arborait en entrant : affalé dans son fauteuil, il se laisse aller aux confidences, il se plaint des responsabilités qui l'accablent.

– Je suis un peu las de la vie que je mène ici depuis des mois, finit-il par avouer en passant une main sur son front dégarni. Je m'occupe pour l'instant de débarquer d'un sous-marin des officiers allemands et turcs avec des munitions sur la côte du Maroc, en zone française. Ça me prend tout mon temps, hélas...

Bien qu'elle n'en montre rien, cet aveu la met en joie, elle sent que l'homme est d'ores et déjà séduit, soumis. Il ne tient qu'à elle d'être le repos de ce guerrier fatigué...

Deux heures plus tard, lorsqu'elle prend congé de sa nouvelle conquête et quitte la rue Castellana, Mata Hari exulte. Ce premier contact a été si fructueux qu'elle ne doute plus de la réussite de son entreprise : déjà elle détient des informations qu'elle brûle de transmettre à Ladoux. Sitôt rentrée dans sa chambre, elle prend sa plume et rédige une longue lettre où elle lui rapporte les renseignements qu'elle vient d'extorquer au major Kalle. Elle s'imagine livrer là des nouvelles de la plus haute importance et, dans son exaltation, conclut son compte rendu par cette phrase : *Je puis faire ce que je veux de mon Allemand, j'attends vos instructions.*

Sa lettre achevée, elle la cachette et la confie à une femme de chambre chargée de la remettre aussitôt au concierge de l'hôtel pour expédition. Hélas, elle ignore que le Ritz est devenu un nid d'espions et que la quasi-totalité de son personnel – grooms, garçons d'étage, femmes de chambre – participe à la chasse aux renseignements. Agents subalternes à la solde des belligérants, ils surveillent la clientèle, laissent traîner leurs oreilles et interceptent le courrier. Le chef du contre-espionnage français n'aura donc pas la primeur de cette lettre que vient de lui écrire son imprudente recrue.

Cependant, galvanisée par ce premier succès, Mata Hari se sent le vent en poupe et parade auprès de ses amis retrouvés. Au lendemain de sa première entrevue avec le major Kalle, elle se rend à l'invitation d'un attaché de la légation hollandaise, M. G. de With, au Palace Hôtel. Avant de passer à table, son compatriote lui présente le colonel Danvignes, attaché militaire français à Madrid. Bien qu'il soit chargé d'ans, qu'il arbore la rosette de la Légion d'honneur et traîne un peu la patte, le monsieur est encore vert et se montre très empressé auprès de la belle Frisonne.

La guerre fait rage au loin, mais à Madrid dîners fastueux et réceptions se succèdent, soir après soir. Le 11 décembre, au cours d'une soirée de gala à l'hôtel Ritz, le hasard remet Mata Hari et le colonel Danvignes en présence.

– Madame, lui dit-il, je n'ai jamais rien vu d'aussi harmonieux que votre apparition, hier, au Palace Hôtel.

L'homme est habile à tourner le compliment et, quand les couples se forment pour la danse, il manœuvre en sorte d'attirer la jeune femme à l'écart. De temps à autre, un jeune officier s'approche, s'incline devant Mata Hari et l'entraîne sur la piste. Le vieux beau n'a alors d'autre ressource que de maudire en silence le malotru et d'attendre sur sa banquette le retour de la belle pour poursuivre ses assiduités. La musique et le brouhaha des conversations couvrent leurs voix, ils peuvent parler sans crainte des oreilles indiscrètes, et Mata Hari qui brûle de faire connaître ses récents exploits à son interlocuteur lui dit soudain :

— Mon colonel, je suis des vôtres...

Et comme il la considère d'un air perplexe, elle ajoute :

— Je viens de transmettre mes renseignements à Paris. Mais si je vous avais connu plus tôt, je ne me serais pas donné cette peine.

— Diable ! Et de quoi s'agissait-il ?

Elle lui fait alors un récit fidèle et circonstancié de son entretien avec l'attaché militaire allemand qu'elle achève sur un ton triomphant :

— C'était ma première visite au major Kalle. Je l'ai trouvé un peu souffrant, mais doux comme un agneau... Désormais, je crois pouvoir tout obtenir de lui, mais pour agir efficacement j'ai besoin d'instructions.

Le colonel, troublé par ces révélations autant que par la beauté de la femme qui vient de les lui assener, demeure un instant dubitatif. Il lui prend la main, la baise, et sans la lâcher suggère :

— Peut-être pourriez-vous chercher à en savoir davantage sur le lieu précis de ce débarquement au Maroc ? Cela nous serait très utile...

Le colonel Danvignes a été plus explicite que ne le fut jamais Georges Ladoux. Forte de cette mission dont elle s'estime investie et qu'elle souhaite accomplir sans délai, Mata Hari sollicite une nouvelle entrevue avec le major Kalle au prétexte qu'elle souhaite gagner l'Allemagne via la Suisse et qu'elle a besoin de son aide. Lorsqu'elle se retrouve dès le lendemain face à son hôte dans la « salle aux infantes », elle redouble de chatteries et l'enjôle tant et si bien qu'il devient entreprenant, se met à la serrer de près. Alors la rouée se dérobe, le moque gentiment :

— Pour un homme fatigué, comme vous y allez ! Je

vois que vos affaires ne vous ôtent pas le goût du badinage, major...

— Ne m'en parlez pas, répond-il. J'ai hâte que tout cela soit fini.

— Je comprends. C'est une opération d'envergure que de débarquer des hommes en territoire ennemi, d'autant que les côtes marocaines doivent être très surveillées. Où comptez-vous faire ce coup-là ?

— Vous êtes bien curieuse pour une jolie femme, remarque-t-il, soudain rembruni.

Elle s'aperçoit à temps qu'elle a poussé ses dés trop loin et failli se découvrir. Alors elle reprend son manège, l'aguiche par toutes sortes de grâces, fait mine de s'extasier sur deux ou trois jolis objets qui ornent le bureau de l'attaché militaire. Elle ne veut pas effaroucher son monsieur, mais elle se promet de revenir à la charge avec plus d'habileté quand se présentera le moment propice...

Le colonel Danvignes et le major Kalle ne sont pas des enfants de chœur et usent de Mata Hari comme d'une balle qu'ils se renvoient au cours des jours suivants. Pourtant, l'incorrigible naïve croit mener la partie et tenir les deux hommes subjugués. Le colonel énamouré lui rend visite deux fois par jour, lui dispense sans compter hommages et attentions galantes. Il l'appelle « mon enfant, mon petit », il ne peut supporter la présence d'autres hommes autour d'elle et lui en fait reproche en public. Il lui a même offert un bouquet de violettes qu'il l'a priée de porter entre ses seins. Pourquoi se défierait-elle d'un homme aussi délicieux ?

Quand huit jours plus tard il lui annonce son départ, il paraît si affecté par la séparation prochaine qu'elle en est émue.

— Je dois accompagner le général Lyautey à Paris, lui dit-il. Donnez-moi un de vos mouchoirs, je le garderai sur mon cœur en gage de souvenir.

Tout au long de cette dernière entrevue, il se conduit comme un sous-lieutenant amoureux, il lui tient les mains, les presse entre les siennes, il l'implore du regard et de la voix.

— Promettez-moi que vous m'appellerez quand vous serez à Paris. Je loge à l'hôtel d'Orsay, nous pourrions dîner ensemble... Me le promettez-vous ?

Elle promet, bien sûr, mais lui rappelle que sa mission à Madrid n'est pas achevée. Lui parti, avec qui devra-t-elle prendre langue en cas de besoin ?

— Dans l'éventualité où la chose s'avérerait nécessaire, adressez-vous à mon collègue, le marquis de Paladines. Mais si vous avez des renseignements à me communiquer, écrivez-moi aux bons soins de l'ambassade qui transmettra.

Cependant, rue Castellana, dans la « salle aux infantes » le major Kalle ne reste pas inactif. La curiosité manifestée par Mata Hari sur l'affaire du débarquement au Maroc, son insistance l'ont mis en alerte. L'homme n'est pas né de la dernière pluie et dispose à Madrid d'un réseau d'informateurs zélés qui ont tôt fait de transformer ses soupçons en certitude : la trahison de la belle questionneuse, recrutée par l'Allemagne sous le matricule H21, ne fait plus aucun doute pour lui. Le 13 décembre, il envoie à Berlin le premier d'une série de radiotélégrammes où, contrairement aux règles élémentaires de l'espionnage, il fournit à dessein des précisions qui vont permettre aux Français d'identifier et de condamner Mata Hari. Le libellé en est le suivant :

L'agent H21, de la section de centralisation des renseignements de Cologne, envoyée au mois de mars pour la seconde fois en France est arrivée ici. Elle a feint d'accepter les offres du service de renseignement français et d'accomplir deux voyages d'essai en Belgique pour le compte de ce service. Elle voulait se rendre d'Espagne en Hollande à bord du Hollandia, *se proposant d'en profiter pour renouer des intelligences avec le centre de Cologne. Prise pour une Allemande que je connais, elle a été arrêtée par erreur à Falmouth le 11 novembre. Une fois le malentendu dissipé, les Anglais qui persistent à la considérer comme suspecte l'ont renvoyée en Espagne.*

L'agent H21 a fourni des rapports très complets sur les sujets que je vous transmets par lettre ou télégramme.

Elle a reçu 5 000 francs à Paris au mois de novembre et en demande maintenant 10 000.

Prière de me donner très rapidement des instructions.

Lorsqu'il rédige ce texte, le major Kalle sait pertinemment que les Alliés possèdent la clef du code allemand depuis six mois et que les messages radio sont captés par la tour Eiffel. A l'évidence, cette dépêche où il multiplie les détails superflus aussi bien que les inexactitudes est destinée à accabler Mata Hari. Il ne s'y prendrait pas autrement s'il voulait, de façon délibérée, la dénoncer aux Français.

Pourquoi agit-il de la sorte ? Sans doute ses informateurs employés au Ritz lui ont-ils communiqué copie de la lettre adressée par l'agent H21 au capitaine Ladoux peu après son arrivée à Madrid. De la même façon, il doit avoir connaissance des relations étroites que la jeune femme a nouées avec l'attaché militaire français, le colonel Danvignes. Dès lors, ne pouvant châtier sur place l'agent félon, il décide de laisser ce soin aux Français eux-mêmes : c'est là une pratique courante dans les milieux de l'espionnage où tous les coups sont permis. Il va donc s'employer à charger Mata Hari par le truchement de messages qui pour être codés n'en sont pas moins limpides.

Entre le 13 et le 28 décembre 1916, le major Kalle expédiera à Berlin neuf radiotélégrammes du même acabit, tous interceptés et déchiffrés par les Français. Dans ces messages, il cite nommément la servante de Mata Hari, Anna Lintjens, ou qualifie de « rapports très complets » les informations dénuées de valeur ou périmées qu'a pu lui fournir l'agent H21. Il faut noter que, dans le même temps, les télégrammes en provenance de Berlin contredisent les assertions du major Kalle et constituent des éléments à décharge puisqu'ils déplorent les mauvais résultats de H21 et mentionnent que le même agent refuse de se servir d'encre sympathique.

Il va sans dire que, le moment venu, la justice militaire française fondera ses accusations sur les dépêches rédigées par le major Kalle mais négligera de produire les contre-preuves susceptibles d'innocenter Mata Hari ou, à tout le moins, d'atténuer ses responsabilités.

Tandis que se met en place le mécanisme qui va la broyer, Mata Hari continue à papillonner dans les salons du Ritz. Insouciante, plus que jamais confiante en l'avenir, elle rêve de son prochain retour à Paris et de ses retrouvailles avec Vadime de Massloff. Bientôt, au seuil de l'année nouvelle, elle volera vers son amour, elle se jettera dans les bras de son beau lieutenant et plus jamais ils ne se quitteront ! Mais il lui faut refréner son impatience car elle veut pouvoir se présenter à Ladoux en position de force et obtenir de lui paiement de ses bons et loyaux services. Elle s'impose donc encore une dizaine de jours à Madrid, le temps de grappiller auprès du major Kalle quelques informations qu'elle offrira aux Français en guise d'étrennes...

Le 21 décembre, sans qu'elle ait à le relancer, l'attaché militaire allemand la convie à venir le retrouver rue Castellana. Bien que, par sa formulation, le message tienne davantage de la sommation à comparaître que de l'invitation galante, elle s'y rend d'un cœur léger, certaine de parvenir à ses fins.

Mais le major ne semble pas disposé à perdre son temps en simagrées. A peine a-t-elle franchi le seuil de la « salle aux infantes » qu'il l'apostrophe sèchement :

– Venez ici, à la lumière. Vous parlez trop, ma chère. Les Français envoient partout des télégrammes où il est question de ce débarquement au Maroc...

Malgré la virulence de l'attaque, elle conserve tout son aplomb et réplique en souriant :

– Comment pouvez-vous savoir ce qu'ils télégraphient ?

231

— Comment, croyez-vous ? Nous avons la clef de leurs radios, bien sûr.

Jamais Mata Hari ne s'est sentie en si mauvaise posture et si près d'être démasquée. Pour dérober son visage à son interlocuteur qui l'observe, elle se penche sur son sac dont elle fait jouer le fermoir, en extirpe un fin mouchoir de dentelle qu'elle promène avec une lenteur calculée sur son cou, sa gorge...

— Il fait toujours aussi chaud chez vous, major, dit-elle d'un ton de doux reproche.

Avec une mauvaise grâce ostensible, il se lève, se dirige vers la fenêtre la plus proche, l'ouvre, et revient s'asseoir en face d'elle. Le pli qui barre son front ne laisse rien augurer de bon, mais la mâtine a eu le temps de se reprendre et trouvé de quoi riposter.

— Si vous connaissez le chiffre des Français, ils doivent connaître le vôtre, lance-t-elle. En tout cas, je n'ai rien raconté de nos conversations, je vous en donne ma parole.

Pour la première fois depuis le début de l'entretien, le visage de Kalle se détend. Il consent même à sourire lorsqu'il remarque :

— J'ignore s'il faut croire les jolies femmes, mais je sais qu'il faut leur pardonner... Prendriez-vous une tasse de thé, ou un café peut-être ?

Le chat. La souris. L'une excite la convoitise de l'autre, l'affole de son manège savant, et bientôt, après le café — car elle préfère le café à tout autre breuvage —, la souris cède et, renversée sur le canapé, s'abandonne aux caprices de l'homme.

Caresses, baisers, étreinte, la joute amoureuse a installé entre eux une sorte d'armistice et balayé pour un moment toute suspicion. Tandis qu'elle remet de l'ordre à sa toilette et se recoiffe, le major, tout guilleret, se dépense en prévenances et en bavardages. L'intermède voluptueux l'a mis en veine de confidences, semble-t-il, il s'épanche sans retenue, dévoile ses préoccupations intimes puis, passant du coq à l'âne, lui confie que certains agents allemands s'infiltrent en France munis d'encres secrètes qu'ils dissimulent sous leurs ongles ou dans leurs oreilles.

Mata Hari affecte la stupeur et proteste :

— Voyons, c'est impossible ! Vous vous moquez de moi ! C'est une farce, n'est-ce pas ?

— Pas du tout, ma chère, pas du tout. La guerre secrète use de moyens étonnants, je vous assure.

Pour ne pas être en reste et parce qu'elle espère lui soutirer de l'argent — il lui faut 3 000 francs pour couvrir ses frais de voyage —, elle évoque la domination anglaise sur les décisions des Alliés, l'offensive générale prévue pour le printemps par l'Angleterre et la France, ou encore un projet de débarquement à l'embouchure de l'Escaut.

Il l'écoute, attentif, amusé. Le chassé-croisé de renseignements se poursuit sur le mode de l'échange mondain, presque badin. Il lui parle encore d'un aviateur français qui déposerait des espions à l'arrière des lignes allemandes et les ramènerait une fois leur mission accomplie. Jamais, au cours de leurs précédents tête-à-tête, il ne s'est montré si prolixe, elle ne comprend rien à un tel revirement. Lorsqu'elle est entrée ici, il y a un peu plus d'une heure, il était prêt à l'accuser de trahison, et le voilà qui lui livre des informations d'importance sans qu'elle ait à les solliciter, sans aucun encouragement de sa part. Mais elle n'est pas femme à s'appesantir sur la versatilité du major Kalle ou autres bizarreries de son caractère. En son for intérieur, elle jubile et continue de s'exhorter à la patience, au sourire, à la grâce. Car il reste à aborder la question de l'argent : peu lui importe qu'il le lui donne par gratitude d'amant ou pour « services rendus » à l'Allemagne, l'essentiel est qu'elle obtienne une somme suffisante pour payer son hôtel et assurer son retour en France.

Lorsqu'elle prend congé de son hôte une heure plus tard, elle emporte 3 500 pesetas serrées dans son réticule. Le major Kalle lui a en outre promis d'intercéder en sorte que lui soient versés 5 000 francs au Comptoir d'escompte à Paris.

Ce soir-là, dès son retour au Ritz, Mata Hari s'attelle à la rédaction de son rapport au colonel Danvignes. Elle est si fière de sa besogne, si impatiente d'en rendre compte qu'elle en oublie même d'aller dîner et, de sa grande écriture nerveuse, elle couvre d'un trait une douzaine de pages où elle raconte par le menu sa dernière entrevue avec l'attaché militaire allemand.

Le lendemain matin à la première heure, elle remet sa longue missive à un attaché de l'ambassade de France avec prière de la transmettre au colonel Danvignes.

Dès lors, considérant qu'elle a accompli son devoir et que rien ne la retient plus dans la capitale espagnole, elle sollicite auprès du consulat de France le visa d'entrée qui lui permettra de passer la frontière. Ce document lui est délivré le 30 décembre sans la moindre difficulté. Pourtant, ce même jour, Mata Hari reçoit de son vieil ami le sénateur Junoy qui réside à Barcelone un message où il tente de la prévenir du danger et l'engage à surseoir à son départ. Le sénateur se dit très troublé par la récente visite d'un agent des services secrets français qui s'est montré fort curieux de ses relations avec elle. Il tient à l'informer de cette démarche qu'il juge inquiétante et lui suggère de venir s'installer à Barcelone chez une demoiselle Carola où elle pourra demeurer aussi longtemps que nécessaire.

Cette mise en garde qui pourrait la sauver va, hélas, rester lettre morte. Dévorée du désir de retrouver Vadime de Massloff, persuadée qu'elle s'est acquittée de sa mission et qu'elle n'a rien à craindre des Français, Mata Hari ne tient aucun compte de l'avertissement de son ami Junoy. Le 2 janvier 1917, lorsqu'elle prend le train pour la France, elle est à mille lieues d'imaginer qu'elle se précipite dans la gueule du loup...

L'arrestation

Mata Hari débarque le 4 janvier 1917 dans un Paris transi, soumis aux restrictions et au rationnement. Sitôt installée au Plaza Athénée, avenue Montaigne, elle appelle l'état-major du Deuxième Bureau au ministère de la Guerre et précise qu'il lui faut s'entretenir de toute urgence avec le capitaine Ladoux. Celui-ci, lui dit-on, est absent. Elle demande alors à être mise en communication avec le colonel Danvignes. A nouveau, elle se heurte à une fin de non-recevoir : son correspondant l'informe que le colonel est au palais d'Orsay et doit quitter Paris le soir même. Mata Hari piaffe d'impatience mais n'en continue pas moins à se leurrer : pas un instant elle n'envisage que Ladoux et Danvignes puissent se défiler et chercher à l'éviter. Pour elle, il s'agit seulement d'un contretemps malencontreux, tôt ou tard elle parviendra à les joindre, elle les obligera à admettre qu'elle n'a pas démérité et recueillera les lauriers qui lui reviennent...

A diverses reprises au cours de la journée, elle renouvelle sa tentative sans plus de succès. Elle se met alors en tête de voir le colonel Danvignes coûte que coûte, avant son départ, et, la nuit venue, se fait conduire à la gare d'Orsay où elle joue de malchance car un contrôleur l'intercepte et lui interdit l'accès aux quais. Mais il en faut davantage pour décourager l'obstinée Frisonne

235

qui griffonne sur place un billet et le confie, assorti d'un beau pourboire, à un employé des wagons-lits. L'homme est chargé de porter son message au colonel, lequel devra se mettre à la portière de son compartiment lorsque le train s'arrêtera comme prévu en gare d'Austerlitz. Forte de l'ascendant qu'elle exerce sur Danvignes, elle ne doute pas de l'efficacité de son petit stratagème et se jette aussitôt dans un taxi qui la dépose quelques instants plus tard devant la gare d'Austerlitz. Là, munie d'un ticket de banlieue, elle parvient sans difficulté à atteindre le quai : le train est bien là, à l'arrêt, mais le colonel ne daigne pas se montrer. Exaspérée, incapable de renoncer alors qu'elle est si près du but, Mata Hari qui n'est jamais à court d'inventions interpelle un contrôleur et lui sert une fable destinée à l'attendrir :

— Soyez gentil, signalez ma présence au colonel Danvignes. Dites-lui que sa cousine de Madrid veut lui parler, je vous en prie, faites vite...

Quand l'attaché militaire apparaît enfin à la porte de sa voiture, il lui marque une froideur telle qu'elle ne reconnaît plus en lui le vieil amoureux qui lui tenait les mains et lui offrait des violettes quinze jours plus tôt. Que s'est-il passé qui puisse justifier pareil changement ? Devant cet homme gêné, distant, qui évite de la regarder et se cantonne dans une réserve incompréhensible, elle perd pied, s'affole et, dans son affolement, le presse de questions :

— Que dois-je faire, colonel ? Avez-vous parlé de moi au capitaine Ladoux et à son supérieur ? Que pensent-ils de moi ?

— Ils vous tiennent pour une femme intelligente, capable de mener à bien certaines opérations, répond-il d'un air évasif.

— Ah ?... Ils disent cela ? Mais comment dois-je faire ?

— Mettez-vous à leur disposition, mon petit.

Un coup de sifflet strident, les portières se ferment, le convoi s'ébranle avec une secousse, il y a encore le choc sourd des tampons, la voix atone de Danvignes qui répète : « Mon petit, mon petit », qui recule sur la plate-forme intérieure, c'est fini, le train s'éloigne dans la nuit d'hiver...

Au fur et à mesure de leur émission, les radiotélégrammes expédiés par le major Kalle ont été interceptés et transmis au Deuxième Bureau. Les Français détiennent désormais des preuves tangibles – bien que spécieuses – de l'appartenance de Mata Hari aux services secrets allemands. Tout comme Ladoux, le colonel Danvignes en a pris connaissance au cours de son séjour à Paris, d'où son attitude contrainte et ses réticences face à la jeune femme lors de leur bref aparté en gare d'Austerlitz.

Mais la « danseuse sacrée » convertie en espionne d'opérette ignore quant à elle les manigances de Kalle, et par conséquent l'existence des messages qui vont la perdre. Le comportement de Danvignes en gare d'Austerlitz reste pour elle une énigme. Le départ de l'officier l'a laissée désemparée, en proie à une inquiétude diffuse dont elle serait bien incapable de préciser la cause. Dans ce moment où l'étau se resserre autour d'elle, la clairvoyance qui lui permettrait de se livrer à une analyse de la situation susceptible d'assurer son salut lui fait défaut. Inapte à ce genre d'exercice, elle se laisse aller à son naturel qui ne l'a jamais portée à envisager les choses avec lucidité et ne pressent rien de la menace qui plane sur elle.

Dans les jours qui suivent la « fuite » du colonel Danvignes, elle fait le siège du 282 boulevard Saint-Germain et réclame en vain une entrevue avec le capitaine Ladoux. Il lui faudra revenir à la charge à plusieurs reprises pour que, de guerre lasse, il consente à la recevoir.

D'entrée de jeu, il oppose à l'entrain et à la vivacité de la jeune femme son air de dogue dressé à mordre. Elle, fière de ses récents exploits, l'attaque de front : elle évoque ses rencontres madrilènes, le titille, et va jusqu'à lui reprocher d'avoir envoyé chez son ami le sénateur espagnol Junoy un agent chargé de recueillir des renseignements sur son compte. Ladoux feint l'étonnement, prétend qu'il est étranger à cette démarche et lui affirme que si l'agent en question a agi de son propre chef, il sera envoyé au front.

Mais Mata Hari est lasse des dérobades et des faux-fuyants, elle entend bien ne plus se contenter de protestations et de vagues promesses. Ainsi qu'elle a toujours fait, elle « prend le taureau par les cornes » et ne mâche pas ses mots :

— Franchement, capitaine, je me moque que cet agent soit puni ou non. Par contre, je ne vois pas l'intérêt que vous avez à gêner mon travail, je trouve vos procédés insupportables. Est-ce là votre manière de me remercier pour les révélations que je vous ai faites ?

— De quelles révélations parlez-vous ?

— De celles que j'ai pris la peine de vous transmettre par écrit il y a tout juste un mois sur le rôle du baron von Rollan à Barcelone et sur le débarquement au Maroc. Sans compter les renseignements que j'ai fournis au colonel Danvignes à propos des clefs des radios, de l'aviateur et des encres secrètes allemandes.

— Première nouvelle..., grogne Ladoux. Je ne suis pas au courant.

— Comment ? Le colonel ne vous a rien dit ?

— Nous nous sommes à peine vus... il aura oublié de m'en parler. Ainsi, ils prétendent avoir la clef de nos radios ? Tout ça sent le coup de bluff, j'ai idée que ce major Kalle vous a fait marcher...

— Peut-être bien. Mais vous devriez vérifier, capitaine...

— Évidemment, évidemment, nous vérifierons. Nous allons demander un rapport à Madrid.

— Et moi, que vais-je faire en attendant ? Je n'ai plus d'argent, je ne peux pas m'éterniser à Paris, je dois rentrer chez moi...

— Patientez encore un peu. Je vous demande une huitaine de jours, le temps de procéder à ces vérifications.

Janvier 1917. L'espérance des peuples auxquels l'interminable conflit inflige depuis trois ans souffrances et privations vient d'être à nouveau déçue. Chacun attendait que Noël apporte la paix, mais les gouvernements des deux blocs qui prétendent à la victoire et rejettent toute idée de négociation n'ont pas accordé ce cadeau, et la guerre se poursuit, toujours aussi meurtrière, toujours aussi absurde. En France, le moral est au plus bas et la lassitude gagne une population mal informée ou désinformée qui colporte des rumeurs à propos de tueries effroyables sur le front mais ignore le chiffre réel des pertes. Pour conjurer ces peurs, stimuler les défaitistes et masquer les échecs militaires, les dirigeants affichent un optimisme soutenu par une propagande éhontée et livrent en pâture à l'opinion des affaires de trahison. Le bouc émissaire qui canalisera les angoisses et les incertitudes, celui sur lequel pourra se détourner, se concentrer la haine de l'ennemi, devient un atout précieux et très recherché. Parce qu'elle constitue un élément de diversion qui sert les intérêts des politiques, la traque aux espions s'intensifie.

Janvier 1917. Ladoux tient l'agent H21, alias Mata Hari. Il possède des preuves suffisantes pour procéder à son arrestation et cependant il n'en fait rien : il préfère l'entretenir dans l'illusion et continue à jouer de sa crédulité.

Janvier 1917. Mata Hari vit suspendue à une décision, un ordre quelconque du chef du contre-espionnage français qui tarde à se manifester. Dans cette attente, elle écrit lettre sur lettre à Vadime de Massloff, lequel ne semble pas très pressé de venir la retrouver. Un rapport de filature en date du 8 janvier signale que *la dame Mac Leod a été surprise en proie à un profond chagrin au cours du dîner. On attribue le motif de ces pleurs à l'absence de nouvelles de son fiancé, le lieutenant de Massloff.*

Dix jours plus tôt, en franchissant la frontière française, Mata Hari se croyait tout près du but, sur le point d'étreindre son rêve, et voilà qu'elle bute contre une réalité décevante et cruelle. Danvignes lui a retiré son soutien sans la moindre explication, Ladoux persiste à refuser de jouer franc-jeu, et Vadime la néglige. Un sort hostile semble s'acharner contre elle et son malaise se précise d'autant qu'à nouveau elle se sait surveillée : on la suit, on lit son courrier, on cherche à surprendre ses conversations.

Contrainte à l'expectative, ulcérée par le tour fâcheux que prennent les événements, elle cherche alors refuge et réconfort au consulat des Pays-Bas où elle s'entretient longuement avec le consul Bunge et l'attaché de la légation, le comte de Limburg-Styrum. Ainsi qu'elle l'a fait trois mois plus tôt, elle télégraphie par leur entremise à sa servante Anna Lintjens pour lui demander de lui envoyer de l'argent.

Le 14 janvier, elle reçoit enfin des nouvelles du lieutenant de Massloff. En termes alambiqués et quelque peu ambigus, il lui annonce qu'ils se verront très bientôt, lors de sa prochaine permission, et l'informe qu'il vient d'être admonesté par ses supérieurs au motif qu'il entretient des relations intimes avec « une dangereuse aventurière ». Indignée qu'on puisse la qualifier de la sorte, Mata Hari entre aussitôt en fureur, elle voue aux gémonies les vieux barbons de l'armée russe et tous les gradés de la terre. Dans sa rage, elle s'en prend au caraco de soie qu'elle s'apprêtait à revêtir et s'applique à le mettre en pièces. De quoi se mêlent-ils, ceux-là ? Comment osent-ils la calomnier, user contre elle de propos diffamatoires ? Elle piétine, lacère, déchire, se venge sur l'étoffe inerte de la malveillance du monde à son égard et finit par s'abattre sur son lit, le corps secoué de sanglots.

Mais cet accès de colère a été salutaire, il l'a délivrée de l'angoisse accumulée en elle depuis des jours. Revenue au calme, elle décide de traiter par le dédain l'armée russe tout entière, à l'exception, bien sûr, de son beau lieutenant. D'ailleurs, elle va prendre un bain, se pomponner, s'attifer joliment, elle ne connaît rien de tel pour se consoler des offenses de la vie. Ensuite, c'est dit, elle sortira et s'offrira une toilette épatante, digne de ses retrouvailles avec Vadime.

Elle a acheté sa robe et elle attend Massloff. Elle attend aussi, elle attend toujours un signe de Ladoux. Le 15 janvier, exaspérée par ce silence qui s'éternise, elle lui écrit :

Que voulez-vous de moi à la fin ? Je suis disposée à faire tout ce que vous désirerez. Je ne vous demande pas vos secrets, je ne veux pas connaître vos agents. Je suis une femme internationale, ne discutez pas mes moyens, ne gâtez pas mon travail. Je désire être payée, c'est bien légitime car je veux partir, je dois rentrer chez moi où l'on m'attend...

Elle a jeté ces phrases sur le papier d'un seul jet, sous le coup de l'impulsion, mais à la relecture sa formulation lui paraît quelque peu abrupte. Elle songe alors à son vieil ami Me Clunet, avocat compétent et d'une grande probité, qui lui a toujours témoigné beaucoup de sollicitude. Pourquoi ne pas aller le consulter et lui soumettre cette lettre avant de l'expédier ?

Lorsqu'elle se présente en fin de matinée au cabinet de l'avocat, celui-ci la reçoit toutes affaires cessantes et l'écoute patiemment égrener ses griefs contre son « employeur » du Deuxième Bureau.

— Je n'ai jamais obtenu la moindre assurance du capitaine Ladoux, lui dit-elle. Il m'a invitée à travailler pour la France sans m'enrôler officiellement, sans m'accorder protection ou argent. Maintenant, je voudrais rentrer chez moi mais il me fait lanterner depuis bientôt deux semaines. J'en ai assez, comprenez-vous, je suis à bout, j'ai besoin de cet argent qu'il me doit. Alors, je lui ai écrit, tenez, lisez...

Au bout de sa lecture, Me Clunet restitue la lettre à son auteur en hochant sa belle tête blanche. Comme elle le sent dubitatif, hésitant, la jeune femme l'encourage à parler :

— Qu'en pensez-vous, maître ? Vous savez que votre avis m'est précieux...

— A dire vrai, je m'interroge sur l'opportunité d'envoyer cette lettre. Vous vous adressez au chef du contre-espionnage français, ne l'oubliez pas. Cette façon

241

un peu brutale que vous avez de le mettre en demeure risque de l'indisposer à votre égard.

— Mais je ne fais que lui rappeler ses engagements…

— Certes, certes, vous réclamez votre dû, il n'y a rien à redire à cela. Mais il faudrait y mettre des formes. Employer le terme « payée » ne me semble pas très pertinent..

— Et pourquoi donc ? Dans les rapports d'affaires, il n'y a pas de honte à parler d'argent…

— Ma chère, vous me demandez un conseil, je vous le donne. Mais je vous connais, vous n'en ferez qu'à votre tête.

Et, comme de juste, elle n'en fait qu'à sa tête : sitôt sortie de chez l'avocat, elle jette sa lettre à la poste, telle quelle, sans un repentir.

Le 16 janvier, le consul Bunge remet à Mata Hari un chèque de 5 000 francs en provenance de Hollande, à encaisser au Comptoir d'escompte de Paris. La voilà soudain renflouée, Vadime arrive le soir même, la vie est belle !

Pendant trois jours, les amants demeurent invisibles, en marge du monde. Ils ne quittent pas la chambre du Plaza Athénée et n'ouvrent leur porte qu'aux garçons d'étage qui leur apportent de quoi se sustenter. Mata Hari commande champagne, caviar, langoustes, elle tient à gâter Vadime, elle veut que ces retrouvailles soient une fête des sens, une fête inoubliable. Tout adonnée aux joies de l'amour et de la volupté, l'incorrigible cigale ne regarde guère à la dépense : au diable l'avarice, les heures vécues avec son lieutenant n'ont pas de prix….

Mais le temps humain est toujours compté et les heures, qu'elles soient sans valeur ou hors de prix, s'écoulent de même : quand la permission de Massloff s'achève, il faut sortir de la chambre d'amour et se résigner à une nouvelle séparation.

Dans les instants qui précèdent son départ, le lieutenant russe avoue à sa maîtresse qu'il traverse une passe difficile : il doit, dans les huit jours, honorer une dette de jeu et ne dispose pas de la somme nécessaire. Mata Hari est généreuse, elle est amoureuse et n'hésite pas à se dépouiller pour tirer l'imprudent de ce mauvais cas : aussitôt elle prélève trois billets de 1 000 francs sur les 5 000 francs qu'elle vient de retirer au Comptoir d'escompte et les lui remet. Massloff se confond en remerciements, lui promet de la rembourser dès que possible et la serre une dernière fois dans ses bras.

Elle ne reverra ni son argent ni le lieutenant de Massloff.

Cet « emprunt » ayant fortement entamé son pécule, Mata Hari se trouve contrainte à réduire son train : une semaine plus tard, elle quitte le Plaza Athénée et s'installe dans un hôtel rue de Castiglione.

Toujours sans nouvelles de Ladoux, elle tente une démarche auprès de la préfecture de police où elle demande un visa de sortie vers la Suisse. M. Maunoury, qui reçoit sa requête, l'informe qu'il ne peut la satisfaire en l'absence du capitaine Ladoux, lequel se trouverait dans le Midi. Elle devra attendre son retour.

Attendre, toujours attendre. Mata Hari se ronge les sangs car, si bornée et dénuée de bon sens qu'elle soit, elle se rend compte plus ou moins confusément que son rêve de fortune et d'amour est bien compromis.

Tandis que Mata Hari prend peu à peu conscience de la précarité de sa situation — sans imaginer toutefois ce qui se trame contre elle —, le lieutenant de Massloff se voit notifier par ses supérieurs l'ordre de mettre un terme à ses relations avec la dame Zelle - Mac Leod sous peine de sanctions disciplinaires. Dans les lettres de plus en plus brèves, de plus en plus embarrassées qu'il continue toutefois à adresser à sa maîtresse, le jeune officier n'ose l'informer de son intention de rompre. Il biaise, il compose avec la vérité, la maquille, mais Mata Hari est orfèvre en cette matière, elle est « la vieille guenon à laquelle on n'apprend pas à faire la grimace » et sait lire entre les lignes : elle comprend que la rupture est imminente et que jamais Vadime ne l'épousera. C'est la fin de la belle illusion, il lui faut faire le deuil de son amour. Cependant, elle n'éprouve ni rancune ni amertume à l'égard du jeune homme et reste préoccupée de son sort.

Début février, alors qu'elle-même quitte la rue de Castiglione pour se transporter à l'Élysée Palace-Hôtel, elle apprend que Vadime de Massloff est à nouveau hospitalisé, cette fois à Épernay. Folle d'inquiétude, elle n'a de cesse d'obtenir de ses nouvelles. Pour ce faire, elle va remuer ciel et terre et harcèlera les autorités russes de Paris jusqu'au jour, jusqu'à l'heure de son arrestation.

Le 10 février, Georges Ladoux se décide à passer à l'action et demande un ordre d'informer concernant la dame Zelle - Mac Leod. Signée par le général Lyautey, alors ministre de la Guerre, cette demande est aussitôt entérinée et, deux jours plus tard, le capitaine Pierre Bouchardon, juge d'instruction auprès du 3e conseil de guerre, délivre contre Mata Hari un mandat d'amener pour « espionnage, complicité et intelligence avec l'ennemi dans le but de favoriser ses entreprises ».

Le dimanche 13 février 1917, le commissaire de police Priolet se présente à l'Élysée Palace-Hôtel accompagné de son secrétaire et de deux inspecteurs aux fins de procéder à l'arrestation de la prévenue. La matinée est à peine entamée et, quand ils font irruption dans sa chambre, les policiers trouvent la jeune femme assise sur son lit, occupée à prendre son petit déjeuner. Ahurie, incapable de proférer un mot, elle considère d'un air effaré les quatre hommes qui viennent de surgir et se tiennent là, à deux mètres d'elle, impeccables dans leur uniforme. Le commissaire lui lit alors son ordre d'arrestation qu'elle écoute, la tête penchée en avant, ses longs cheveux défaits lui couvrant la moitié du visage. Priolet ponctue sa lecture de toussotements et de raclements de gorge, ses acolytes l'entourent, raides et silencieux, les épaules de Mata Hari fléchissent, son dos se voûte de seconde en seconde. Lorsque Priolet en a fini, la femme assise sur le lit est la figure même de l'accablement. Pourtant, elle n'émet aucune protestation : elle se redresse avec lenteur, repousse le plateau, se lève et prie les policiers de lui accorder quelques instants. Tandis qu'elle passe dans la salle de bains pour se livrer à ses dernières ablutions de femme libre, Priolet et ses hommes se livrent à une perquisition en règle de la chambre et mettent sous scellés tous les papiers, livres, objets personnels et argent de la prévenue. La somme saisie – reliquat des 5 000 francs encaissés au Comptoir d'escompte un mois plus tôt – s'élève à 600 francs. Il y a aussi 100 florins et un billet de banque russe : c'est là toute la fortune de Mata Hari au jour de son arrestation.

Une demi-heure plus tard, flanquée des quatre policiers, l'ex-danseuse sacrée franchit le porche de l'Élysée Palace-Hôtel pour être conduite devant son juge, le capitaine Bouchardon.

La prison, l'instruction

Pierre Bouchardon n'appartient pas à cette catégorie d'officiers frustes et bornés dont l'intérêt se limite aux exploits militaires et à l'obtention de galons. L'homme a des horizons plus vastes et une ouverture d'esprit qu'il doit à l'éducation bourgeoise qu'il a reçue dans sa Creuse natale. Né d'un père avocat, le jeune Pierre a grandi dans un milieu cultivé, attentif à toutes les expressions de l'art. Très tôt, il a montré des dispositions pour la peinture, la musique, et son enfance a été enchantée par les ouvrages de la bibliothèque familiale qu'il dévorait goulûment. Sa fréquentation assidue des livres a fait de lui un fin lettré, un amoureux de Balzac – son texte de référence reste *La Comédie humaine* –, un homme qui déclare avoir « pour la langue française les égards qu'elle mérite ».

En âge de choisir une carrière, il s'est orienté vers la magistrature et s'est retrouvé substitut à Rouen. Plus tard, devenu chef du bureau des affaires criminelles à la Chancellerie (ministère de la Justice), il continue à sacrifier aux mondanités et, malgré le sérieux de ses fonctions, ne renonce pas aux mystifications car il est d'un tempérament farceur, toujours prêt à la blague.

Lorsque la guerre éclate, Pierre Bouchardon est versé dans l'infanterie territoriale avec le grade de capitaine et

246

se trouve de ce fait confronté à un problème épineux : la seule vue d'un cheval l'épouvante, jamais il ne pourra monter sur cet animal pour commander à ses troupes. Après concertation des instances supérieures sur son cas, cette singulière incapacité va valoir à l'officier « hippophobe » d'être affecté au 3ᵉ conseil de guerre où il assurera les fonctions de capitaine rapporteur.

Au début des hostilités, Pierre Bouchardon n'instruit guère que des affaires à caractère militaire telles que désertion, insoumission, outrage à supérieur, refus d'obéissance ou abandon de poste. Mais la prolongation du conflit — la guerre dure depuis trois ans — a modifié la nature des affaires soumises aux conseils de guerre et augmenté leur complexité : le juge instructeur traite maintenant de questions qui intéressent la défense nationale et relèvent du secret d'État. C'est à ce titre et dans cette perspective que le capitaine Bouchardon se retrouve face à Mata Hari en cette fin de matinée du 13 février 1917. Situés dans une aile plus ou moins désaffectée du Palais de Justice, les locaux où il officie se composent de deux cabinets exigus, d'une pièce plus vaste aménagée à l'usage de greffe, de trois caves et d'une salle qui sert de seconde cour d'assises lorsque le nombre des affaires criminelles oblige à dédoubler les sessions. Avec ses murs lézardés, ses boiseries brunâtres que le temps a dégradées, cette dernière pièce évoque selon Bouchardon la salle du chapitre d'un vieux couvent et prend dans la pénombre un aspect des plus sinistres.

Le décor immédiat du juge instructeur n'est guère plus attrayant. Il le décrit — et s'en plaint — en ces termes : *Je me revois encore dans mon cabinet si étroit que deux chaises, un petit bureau et une armoire vitrée avaient peine à s'y loger. Pas d'autre horizon que l'une des cours du dépôt et un morceau de ciel par-dessus les toits...*

Lors de cette première confrontation dans ce cabinet qu'il qualifie de « cellule de moine », le capitaine Bouchardon invite la prévenue à décliner son identité. Nom, prénom, date et lieu de naissance, Mata Hari donne d'une voix ferme ces indications que le greffier, le sergent Baudouin, enregistre à mesure.

Puis, lorsque, conformément à l'usage, la délivrance de son mandat de dépôt lui est notifiée, elle le prend de haut pour masquer son ignorance :

— Vraiment, capitaine, je trouve qu'on me traite trop mal ! On me sort du lit un dimanche matin, on m'amène ici et maintenant on me tient un langage de Jugement dernier, que je ne comprends rien de rien ! Qu'est-ce que c'est que ce mandat de dépôt ?

Dans l'indignation, Mata Hari perd quelque peu sa maîtrise du français et bouscule ses phrases au grand amusement de Bouchardon. Néanmoins, il reste courtois et lui explique :

— Cela signifie que, lorsque vous sortirez d'ici, vous serez conduite à Saint-Lazare pour y être incarcérée.

— A Saint-Lazare ! Mais je n'ai rien fait, proteste-t-elle, cette accusation de trahison est absurde, loyale j'ai toujours été envers la France et aussi prête à la servir. Je suis innocente, monsieur le Juge, je vous le jure !

— Calmez-vous, madame, la procédure doit suivre son cours, je n'y peux rien, je suis seulement chargé de vous interroger. Si vous êtes innocente comme vous le prétendez, vous n'avez rien à craindre, l'instruction que nous allons mener établira la vérité.

Un chien jaune vient de se glisser dans l'entrebâillement de la porte, un affreux bâtard qui s'approche de la jeune femme, et entreprend de renifler le bas de ses jupes. Elle a un mouvement de recul et s'écrie :

— Oh ! chassez cette bête, je vous en prie. J'ai peur des chiens...

— Suffit, Planton ! Au pied ! ordonne Bouchardon qui, lorsque le roquet a obtempéré, prend un malin plaisir à justifier sa présence.

— Excusez-le, il est très mal éduqué. Il a été recueilli dans la rue par un de nos agents cyclistes qui l'a baptisé Planton. Depuis, il est notre mascotte et fait ici office de gardien. C'est un excellent gardien, notez, il est sournois, hargneux, il lui arrive même de planter ses crocs dans une culotte quand la tête du propriétaire ne lui revient pas.

Bouchardon jubile, il ne lui déplaît pas de découvrir chez la dame Mac Leod une phobie comparable à la sienne : elle a peur des chiens, il a peur des chevaux, très bien, ils vont s'entendre à merveille. Bouchardon est habile et déteste les scènes déplaisantes, il vient d'utiliser Planton pour désamorcer les velléités de révolte de l'inculpée : pendant quelques instants, l'effroi causé par l'animal a fait passer au second plan celui que lui inspire la perspective de la prison.

Mais c'est assez pour aujourd'hui, il est temps de la faire emmener. Bouchardon se lève, va se pencher sur l'épaule de son greffier, lui murmure quelques mots et revient vers Mata Hari.

— Madame, je vous convoquerai d'ici peu. Si vous voulez bien... on va vous conduire à Saint-Lazare.

Elle n'a opposé aucune résistance, elle est sortie, très digne, très crâne, du cabinet du juge. Quand le sergent revient après l'avoir remise aux mains des agents chargés de l'emmener à Saint-Lazare, Bouchardon lui demande :

— Alors, Baudouin, que pensez-vous de notre espionne ?

— Une belle pouliche, mon capitaine, y a pas à dire !

Et il s'esclaffe, ravi de sa trouvaille.

— Très bon, Baudouin, très bon. Croyez bien que j'apprécie votre humour.

Mais l'expression de son visage contredit ses propos : il est furieux. Toute allusion à l'animal que l'on s'accorde à considérer comme la plus noble conquête de l'homme a pour effet d'altérer l'humeur du capitaine Bouchardon. Il n'aime pas à être chambré sur ce sujet.

— Vous pouvez disposer, Baudouin, reprend-il d'un ton sec, je m'occuperai de la fermeture. Mais assurez-vous avant de partir que Planton a de l'eau en suffisance.

— A vos ordres, mon capitaine !

Et son greffier envolé, le juge instructeur se retrouve

seul dans son étroite « cellule de moine », en ce dimanche d'hiver morose et froid. Deux heures de l'après-midi : les coudes plantés sur sa table, il se masse les tempes, il cherche comment tuer les heures jusqu'au soir, ce soir où il ira peut-être – il n'est pas encore décidé – à cette réception chez l'ami Bériot. Écrire ? Mettre au clair ses impressions sur la dame Mac Leod qui sort d'ici ? Car le capitaine Bouchardon a un beau brin de plume et il le sait. Il aime à consigner les événements remarquables de sa vie professionnelle et privée dans un journal qui ne le quitte pas, un épais cahier relié en maroquin lie-de-vin.

Il sort son cahier d'un tiroir, l'ouvre devant lui, parcourt les dernières phrases qu'il a rédigées la veille ou l'avant-veille. Cette lecture est une « mise en condition » et aussi une manière d'onanisme : certains individus se délectent du son de leur propre voix, le capitaine Bouchardon, lui, éprouve un plaisir solitaire et voluptueux à se relire...

Puis il prend sa plume et écrit :

Première comparution de Margaretha Zelle - Mac Leod, dite Mata Hari.

Ce matin du 13 février 1917 m'a été amenée la dame Mac Leod, prévenue d'espionnage et d'intelligence avec l'ennemi. C'est une grande femme lippue, à la peau cuivrée, des perles fausses aux oreilles, le type un peu d'une sauvagesse. A-t-elle été aussi belle que le mythe dont elle arrive parée veut nous le faire accroire ? Sans aucun doute si l'on se réfère à un portrait de jeunesse qui orne son plus récent passeport. Mais la femme que j'ai vue ce matin a subi du temps bien des affronts : des yeux gros comme des œufs, globuleux, des cheveux qui grisonnent aux tempes, là où la teinture ne les défend plus, elle ne ressemble guère, sous le jour grisâtre qui monte de la cour du dépôt, à la ballerine ensorceleuse qui envoûtait tous les hommes. Pourtant, elle a su garder de l'harmonie dans les lignes, de la sveltesse et un déhanchement non dépourvu de grâce. Un peu les ondulations d'une tigresse dans la jungle.

Elle s'exprime en un français pittoresque mais plein de

250

saveur. Si, parfois, la correction grammaticale laisse à dési-
rer, la phrase reste harmonieuse et le mot répond toujours à
l'idée. Elle a de l'ironie et quel à-propos dans la réplique !

Bien sûr, elle a protesté de la pureté de ses actes et de ses
intentions vis-à-vis de la France. Elle, au service de l'Alle-
magne ! Allons donc ! Tout au long de cette première confron-
tation, elle s'est comportée comme une personne d'importance
qu'on aurait abusivement et inutilement dérangée.

L'idée de se retrouver enfermée à Saint-Lazare l'a mise
hors d'elle, un instant j'ai cru que la tigresse allait me sauter
à la gorge. Mais l'entrée de Planton a créé une heureuse
diversion et la prévenue s'est laissé emmener sans plus de
difficulté.

J'ai néanmoins le sentiment que cette dame Mac Leod va
me donner du fil à retordre.

Bien. Très bien : Dix-sept heures, la nuit précoce
d'hiver est venue. Outre qu'il aide à passer le temps,
l'exercice qui consiste à ordonner ses réflexions pour les
confier au papier a de multiples vertus : il entraîne
l'esprit à une gymnastique salutaire, oblige son homme
à fixer le cours toujours fuyant de la pensée, à l'endiguer
dans une forme qui allie concision et élégance. Il faut
avoir pour la langue française les égards qu'elle mérite,
telle est la règle d'or du capitaine Bouchardon, celle qu'il
n'oublie jamais et applique continûment.

Maintenant qu'il a refermé et rangé son carnet, Pierre
Bouchardon se demande s'il va ou non se rendre à l'invitation des Bériot. Les mondanités commencent à lui
peser, il attribue cette désaffection à l'âge et sa lassitude
à l'inanité de telles réunions : on y entend trop de
paroles inutiles et de niaiseries, et puis il faut boire, piétiner dans des salons qu'empeste la fumée des cigares,
tourner le compliment à des femmes stupides qui attendent vos hommages comme un dû, non, décidément il
ne supporte plus ces comédies qui se jouent sous les
lambris dorés et qui l'amusaient autrefois. Par ailleurs, il
ne voudrait pour rien au monde désobliger ou décevoir
son vieil ami : Bériot compte sur sa présence ce soir, il

a beaucoup insisté. Alors ? Corvée de réception ou lecture sage au coin d'un bon feu ? Pour résoudre la question, il ne voit qu'un moyen, s'en remettre à l'innocence : il va siffler Planton qui dort à côté. Si le chien répond à son appel, il ira chez les Bériot, sinon...

Tandis que le capitaine Bouchardon confie l'avenir de sa soirée au caprice d'un vieux roquet – Planton n'est pas un parangon de docilité canine, chez lui l'obéissance fluctue au gré de l'humeur –, Mata Hari n'a pas à se soucier d'un tel débat : elle s'apprête à passer sa première nuit à Saint-Lazare où elle a été mise au secret absolu. Craignant un acte de désespoir, les sœurs de Marie-Joseph qui gèrent le quartier des femmes ont enfermé la prisonnière dans une cellule capitonnée après l'avoir dépouillée de tout objet susceptible de servir une tentative de suicide.

Il y a déjà quelques heures que Mata Hari est là, hébétée, abandonnée de tous, affalée sur le matelas jeté au sol qui constitue le seul mobilier de l'infecte cellule. Dépourvue de fenêtre, la « capitonnée » reste obscure malgré la flamme de gaz qui brûle à l'extérieur et hors d'atteinte, derrière une étroite lucarne grillagée, ménagée dans la partie haute du mur. De loin en loin, un léger froissement lui signale la présence d'une sœur qui vient coller son œil au judas de la porte, puis s'éloigne. Ce doux bruit d'étoffes empesées, signe d'une surveillance discrète mais assidue, elle le guettera, elle l'espérera bientôt comme la manifestation même de la vie, cette vie qui se poursuit ailleurs, sans elle...

Le lendemain de son incarcération, Mata Hari reçoit la visite du Dr Bizard, médecin attaché à Saint-Lazare, qui vient s'enquérir de sa santé et de ses éventuels besoins.

A ce petit homme affable, qui porte monocle et barbiche en pointe, elle déclare avec une certaine arrogance qu'elle souffre d'un seul mal, la privation de liberté.

252

— Hélas, soupire le Dr Bizard, je n'ai pas le pouvoir de vous la rendre. En revanche, il m'est possible d'intervenir en sorte que vos conditions de détention soient moins pénibles. Si vous avez des désirs à exprimer, je m'efforcerai de les satisfaire.

— Vraiment ? Eh bien sortez-moi de ce trou où je manque d'air, de lumière et où je ne suis pas mieux traitée qu'un chien ! Si les Français ne veulent pas me libérer, qu'ils me donnent au moins un logement correct !

— Je transmettrai, vous pouvez compter sur moi. Y a-t-il autre chose ?

— Je voudrais pouvoir prendre un bain, et qu'on mette un téléphone à ma disposition.

Bien que passablement décontenancé par cette dernière demande, le Dr Bizard se borne à répondre de sa voix fluette et douce :

— J'ai bien peur que le téléphone n'entre pas dans le champ de mes prescriptions. Par contre, je vais m'occuper de cette question d'hygiène, soyez tranquille.

Quelques jours plus tard, après un bref passage à l'infirmerie, Mata Hari est transférée dans la « pistole » 12, cellule tristement célèbre car elle a naguère abrité Mme Caillaux accusée du meurtre de Gaston Calmette, directeur du *Figaro*. Si Henriette Caillaux a eu la chance d'être acquittée, Marguerite Francillard, autre détenue locataire de la pistole 12, a connu un sort moins heureux : arrêtée et condamnée pour espionnage, elle vient d'être fusillée.

Sœur Léonide, la doyenne de Saint-Lazare, s'est prise de sympathie pour Mata Hari qui se révèle peu exigeante, « douce comme un agneau » et se plie sans rechigner à la discipline. Chaque matin, à l'aube, elle lui apporte une tasse de café dont elle la sait très friande et s'attarde à bavarder avec elle. Dans la petite communauté de Saint-Lazare, chacun aime et respecte la vieille religieuse. Franche comme le bon pain, très vive malgré son âge, c'est une femme de petite taille, assez forte, qui déborde d'énergie et mène son monde tambour battant.

Elle use à l'occasion d'un langage un peu vert et il n'est pas rare que sa voix tonnante de Méridionale ébranle les murs de la prison du faubourg Saint-Denis. Lorsque Mata Hari prend possession de la fameuse pistole 12, c'est sœur Léonide qui lui en dresse l'historique sans mentionner toutefois la fin tragique de Marguerite Francillard, sa précédente occupante.

Bien qu'elle dispose à présent d'une cellule plus vaste et mieux aérée, Mata Hari souffre de l'isolement complet dans lequel elle est tenue. Elle ne reçoit aucun courrier et toute visite lui est interdite à l'exception de celles du Dr Bizard, de son avocat, du pasteur Arboux et des religieuses. Chaque soir, une fille de service vient occuper la couche voisine de la sienne car on redoute toujours qu'elle n'en vienne à attenter à ses jours. C'est mal la connaître : Mata Hari aime trop la vie pour envisager un seul instant la solution du suicide. Plutôt que de désespérer, elle consacre ses heures de solitude à mettre au point son système de défense et rassemble ses forces en vue de son prochain affrontement avec Bouchardon.

Entre le 13 février, date de son arrestation, et le 21 juin 1917, Mata Hari comparaîtra quatorze fois devant son juge. Pendant les trois premiers mois, l'instruction piétine car elle nie tout et, Ladoux n'ayant pas encore jugé bon de verser au dossier les radiotélégrammes allemands interceptés, le magistrat qui manque de preuves pour étayer son accusation doit se contenter de l'écouter dérouler le récit plus ou moins fantaisiste de sa vie. Chaque fois qu'il pointe une contradiction ou l'invite à préciser un lieu, une date, elle s'en tire par une pirouette et incrimine sa mémoire défaillante. Tout au long de ces joutes interminables, elle tient tête à un Bouchardon démuni mais opiniâtre qui la harcèle sans relâche dans l'espoir toujours déçu d'obtenir des aveux. Ainsi, séance après séance, et sans que l'instruction progresse d'un pas, le duel absurde se poursuit, de plus en plus éprouvant pour les deux adversaires.

Convaincue que la justice militaire ne détient aucune preuve sérieuse contre elle, Mata Hari connaît alors un regain de confiance. Cependant, sa santé pâtit des conditions de captivité qu'elle endure jour après jour et l'énergie qu'elle déploie pour se défendre lors de ces confrontations l'épuise. Affaiblie par le régime carcéral, les privations et le manque d'hygiène, il lui arrive même de se sentir trop mal en point pour se rendre aux convocations de Bouchardon.

Son avocat, Mᵉ Clunet, qui s'inquiète de sa santé, adresse supplique sur supplique au juge au cours de cette période :

> *En proie à de vives douleurs internes de gorge et de poitrine, Mme Zelle est atteinte de forte fièvre. Je l'ai trouvée dans un état pathologique inquiétant, elle tousse et crache le sang. Je fais appel à toute votre humanité...*

Tous ceux qui approchent la détenue Zelle - Mac Leod en ce printemps 1917 constatent de même sa dégradation physique et s'en émeuvent. Elle n'a que quarante ans mais, en quelques semaines, elle est devenue une vieille femme aux traits bouffis, à la chevelure qui grisonne. Mata Hari a toujours pris grand soin de son corps, elle a vécu l'existence d'une femme coquette, soucieuse de son apparence, et appris à jouir de tous les privilèges du luxe. Elle ne peut accepter sans révolte son nouvel état. Bien qu'elle ne dispose pas de miroir qui puisse la renseigner sur sa terrible métamorphose, elle a conscience de sa déchéance et s'insurge contre les traitements « inhumains » qui lui sont infligés. Elle se plaint au capitaine Bouchardon de la saleté et de l'ignoble nourriture qui lui est servie. Car, faute d'argent – le peu qu'elle possédait a été saisi pour couvrir les frais de justice –, elle ne peut se procurer les extra de la cantine et doit se suffire de l'ordinaire frugal offert aux prisonnières. Ce menu que le Dr Bizard qualifie de « très efficace contre l'obésité » se réduit en semaine à une soupe maigre servie le matin et à un plat de légumes – le plus souvent des féculents – en milieu de journée. Il n'est pas question de dîner. Le dimanche, la soupe est plus grasse et s'agrémente d'un morceau de viande. C'est là un régime de famine pour Mata Hari qui a toujours été dotée d'un solide appétit.

Mais la claustration lui est plus insupportable encore que la faim. Elle écrit tour à tour au Dr Bizard, au capitaine instructeur, au directeur de la prison, et les implore de lui accorder l'autorisation de promenade. Cette requête ne sera prise en considération et satisfaite qu'au mois de juin, après la clôture de l'instruction.

Pourtant Mata Hari ne renonce pas : parmi les appels pathétiques qu'elle adresse sans cesse au juge Bouchardon, cette lettre dont la formulation maladroite témoigne de l'altération de ses facultés intellectuelles :

> *Mon capitaine,*
> *Ma souffrance est trop terrible, mon capitaine. Ma tête n'en peut plus. Laissez-moi aller dans mon pays. Je ne sais de votre guerre rien, et jamais je n'ai su plus de ce que disent les journaux. Je ne me suis informée nulle part et chez personne. Que voulez-vous que j'en dise ?*
> *Je vous le répète pour la centième fois que je n'ai pas fait d'espionnage en France et que je ne le ferai jamais. Ne me brisez pas ma santé, je suis si faible par la vie de cellule et le manque de manger. A quoi cela avance ?*
> *Il ne faut pas que ma souffrance dure plus. Laissez-moi, je vous en supplie.*
>
> *Respectueusement*

Et elle signe de son matricule : *M. G. Zelle 721 44625.*
Une autre de ces missives adressées à Bouchardon dans l'intervalle de leurs confrontations concerne Vadime de Massloff qu'elle ne peut oublier et dont elle ne sait rien depuis son inculpation :

> *Monsieur le Juge,* écrit-elle, *je vous remercie de me donner des nouvelles du lieutenant Massloff. Je suis inquiète et je pleure tellement. Ayez la bonté de chercher à l'hôpital d'Épernay. J'ai tant de douleur à la pensée qu'il est peut-être mort et que je n'étais pas auprès de lui. Et même s'il a pensé que je l'oubliais. Vous ne savez pas ce que je souffre. Sortez-moi d'ici, je ne puis tenir... »*

Au moment où la malheureuse écrit ces lignes, son beau lieutenant a déjà quitté l'hôpital. Il vient de se fiancer avec une jeune Française, Olga Tardieu, et projette de l'emmener en Russie.

Cette activité épistolaire frénétique à laquelle elle se livre devient le garde-fou et la seule ressource de Mata Hari : assise sur sa paillasse infestée de vermine, elle passe le plus clair de son temps à rédiger des lettres que l'administration pénitentiaire « néglige » de transmettre à leurs destinataires et entasse dans ses tiroirs. A l'exception du courrier concernant les responsables militaires ou le médecin de la prison, toutes ses tentatives de communication avec l'extérieur, qu'elles s'adressent à la représentation diplomatique de son pays, à sa servante Anna Lintjens ou à ses amis, échouent ainsi dans les oubliettes de Saint-Lazare car les autorités françaises ne veulent pas ébruiter la nouvelle de son arrestation et tiennent à la garder secrète aussi longtemps que possible. Il faudra que Jules Cambon, secrétaire général au Quai d'Orsay et vieil ami de l'inculpée, intervienne avec fermeté pour que les Pays-Bas soient informés du sort de leur ressortissante dans les derniers jours d'avril 1917.

Mata Hari est enfermée depuis deux mois et demi sans qu'aucune preuve ait été fournie à l'appui de son inculpation quand Me Clunet, alléguant de l'irrégularité d'une pareille procédure, se décide à protester et à exiger la production immédiate de ces preuves. Le ministère de la Guerre se trouve alors dans l'obligation de verser au dossier les radiotélégrammes émis par le major Kalle depuis Madrid.

Dès lors, le juge Bouchardon se frotte les mains : muni de tels atouts, il ne doute pas qu'il va jouer sur du velours et parvenir à confondre l'agent H21, alias Mata Hari. Le 1er mai 1917, il l'appelle à comparaître devant lui pour la dixième fois.

Dans ses *Souvenirs*, Pierre Bouchardon évoque par le menu cette entrevue qui marque un tournant décisif dans l'instruction. Ce jour-là, décidé à abattre ses cartes, il consigne sa porte et laisse courir le bruit qu'il s'est transporté à la prison de Fresnes pour un interrogatoire. Pendant que les journalistes le cherchent ailleurs, il s'enferme avec son greffier et Mata Hari dans une sorte de cave où s'entassent en vrac les pièces à conviction du 3ᵉ conseil de guerre et engage le fer aussitôt :

— Je sais que vous êtes l'agent H 21 des services secrets allemands. Il faut que cesse la comédie que vous nous jouez depuis des semaines.

Et comme Mata Hari, indignée, se récrie, il se saisit des télégrammes posés sur son bureau et lui en lit le contenu tout en arpentant la pièce de long en large. Lorsqu'il a achevé cette lecture édifiante, il vient se planter devant elle et lui porte l'estocade.

— Ces textes vous dénoncent de façon on ne peut plus explicite. Il y est question des rapports complets que vous avez fournis à l'ennemi, le nom de votre servante, Anna Lintjens, y est cité, le major Kalle donne même le détail des sommes que vous avez reçues de l'Allemagne. Aurez-vous l'audace de continuer à nier avoir rendu des services à ce pays ?

Cette fois, l'espionne présumée ne parvient pas à parer le coup : les mains crispées sur le bord de la table, elle se dresse à demi puis se laisse retomber sur son siège, accablée. Des larmes coulent sur son visage ravagé, elle dit dans un sanglot :

— Que vous êtes impitoyable, mon capitaine, de torturer ainsi une pauvre femme et de lui poser un tas de questions méchantes !

Puis, comme Bouchardon reprend ses allées et venues entre le bureau et la fenêtre — c'est une manie chez lui que de se déplacer ainsi lors des interrogatoires —, elle s'écrie d'une voix qui frise l'hystérie :

— Ah ! Si vous saviez ce que vous pouvez m'agacer à marcher toujours comme ça !

Mais le juge n'a cure de ses protestations et de ses invectives, il s'acharne à la questionner : quelles étaient ses relations avec Kalle, quelles informations lui a-t-elle fournies, d'où provenait l'argent encaissé au Comptoir d'escompte de Paris ? Elle, furieuse, continue à se débattre comme un animal pris au piège et répète sur tous les tons que jamais elle n'a trahi la France.

258

– Si j'ai approché le major Kalle, c'est seulement pour obtenir des renseignements que j'ai aussitôt transmis au capitaine Ladoux et au colonel Danvignes. Vous n'avez qu'à les interroger, ils ont mes lettres, ils confirmeront.

– Et cet argent, ces 10 000 francs que vous avez reçus par l'intermédiaire de votre consul ?

– Je vous l'ai dit cent fois, c'est mon amant, le colonel baron van der Capellen, qui me les a envoyés !

Sans cesse il la ramène à ces télégrammes qui la condamnent. Il y a bientôt deux heures qu'il la harcèle de la sorte, elle n'en peut plus, elle demande grâce, et comme il la voit dévorée d'une fièvre brûlante, Bouchardon consent alors à lui faire apporter de l'eau – un litre plein, dit-il – qu'elle avale avec avidité. Mais l'instant suivant, sa soif enfin étanchée, elle est reprise d'un accès de fureur et lance sur le juge le quart de fer-blanc où elle vient de boire, aspergeant joliment ses pantalons et ses souliers bien cirés.

Cet incident met un terme à la séance du 1er mai : excédé, le capitaine Bouchardon fait ramener la prévenue à Saint-Lazare.

Trois semaines vont s'écouler avant que le magistrat instructeur ne convoque à nouveau Mata Hari. Lui ayant révélé l'existence des télégrammes allemands, il la sait fortement ébranlée et lui accorde en quelque sorte un délai de réflexion au bout duquel il espère la voir revenir dans de meilleures dispositions.

Bouchardon a vu juste. Mata Hari sait qu'elle ne peut plus s'en tenir aux dénégations indignées qui ont constitué jusqu'alors son système de défense : il lui faut passer aux aveux ou, à tout le moins, aux demi-aveux. Le 21 mai, lorsqu'elle se présente devant son juge, elle lui déclare d'emblée :

– Mon capitaine, je suis décidée à vous dire aujourd'hui la vérité. En mai 1916, alors que je me trouvais chez moi à La Haye, M. Krämer, consul d'Allemagne, m'a rendu visite et m'a proposé de travailler pour son pays. Il m'offrait 20 000 francs comme prix de ma collaboration éventuelle. J'avais alors de pressants besoins d'argent mais cette somme me paraissait ridicule, ce que je n'ai pas manqué de lui dire. Il m'a rétorqué qu'il dépendait de moi d'être plus largement rétribuée mais que je devais d'abord montrer de quoi j'étais capable. Cet homme était fort déplaisant, je lui ai demandé de m'accorder quelques jours de réflexion. A sa seconde visite, Krämer m'a remis 20 000 francs en billets de banque français et trois flacons d'encre secrète que j'étais censée utiliser conformément à ses instructions. Mais tout ça ne m'intéressait pas. Mes 20 000 francs en poche, j'ai tiré ma révérence au consul et jeté ses trois flacons dans le canal, entre Amsterdam et la mer...

Bouchardon, qui l'a écoutée jusque-là sans mot dire, l'interrompt soudain :

— Si vous permettez, je souhaiterais revenir sur un point : selon vous, Krämer vous aurait octroyé cette somme en manière d'acompte, au moment où il s'assurait de votre concours, sur une simple promesse en quelque sorte ?

— C'est cela même, monsieur le Juge.

Bouchardon a repris sa déambulation maniaque entre la table et la fenêtre. Il secoue la tête et gronde :

— Comment espérez-vous me faire admettre une telle fable ? Les services secrets allemands ne donnent rien pour rien, ils rémunèrent leurs agents suivant l'importance des services rendus. Cet argent que vous a remis Krämer venait inévitablement en paiement d'une mission déjà accomplie.

— Je vous jure bien que non ! Je ne savais rien de l'espionnage avant la visite de cet homme. D'ailleurs, je ne lui ai jamais donné signe de vie, il a dû attendre longtemps de mes nouvelles.

— Vraiment ? Si je vous entends bien, l'Allemagne pousserait la générosité jusqu'à continuer à rétribuer un agent félon qui, non content de lui avoir extorqué des fonds, ne lui aurait livré aucun renseignement ?

— Je n'ai reçu des Allemands que les 20 000 francs de Krämer, affirme-t-elle d'un air buté.

— Vous oubliez les 3 500 pesetas du major Kalle...

— Il me les a données à titre personnel. Nous avions eu des relations intimes, il voulait m'offrir un bijou, j'ai préféré l'argent.

— Bien. Admettons. Mais expliquez-moi tout de même d'où viennent ces chèques de 5 000 francs que vous encaissez au Comptoir d'escompte au mois de novembre 1916, puis en janvier dernier ?

— Je vous l'ai déjà dit : de mon ami le colonel van der Capellen.

— Vous avez tort de vous entêter dans cette version, celle de Kalle est beaucoup plus crédible. Dans ses sans-fil, il attribue sans ambiguïté une tout autre origine à ces deux chèques et fait allusion aux « rapports complets » que vous avez fournis à l'Allemagne.

— C'est un mensonge ! Je n'ai donné à Kalle que des vieilleries, des histoires que je composais d'après ma lecture des journaux ou des rumeurs de salon. Ce que je lui racontais était connu de tous et ne pouvait pas nuire à la France !

— Soit. Pourtant si vous n'aviez rien fait pour l'Allemagne en échange de l'argent remis par Krämer, la réponse de Berlin au premier télégramme émis par le major Kalle aurait dû l'informer de votre déloyauté. Or aucun des sans-fil échangés entre Berlin et Madrid n'indique qu'il y ait eu trahison de votre part.

Une fois encore, elle se rebiffe et réplique :

— J'ignore ce qu'a répondu Berlin, mais dans tous les cas ils n'ont pas pu dire que j'avais fait quelque chose pour eux !

Elle dit vrai et Bouchardon qui a sous les yeux les textes allemands le sait fort bien : Berlin n'y mentionne l'agent H21 que pour déplorer ses « résultats insatisfaisants » et son refus d'utiliser l'encre secrète.

Le lendemain, Bouchardon convoque son premier témoin, le capitaine Ladoux, qui prête serment avant sa confrontation avec l'accusée.

Très vite, la discussion prend un tour sémantique car il s'agit d'établir si le chef du contre-espionnage français a confié, ou non, une « mission » à la dame Zelle - Mac Leod. A ce mot, qu'il conteste, Ladoux préfère substituer le terme « indication » et affirme qu'il n'a jamais engagé l'intéressée pour la bonne raison qu'elle lui était suspecte. Il convient néanmoins lui avoir promis un million en cas de succès de son « entreprise » en Belgique et n'être pas intervenu dans le choix de son itinéraire pour rallier la Hollande. Les deux protagonistes se trouvent donc d'accord sur l'essentiel.

A la demande expresse de l'inculpée une nouvelle rencontre a lieu le 30 mai, cette fois hors la présence de Bouchardon. A l'issue de cet entretien « en tête à tête » avec Ladoux, Mata Hari adresse au juge instructeur une lettre où elle écrit en substance :

Le capitaine Ladoux m'a dit hier que les Français vont me fusiller et que je pourrais me sauver en indiquant mes complices.

Je vous jure que je n'ai jamais eu aucun complice, et je n'ai pas un caractère assez lâche pour en inventer sous la menace de mort.

Au cours des comparutions suivantes, Bouchardon change de tactique : il n'interroge plus la prévenue sur sa version des faits, il lui impose la sienne qu'il estime être en parfaite coïncidence avec la vérité. A ses assertions, elle doit acquiescer ou protester.

Ainsi, quand il lui lit la déposition du colonel Danvignes, toujours en poste à Madrid, elle en reste d'abord abasourdie, car son vieil amoureux affirme « avoir vu clair dans son jeu dès le début ».

— S'il avait eu cette idée, dit-elle, il ne se serait jamais affiché comme il l'a fait avec moi, à Madrid. Il a même gardé de moi un bouquet de violettes et un mouchoir en souvenir.

Puis elle entreprend de réfuter point par point les allégations de Danvignes et conclut :

— Votre témoin parle par méchanceté et dépit amoureux. Il savait que j'avais le lieutenant Massloff pour amant. Je suis maintenant convaincue que les autorités militaires russes m'ont qualifiée d'aventurière dangereuse sur son instigation.

En évoquant incidemment ses relations avec l'officier russe, Mata Hari vient de tendre une perche à Bouchardon. Celui-ci, par une manière de compassion, hésitait à produire le témoignage écrit de Vadime de Massloff reçu la veille. Il se décide alors, le sort d'une chemise cartonnée et, à regret, lui en inflige la lecture : en quelques lignes, Massloff fait un sort à leur liaison dont il affirme qu'elle n'a jamais vraiment compté pour lui et prétend avoir eu l'intention d'y mettre un terme dès le mois de mars, époque à laquelle il a appris l'arrestation de sa maîtresse.

Mata Hari a écouté, tête baissée, sans réagir. Lorsque le magistrat, un peu gêné, l'invite à commenter cette déposition, elle répond seulement :

— Je n'ai aucune observation à présenter.

Bien qu'elle se soit efforcée de faire bonne figure dans le cabinet du juge, Mata Hari vient de recevoir le coup de grâce. Les phrases de Vadime se sont inscrites en lettres de feu dans son cœur, l'ont réduit en cendres. Ce soir-là, c'est une femme anéantie qui regagne sa cellule.

Pourtant, dès le lendemain, au bout d'une nuit hantée, une nuit sans sommeil, elle écrit à Bouchardon :

Aujourd'hui, autour de moi, tout me renie, tout tombe, même celui pour qui j'aurais passé au travers d'un feu. Je n'aurais jamais cru à autant de lâcheté humaine. Eh bien soit, je suis seule, et si je dois tomber ce sera avec un sourire de profond mépris...

Jusqu'au 21 juin 1917, date à laquelle le juge Bouchardon décide de clôturer l'instruction, Mata Hari continue cependant à lutter pour sauver sa vie. Aux sempiternels arguments du magistrat, elle oppose une défense maladroite fondée sur son inexpérience des enjeux de l'espionnage, son état de faible femme, de jolie femme qu'il était si facile de séduire et d'abuser. Et comme Bouchardon lui reproche d'avoir fréquenté nombre d'officiers à des fins subversives, elle proteste encore et met l'accent sur sa carrière amoureuse :

— J'aime les officiers, lui dit-elle. Je les ai aimés toute ma vie. J'aime mieux être la maîtresse d'un officier pauvre que d'un banquier riche. Mon plus grand plaisir est de pouvoir coucher avec eux sans penser à l'argent. Et puis j'aime faire entre les diverses nations des comparaisons. Je vous jure que les relations que j'ai eues avec les officiers dont vous parlez n'avaient pas d'autre but. Ce sont d'ailleurs ces messieurs qui m'ont cherchée. J'ai dit oui de tout cœur. Mais ils ne m'ont jamais parlé de la guerre et je ne leur ai posé aucune question à ce sujet. Ensuite, au bout d'une nuit ou deux, ils partaient contents. Je n'ai gardé que Massloff car je l'adorais.

Cette profession de foi n'ayant pas d'autre effet que d'arracher au magistrat un grognement sceptique, elle décide alors de lui révéler son « grand secret » :

— J'ai été la maîtresse du duc de Cumberland alors qu'il venait d'épouser la fille du Kaiser. Son beau-frère, le prince héritier, lui a arraché la promesse de ne jamais revendiquer le trône de Hanovre. Mais ce serment, il ne l'a prêté qu'en son nom, refusant d'engager sa descendance. Il existe depuis, entre lui et le Kronprinz une haine féroce. C'est cette haine que je voulais exploiter au profit de la France. J'aurais pu renouer avec le duc de Cumberland et le détacher de l'Allemagne. Il aurait suffi de lui promettre le trône de Hanovre en cas de victoire des Alliés. J'aurais pu rendre de grands services si le capitaine Ladoux m'avait accordé plus de confiance et s'était montré plus perspicace. J'avais là un grand projet, je vous assure, monsieur le Juge, mais il m'a mis des bâtons dans les roues.

Bouchardon hausse les épaules, cette histoire d'héritage autour du trône de Hanovre lui paraît fort embrouillée et ne l'intéresse pas le moins du monde. Au reste, les élucubrations de la dame Zelle - Mac Leod ne risquent guère d'influencer ses conclusions. A ses yeux, la cause est déjà entendue. Trente ans plus tard, il écrira dans ses *Souvenirs* : *Pour la résumer d'un mot, l'affaire ne fut qu'un flagrant délit..*

Mais, pour l'heure, il lui faut clore l'instruction et s'atteler au rapport qu'il remettra aux juges chargés de statuer sur le sort de Mata Hari.

Le procès

Pour rédiger ce document de vingt-cinq pages qui va servir à condamner Margaretha-Gertrud Zelle - Mac Leod, alias Mata Hari, Pierre Bouchardon laisse libre cours à sa passion de plumitif et aussi à son imagination. Son rapport censé résumer les différentes étapes de l'instruction sera en lui-même un acte d'accusation accablant car le capitaine Bouchardon n'a jamais cru à l'innocence de l'inculpée. Elle est arrivée devant lui, précédée de sa réputation de demi-mondaine et de menteuse avérée, comment aurait-il pu accorder foi à sa version des faits ? De surcroît, les événements n'encouragent guère à la sérénité et moins encore à l'indulgence en ce mois de juin 1917. L'offensive du général Nivelle en Champagne vient de se solder par un terrible échec, infligeant de très lourdes pertes aux combattants. Des régiments entiers se sont mutinés et les chefs militaires soupçonnent les agents allemands d'avoir manipulé les meneurs qui ont fomenté cette révolte. Nombre de soldats ayant pris part à la mutinerie sont déférés devant des cours martiales, condamnés et exécutés sur-le-champ : l'armée française semble menacée de désintégration à très brève échéance. A l'arrière où le moral est miné par le défaitisme et la propagande pacifiste, la situation n'est pas moins dramatique. Début juin, l'agitation gagne la rue et les grèves

266

se multiplient, essentiellement menées par les femmes dont le travail nourrit cette hydre mangeuse d'hommes, la guerre. Jamais la crise n'a été aussi grave et, pour les gouvernants, il s'agit d'attiser dans l'opinion la psychose du soupçon, d'endiguer ses forces de haine et de blâme vers les agents de l'ennemi. La chasse aux espions constitue désormais un devoir sacré. En ce milieu d'année 1917, nombre de traîtres à la patrie ont déjà été passés par les armes à l'issue de procès hâtifs, voire bâclés par des tribunaux militaires qui manient la sentence de mort comme un vulnéraire destiné à soulager les plaies de la nation.

C'est dans ce climat où suspicion vaut culpabilité que le très patriote Pierre Bouchardon rédige son compte rendu d'instruction. En fait, il tire des déductions, il émet des avis, il extrapole, il manipule les informations, les édulcore de raisonnements fallacieux et sacrifie davantage à la « littérature » qu'à la vérité. Il suffit de lire quelques extraits de sa prose pour s'en convaincre :

Faut-il le dire ? Les longs récits de la dame Zelle nous laissent sceptiques. Cette femme qui se posait en une sorte de Messaline, traînant à la suite de son char une foule d'adorateurs, cette femme qui, à la veille même du 2 août 1914, résidait à Berlin où elle avait comme amants en titre le lieutenant Alfred Kiepert, du 11ᵉ hussards de Grefeld, le capitaine lieutenant Kuntze, de la station des hydro-aéroplanes de Putzig, et surtout le chef de police Griebel, nous paraît une de ces femmes internationales — le mot est d'elle — devenues si dangereuses depuis les hostilités. L'aisance avec laquelle elle s'exprime en plusieurs langues, en français spécialement, ses innombrables relations, sa souplesse de moyens, son aplomb, son immoralité, née ou acquise, tout contribue à la rendre suspecte. Il n'est pas possible que l'ennemi, qui remue les cinq parties du monde pour trouver des agents, ait laissé en friche des qualités aussi exceptionnelles et, quand, après deux années de guerre, la dame Zelle est entrée dans le cabinet du capitaine Ladoux, elle n'était certes pas une débutante en matière d'espionnage...

Plus loin, il écrit :

267

Elle est venue à Paris où elle a fréquenté de nombreux officiers et le consulat de Hollande qui lui sert d'intermédiaire pour la correspondance que l'on sait. Un an plus tard, au début de novembre 1916, elle a reçu un versement de 5 000 francs, ce qui implique nécessairement le paiement de services rendus. Cela suffit pour caractériser les intelligences avec l'ennemi, c'est-à-dire le crime de trahison, et l'introduction dans une place de guerre pour s'y procurer des documents ou des renseignements dans l'intérêt de l'ennemi. Mais en toute conscience, nous croyons que l'inculpée a fait bien davantage et que, du commencement à la fin, elle a servi l'Allemagne avec autant de zèle que d'habileté...

Et comme il s'apprête à tirer ses conclusions :

En dernière analyse, tout nous paraît se ramener à cette proposition bien simple, de laquelle se dégage la moralité de l'affaire. Quand la dame Zelle s'est trouvée en présence du capitaine Ladoux, elle lui a soigneusement caché son immatriculation dans l'espionnage allemand sous le numéro H21 et la mission dont l'avait investie le consul Krämer. Bien mieux, quand le capitaine, soupçonnant qu'elle connaissait fort bien le centre d'Anvers, lui a posé des questions à ce sujet, elle a protesté avec énergie. Par contre, quand elle s'est rendue spontanément chez l'attaché militaire Kalle à Madrid, son premier soin a été de lui faire connaître qu'elle avait feint d'accepter les offres du service des renseignements français et d'accomplir des voyages d'essai. Ainsi donc, à nos représentants, elle cache qu'elle est au service de l'Allemagne, et au major Kalle elle révèle du premier coup ses relations avec les Français. Dans ces conditions, qui a-t-elle servi ? Qui a-t-elle trahi ? La France ou l'Allemagne ? Il nous semble que poser la question, c'est la résoudre... En résumé, la dame Zelle a entretenu des intelligences avec l'Allemagne, puissance ennemie, en les personnes du consul Krämer et de l'attaché militaire Kalle. A deux reprises, en décembre 1915 et en juin 1916, elle a pénétré dans la place de guerre de Paris avec la mission d'y recueillir des documents ou renseignements dans l'intérêt de l'ennemi. Elle a certainement rempli cette double mission car, pour une période de huit mois, l'espionnage allemand a déboursé au total

34 000 francs à son profit. Ce chiffre suffit à édifier sur la volonté de l'agent H21 et sur la qualité de ses informations.

Le 24 juin 1917, Bouchardon achève son rapport sur cette charge terrible et le signe avec le sentiment du devoir accompli.

Demain, il le remettra à son ami le lieutenant Mornet, avocat du ministère public et substitut du commissaire du gouvernement.

Si l'on s'en tient au portrait qu'en trace Pierre Bouchardon, l'« ami Mornet » est une sorte d'ascète qui a gardé le « sens national » et dont la puissance d'affirmation est impressionnante. Végétarien, le régime d'anachorète auquel il soumet son corps décharné avive la flamme intérieure qui le dévore. C'est le conservateur le plus maniaque qui soit, dit de lui Bouchardon.

Il faut le voir dans son pied-à-terre de Nohant-Vicq, près la Châtre, vivant de la vie paysanne. Des sabots aux pieds, un bâton à la main, un feutre délavé par vingt hivers sur la tête, il s'en va, soufflant dans sa barbe fauve, toujours rembourré de gilets de laine et de tricots, car il est frileux comme on ne l'est guère. Dans son jardin, il ne permet pas qu'on enlève un arbre. Dans sa maison, il ne souffre pas qu'on déplace un objet. Il veut que les choses demeurent là où il les a toujours vues. Il couche dans un lit où plusieurs générations d'ancêtres ont trépassé, sur trois matelas de plumes, et durant les nuits les plus chaudes il ramène jusqu'à son nez un pesant édredon. Ainsi concilie-t-il sa terreur du froid et son culte des antiquités.

C'est à cet homme aux principes rigides et à la moralité sans faille que va échoir la tâche de requérir contre Mata Hari au nom de la République.

L'inculpée a été transférée de Saint-Lazare à la Conciergerie pour la durée du procès qui s'ouvre le 24 juillet 1917, un mois après la clôture de l'instruction.

Autour du Palais de Justice piétine une foule de badauds et de curieux qui espèrent entrevoir la danseuse espionne et, pourquoi pas, assister à son dernier numéro.

Vêtue d'une robe bleue et coiffée d'un tricorne, Mata Hari arrive enfin ; son avocat, Me Clunet, l'accompagne. C'est un vieil homme de soixante-douze ans que la guerre vient d'endeuiller : son fils Jean, médecin major aux armées, est mort pour la patrie au mois d'avril. En dépit de son chagrin et de ses nombreux démêlés avec Bouchardon, Me Clunet a décidé de continuer à assurer la défense de sa cliente. Néanmoins, à l'heure où s'ouvre le procès, il est soucieux et quelque peu tendu car, s'il est un éminent spécialiste de droit international, il n'a jamais plaidé devant un tribunal militaire.

Lorsque l'accusée pénètre dans la salle où elle va être jugée, le jury nommé par le gouverneur militaire de Paris a déjà pris place. Il se compose de sept hommes : Joseph de Mercier de Malaval, sous-lieutenant au 7e régiment des cuirassiers, Fernand Joubert, chef de bataillon du 230e régiment d'infanterie, Jean Chatin, capitaine de gendarmerie, Lionel de Cayla, capitaine du 19e escadron du train des équipages, Henri Deguesseau, lieutenant du 237e régiment d'infanterie et Berthomme, adjudant au 12e régiment d'artillerie. Tous appartiennent au 3e conseil de guerre et vont délibérer sous la présidence du lieutenant-colonel Albert Somprou, de la Garde républicaine. Le lieutenant Mornet, avocat du ministère public, complète la distribution de cette parodie de procès qui commence par un début d'après-midi caniculaire et ne durera pas plus de quarante-huit heures.

Quand, sacrifiant aux formalités d'usage, le président Somprou déclare la séance ouverte et invite la prévenue à répondre à l'interrogatoire d'identité, un public avide de sensations fortes se presse au fond de la salle. Pourtant, ni la présence de cette foule curieuse ni la chaleur ne semble incommoder Mata Hari : elle se tient droite et s'exprime d'une voix claire et posée. L'énoncé de l'ordre du jour et de la convocation du tribunal occupent encore une heure au bout de laquelle le lieutenant Mornet se dresse et, de sa voix tonitruante de tribun, réclame le huis clos et le secret des débats.

Le jury se retire alors afin de délibérer sur l'opportunité d'accéder à une telle requête. Quelques instants plus tard, il annoncera par la voix de son président que, considérant la publicité des débats dangereuse pour l'ordre, « le Conseil déclare à l'unanimité :

1. Ordonner le huis clos.
2. Interdire tout compte rendu de l'affaire Zelle ».

Ces mesures sont aussitôt mises à exécution : le public, un tantinet frustré, se voit dans l'obligation d'évacuer la salle tandis que des sentinelles chargées d'en interdire l'accès se postent à chacune de ses portes. En quelques minutes, le box de la presse et l'espace réservé au public se retrouvent vides : désormais, Mata Hari est seule face à ses juges et l'interrogatoire proprement dit peut commencer.

Au procureur Mornet dont l'accusation se base sur le rapport du capitaine Bouchardon, elle oppose les arguments dont elle a usé au cours de l'instruction : elle répète que jamais elle n'a voulu nuire à la France, elle nie avoir reçu de l'argent des Allemands en échange de services rendus et, face à cette dizaine d'officiers en tenue, elle réaffirme son goût pour l'uniforme avec l'espoir, peut-être, de les émouvoir. Mais ses juges ne sont guère disposés à se laisser attendrir, ils ne voient en elle qu'une femme de mauvaise vie qui a abandonné son foyer pour s'exhiber sur les scènes du monde, une femme vénale, une courtisane en rupture avec la morale et les principes qu'ils défendent.

Une fois déroulée la litanie des questions qui suscitent toujours les mêmes réponses, l'inquisition du redoutable Mornet s'achève et l'on passe à l'audition des témoins. Cinq hommes ont été cités par l'accusation : le capitaine Ladoux, son chef, le colonel Goubet, le commissaire Priolet qui a procédé à l'arrestation de Mata Hari, et les inspecteurs Monier et Curnier, chargés de sa filature. Ils se succèdent à la barre et reprennent en substance les déclarations qu'ils ont faites sous serment devant le capitaine Bouchardon.

271

En revanche, et à l'exception de Jules Cambon qui vient témoigner en faveur de l'accusée, tous les témoins cités par la défense se distinguent par leur absence : les rats ont quitté le navire en perdition. Ainsi, l'ancien ministre de la Guerre Adolphe Messimy, qui fut l'amant de Mata Hari, se dispense de comparaître au prétexte qu'il est cloué au lit par une crise de rhumatismes. Dans une lettre adressée au président Somprou, Mme Messimy justifie de la sorte la défection de son époux dont elle affirme au demeurant qu'il n'a jamais rencontré l'accusée. La réaction de celle-ci est immédiate et ne manque pas de piquant :

— Ah ! Il ne m'a jamais connue, celui-là ? Eh bien, il a un riche toupet ! s'exclame-t-elle en s'esclaffant. Cette crise de fou rire incongrue est si irrésistible que, pendant quelques secondes, l'hilarité gagne le sévère aréopage des juges.

Quant au sous-lieutenant Hallaure que Me Clunet souhaitait confronter à sa cliente, on prétend qu'il n'a pu être touché par la cédule de comparution. En conséquence, on se bornera à faire lecture de sa déposition écrite.

Autre absence remarquée, celle de Vadime de Massloff. C'est Mata Hari elle-même qui l'a exempté de cette corvée. Peu avant l'ouverture du procès, la question de savoir s'il convenait ou non de convoquer Massloff devant le 3e conseil de guerre a fait l'objet de violentes discussions entre l'accusée et son avocat. Des heures durant, ce dernier s'échine à faire valoir à sa cliente que le témoignage de l'officier russe pourrait constituer un élément à décharge et un atout majeur pour sa défense. Tous ses raisonnements échouent à convaincre Mata Hari d'accepter la comparution de Massloff. Elle ne veut pas voir Vadime à la barre et ne daigne pas expliquer ce refus. Le fait est qu'elle veut épargner à l'homme qu'elle aime toujours le spectacle de sa déchéance physique mais dans sa détresse elle reste trop fière pour avouer ses motivations. Il faudra que Me Clunet les devine, et quand il aura compris qu'il s'agit peut-être là du dernier acte d'amour dédié par cette femme à son bien-aimé, il s'inclinera devant sa volonté.

La deuxième journée du procès est consacrée au réquisitoire et à la plaidoirie, en présence des mêmes acteurs. A ce moment-là, Mata Hari espère encore obtenir la compréhension, voire l'indulgence de ses juges. Me Clunet est beaucoup moins optimiste et, lorsqu'il prend la parole pour défendre sa cliente, son émotion est telle qu'il ne peut retenir ses larmes. Il plaide l'innocence de Margaretha Gertrud Zelle – Mac Leod, insiste sur sa naïveté et sa maladresse, causes de tous ses égarements, il fait appel à la mansuétude des juges mais ceux-ci demeurent de marbre : dans ce procès qui tourne à la mascarade, l'intervention de Me Clunet n'est qu'une étape obligée de la procédure, et sa voix résonne dans le vide.

Au terme du long et pathétique plaidoyer de l'avocat de la défense, il est clair que les jeux sont faits. Néanmoins, le tribunal s'attache à respecter les règles, et son président, le colonel Somprou, se tournant vers Mata Hari, lui pose la question rituelle :

– Accusée, avez-vous quelque chose à ajouter pour votre défense ?

– Rien, répond-elle. Mon défenseur a dit la vérité. Je ne suis pas française, j'avais le droit d'avoir des amis dans d'autres pays, même en guerre avec la France. Je suis restée neutre. Je compte sur votre bon cœur.

Le président ordonne alors que l'inculpée et son avocat soient conduits dans une salle voisine où ils attendront le résultat de la délibération du jury.

Cette délibération ne va pas excéder une quarantaine de minutes. Les juges ont à examiner huit questions préparées à leur intention par le capitaine Bouchardon. A chacune d'elles, libellées comme suit, ils devront répondre par oui ou par non :

Première question :

La nommée Zelle Marguerite Gertrude, épouse divorcée Mac Leod, dite Mata Hari, est-elle coupable de s'être, en décembre 1915, en tout cas depuis temps de droit, introduite dans le camp retranché de Paris, pour s'y procurer des documents ou renseignements dans l'intérêt de l'Allemagne, puissance ennemie ?

Deuxième question :

La même est-elle coupable d'avoir, en Hollande, depuis temps de droit et notamment dans le premier trimestre 1916, procuré à l'Allemagne, puissance ennemie, notamment en la personne du consul Krämer, des documents ou renseignements susceptibles de nuire aux opérations de l'armée ou de compromettre la sûreté des places, postes ou autres établissements militaires ?

Troisième question :

La même est-elle coupable d'avoir, en Hollande, en mai 1916, en tout cas depuis temps de droit, entretenu des intelligences avec l'Allemagne, puissance ennemie, en la personne dudit Krämer, dans le but de favoriser l'entreprise de l'ennemi ?

Quatrième question :

La même est-elle coupable de s'être, en juin 1916, en tout cas depuis temps de droit, introduite dans le camp retranché de Paris, pour s'y procurer des documents ou renseignements dans l'intérêt de l'Allemagne, puissance ennemie ?

Cinquième question :

La même est-elle coupable d'avoir, à Paris, depuis mai 1916, en tout cas depuis temps de droit, entretenu des intelligences avec l'Allemagne, puissance ennemie, dans le but de favoriser ses entreprises ?

Sixième question :

La même est-elle coupable d'avoir, à Madrid (Espagne), en décembre 1916, en tout cas depuis temps de droit, entretenu des intelligences avec l'Allemagne, en la personne de l'attaché militaire Kalle, dans le but de favoriser les entreprises de l'ennemi ?

Septième question :

La même est-elle coupable d'avoir, dans les mêmes circonstances de temps et de lieu, procuré à l'Allemagne, puissance ennemie, en la personne dudit Kalle, des documents ou renseignements susceptibles de nuire aux opérations de l'armée et de compromettre la sûreté des places, postes ou autres établissements militaires, lesdits documents portant notamment sur la politique intérieure, l'offensive du printemps, la découverte par les Français du secret d'une encre sympathique allemande et la divulgation du nom d'un agent au service de l'Angleterre ?

Huitième question :

La même est-elle coupable d'avoir, à Paris, en janvier 1917, en tout cas depuis temps de droit, entretenu des intelligences avec l'Allemagne puissance ennemie, dans le but de favoriser ses entreprises ?

Six des juges répondent « oui » à toutes les questions. Le septième témoigne de plus de courage ou d'honnêteté : sur le deuxième, le cinquième et le septième point, il répond « non ». Ce vote contestataire indique que l'homme réfute la qualification d'espionnage appliquée aux activités de l'accusée. Pourtant, quelques instants plus tard, lorsque le lieutenant-colonel Somprou invite le jury à se déterminer sur la sentence, le septième juge se rallie à ses pairs et vote avec eux la peine de mort.

Mata Hari et Mᵉ Clunet sont alors ramenés dans la salle où, conformément aux prescriptions du Code militaire, le greffier donne lecture du verdict à l'accusée en présence d'une garde en armes. « [...] Au nom du peuple de France, le conseil condamne à l'unanimité la nommée Zelle Marguerite Gertrude, susqualifiée, à la peine de mort [...] » Mᵉ Clunet qui a déjà compris s'effondre, en larmes. Il n'en est pas de même pour la condamnée : les mots terribles qui viennent d'être proférés s'acheminent lentement, très lentement, vers sa conscience. Debout face à ses juges qu'elle dévisage tour à tour, il lui faudra quelques secondes avant d'en saisir le sens, avant de s'écrier : « Ce n'est pas possible, ce n'est pas possible ! »

Après ce cri de révolte et de détresse, elle se ressaisit cependant et parvient à signer son pourvoi en révision sans que sa main tremble.

C'est le dernier acte de ce procès qui s'achève par une chaude soirée d'été 1917. La condamnée quitte le Palais de Justice pour être reconduite sous escorte à Saint-Lazare. Dehors se tiennent à l'affût les journalistes qui n'ont pu rendre compte des débats et espèrent l'entrevoir. Certains y réussissent puisque *Le Gaulois* insère dans son édition du 26 juillet 1917 la notule suivante :

> *Elle paraît, grande et droite, dominant les gendarmes qui l'accompagnent, très élégante en son grand manteau bleu flottant sur un clair corsage largement échancré. Elle passe, en son simple pas de danseuse, la tête haute et le sourire aux lèvres, dernier sourire à son dernier public.*

L'auteur de cet écho éprouve manifestement une certaine sympathie pour Mata Hari. Pourtant la presse, dans son ensemble, réagit favorablement à l'annonce de la sentence. Le 27 juillet, à la une de *L'Éclair*, «Journal de Paris, quotidien, politique, littéraire, absolument indépendant», le chroniqueur Georges Montorgueil écrit sous le titre *Salomé en conseil de guerre* :

> *Ainsi, cette Mata Hari s'appelait, sans le moindre orientalisme, Marguerite-Gertrude Zelle. Cette prêtresse, qu'on disait dépositaire mystérieuse des secrets des tombeaux au pays des lotus, était tout uniment née au pays des tulipes, et l'épouse divorcée d'un marin hollandais. Elle nous apparut en quelque cérémonie imaginée au musée Guimet, parmi les dieux exilés des pagodes qui pleurent le ciel perdu, et on nous la présenta comme la danseuse aux cent voiles, dont un au moins, qui était pour nos yeux, vient de tomber. Nous sommes fixés sur l'identité et le commerce de cette idole de quelques soirs. Le conseil de guerre s'en est chargé, qui l'a condamnée à mort...*

L'exécution

Le sort de Mata Hari est maintenant suspendu à la décision des juges qui vont examiner son pourvoi en révision.

Cloîtrée de jour comme de nuit dans la pistole 12 — on lui a retiré l'autorisation de promenade dont elle jouissait depuis la clôture de l'instruction —, elle berce les heures, elle berce cette attente à laquelle se réduit désormais sa vie. Elle est là, assise sur sa paillasse, et se balance d'avant en arrière, d'avant en arrière, inlassablement, ne s'interrompant que pour rajuster son chignon dont quelques mèches grises ont fini par s'échapper et accompagnent cette oscillation pendulaire. C'est que ces cheveux lui frôlent la joue, lui chatouillent le cou, ils l'agacent à la fin, ils la désolent surtout quand elle les voit pendouiller de la sorte, si ternes, si sales : lamentables. Alors, avec un soupir, elle les fixe tant bien que mal sur sa nuque et reprend son mouvement de bascule, en avant, en arrière, en avant, en arrière...

Mata Hari a perdu la notion du temps, ce temps qui lui est pourtant compté. Son existence est rythmée par les visites des sœurs, ses pourvoyeuses en consolation et en nourriture. Car elle bénéficie à présent du régime des condamnés à mort, lequel comporte, le matin, bouillon et café, à midi, un plat de viande grillée ou rôtie accom-

277

pagnée de légumes, vin et café. Le soir, on lui sert de la soupe, un plat de viande garnie et du vin. Si son ordinaire s'est sensiblement amélioré depuis le verdict et son retour à Saint-Lazare, il s'accompagne néanmoins d'un renforcement des mesures de sécurité. Chaque nuit, deux codétenues choisies parmi les mieux notées et chargées de la surveiller viennent la rejoindre dans la pistole 12. Elles dorment sur des paillasses dressées de part et d'autre de la sienne et ne quittent la cellule qu'au petit matin. La situation ne manque pas de cocasserie car Marie et Louisette, de bonnes filles au demeurant, sombrent dès la nuit venue dans un sommeil profond tandis que Mata Hari, qui souffre du syndrome du condamné, peine à s'endormir et endure de longues insomnies. Incapable de fermer les yeux, elle s'agite sur sa couche et, les sens en alerte, guette ce bruit redouté, ce bruit qu'amènera l'aube fatale, celle où on viendra la chercher pour la conduire au poteau d'exécution. Ainsi, nuit après nuit, elle veille sur les deux formes allongées à ses côtés et attend ses bourreaux. Seules les heures qui s'écoulent du samedi au dimanche lui apportent quelque soulagement et un peu de repos car elle sait ce que savent tous les condamnés : on n'exécute personne le jour du Seigneur. Alors, son angoisse lâche prise et elle peut s'abandonner au sommeil.

Si Mata Hari a accepté sans révolte cette promiscuité, elle s'insurge en revanche contre la disposition qui la prive de sortie et qu'elle considère comme une brimade inutile et cruelle. Très vite, elle s'en plaint au Dr Bizard auquel elle écrit :

Monsieur le Docteur,
Je n'en peux plus. Il me faut de l'air et un peu de mouvement. Cela ne les empêche pas de me tuer s'ils le désirent absolument, mais il est inutile de me faire souffrir comme ça. J'ai trop de mal. Je vous serais reconnaissante si vous voulez m'aider à obtenir la petite promenade quotidienne...

Sur l'intervention du médecin, l'administration accède à cette requête et, vers la mi-août, Mata Hari peut quitter sa cellule une heure par jour pour arpenter la grande cour de Saint-Lazare.

Depuis l'annonce de la condamnation de Margaretha-Gertrud Zelle - Mac Leod, les autorités néerlandaises tentent de timides démarches en faveur de leur ressortissante. Par la voix du chevalier de Stuers, leur ministre des Affaires étrangères, elles suggèrent d'abord que la peine de mort soit commuée en peine de prison au cas où la cour d'appel ne retiendrait aucun vice de forme dans le jugement rendu par le tribunal militaire. Le 16 août, sous l'allégation qu'« aucune violation de la loi n'a pu être relevée à la charge de l'arrêt du 3ᵉ conseil de guerre », le recours est rejeté et la triste mission d'en informer la légation des Pays-Bas revient à Mᵉ Clunet.

Les chances de Mata Hari d'échapper à la mort infamante s'amenuisent de jour en jour. Pourtant, son défenseur ne renonce pas : il dépose aussitôt un pourvoi devant la Cour de cassation, mais n'étant pas habilité à plaider devant ladite cour, il doit se contenter d'assister aux débats et, le 27 septembre, c'est un avocat commis d'office, Mᵉ Raynal, qui soutient le pourvoi avec une nonchalance et un manque de conviction confondants. Toujours contraint au silence, Mᵉ Clunet écoute son confrère présenter ses observations et, lorsque celui-ci achève sa péroraison en s'en remettant « à la sagesse de la cour », il sait déjà que la partie est perdue. Après une délibération pour la forme qui tient en quelques minutes, l'avocat général prend la parole et, s'exprimant au nom de cette « sagesse », déclare :

— Il n'y a qu'un problème à débattre, celui de la compétence. Il s'agit de savoir si, en temps de guerre, les crimes d'espionnage et d'intelligence avec l'ennemi relèvent de la compétence du conseil de guerre. La jurisprudence est unanime à répondre affirmativement. Je conclus donc au rejet du pourvoi.

Une fois de plus, la justice s'est montrée expéditive et a rendu un jugement sommaire à l'encontre de Mata

Hari dont la vie ne tient plus maintenant qu'à un fil :
la grâce présidentielle.

Dans cette perspective, le ministre néerlandais Ridder
de Stuers écrit le 1er octobre à son homologue du Quai
d'Orsay :

Votre Excellence,

*Pour des raisons d'humanité, je suis chargé par mon gou-
vernement de demander la grâce de Mme Zelle - Mac Leod
dite Mata Hari, qui a été condamnée à mort le 25 juillet
par le 3e conseil de guerre et dont le pourvoi a été rejeté le
27 septembre dernier par la chambre criminelle de la Cour
de cassation. J'ai l'honneur de réclamer l'obligeant intermédiaire de Votre Excellence afin de bien remettre à M. le Président de la République cette demande du gouvernement de
la reine et je lui serais reconnaissant de bien vouloir me faire
connaître quel accueil lui sera réservé.*

Hélas, cet « accueil » ne modifiera en rien le cours
fatal du destin. Mais Me Clunet ne désarme pas et s'obstine toujours à espérer. Quand, début octobre, il tente
l'ultime démarche et se présente à l'Élysée, il mise
encore sur la mansuétude du chef de l'État. A plusieurs
reprises, on l'a entendu déclarer : « Non, Poincaré ne
permettra pas que ce corps formé par les Grâces
retourne à la matière. » Animé par ce chimérique espoir,
le vieil homme en appelle à la clémence du Lorrain et,
la gorge serrée, d'une voix chevrotante, il l'implore
d'accorder la vie sauve à Mata Hari. Mais il s'adresse à
un dos : Raymond Poincaré se tient debout devant une
des fenêtres de son bureau et les paroles de l'avocat
butent contre cette silhouette noire, immobile, qui se
découpe sur le ciel d'automne tout charrié de lourds nuages. Lorsque, enfin, le Président consent à se tourner vers
son visiteur, l'expression de son visage est dénuée d'émotion. Avec un geste vers le ciel, il dit seulement :
« Regardez ce ciel, maître, il serait fou de prétendre
intervenir sur la course des nuages. De même, il me
paraît impossible d'infléchir le cours des choses en
faveur de votre protégée. Je suis désolé. » L'audience est
terminée, Me Clunet doit se retirer.

Quelques instants plus tard, dans les jardins de Marigny, un petit enfant blond tombe en arrêt devant ce vieillard assis sur un banc, qui sanglote, le visage enfoui entre les mains.

— Pourquoi il pleure, le monsieur ? demande l'enfant à sa nurse qui tente de l'éloigner en le morigénant à voix basse.

Le bel enfant blond, qu'une main ferme écarte du banc et entraîne, n'obtiendra pas de réponse. Il ne saura jamais que cet homme en pleurs est l'un des avocats les plus éminents de l'époque et qu'il sort du palais présidentiel où il a échoué à obtenir la grâce de sa cliente.

Mata Hari va mourir.

Avec l'automne, les jours raccourcissent et la pistole 12 se nappe dès cinq heures de l'après-midi d'ombres grises, puis noires, à chaque instant plus oppressantes pour la condamnée qui assiste à l'agonie de la lumière comme à la sienne propre. D'horribles pensées se débandent alors dans son esprit en proie au tourment de l'attente et de l'incertitude. Et si cette journée qui s'achève était sa dernière journée ?

Mais l'heure crépusculaire où s'aiguisent ses terreurs coïncide heureusement avec la visite quotidienne de sœur Léonide. La vieille religieuse sait combien sa compagnie est précieuse à Mata Hari, elle sait que la pauvre créature attend sa venue comme une bénédiction : pour rien au monde et sous aucun prétexte elle ne l'en priverait. Depuis le rejet du recours en grâce, elle vient là chaque soir et s'attarde à causer avec la condamnée jusqu'à l'arrivée de Marie et Louisette qui prennent le relais.

Le rituel de ces visites ne varie guère : chaque soir, la même question accueille sœur Léonide à peine a-t-elle déverrouillé la porte et franchi la porte de la cellule.

— Chère petite mère, croyez-vous que je pourrai dormir tranquille cette nuit ?

Lorsqu'elle interroge ainsi sa visiteuse, l'angoisse de Mata Hari a atteint son paroxysme et sa voix se brise sur les derniers mots en une sorte de sanglot. Dans l'obscurité, sœur Léonide ne distingue que la tache claire de son visage. Elle s'approche, s'assoit sur la paillasse voisine, lui prend la main, et s'emploie à rassurer la malheureuse, s'efforce de trouver les paroles de réconfort qui peu à peu l'apaisent et réduisent ses peurs.

De loin en loin, Mata Hari s'insurge encore contre son sort mais sa révolte se résout le plus souvent en une exclamation unique qui surgit soudain au détour d'une phrase : « Ah ! Ces Français ! Ah ! Ces Français ! » répète-t-elle en martelant les mots. Puis elle courbe la tête, honteuse d'avoir cédé à l'emportement, et reprend le fil de sa conversation. Dans ces moments, elle ne ressent aucune haine pour « ces Français » qui veulent sa mort. Du fond de son hébétude douloureuse, elle les voit seulement comme les auteurs d'une mauvaise farce, d'une farce incompréhensible et cruelle dont elle va faire les frais…

Dans l'après-midi du dimanche 14 octobre, le Dr Bizard est informé que l'ordre d'exécution de Mata Hari vient d'être signé par le gouverneur de Paris. Elle sera fusillée le lendemain, lundi, à six heures quinze.

Conscient de son devoir, le médecin se transporte aussitôt à Saint-Lazare pour apporter la funeste nouvelle à sœur Léonide et prendre avec elle les dispositions nécessaires. Lorsque, quelques instants plus tard, ils pénètrent ensemble dans la pistole 12, la condamnée scrute leurs visages avec anxiété : que signifie cette visite inhabituelle ? Le moment est-il venu ? semblent dire ses yeux agrandis par l'épouvante. Mais le médecin et la religieuse se sont concertés et parviennent à opposer le plus grand calme à l'interrogation poignante de ce regard. Leurs traits ne trahissent aucun trouble et tous deux affichent une telle sérénité que, rassurée, Mata Hari se met bientôt à deviser sur un mode amical et presque allègre. Encouragée par ses visiteurs, elle se prend même au jeu, évoque sa gloire passée, raconte ses tribulations à travers le monde, et quand sœur Léonide, de sa bonne voix rude, lui dit soudain : « Voyons, Zelle, montrez-nous un peu comment vous dansiez », elle ne se fait pas prier et accède aussitôt à cette demande pour le moins incongrue. Debout devant le médecin et la religieuse, elle relève légèrement sa robe et, radieuse, esquisse pour eux quelques pas...

A travers les vitres de la voiture qui le ramène à Saint-Lazare par cette aube glaciale du 15 octobre 1917, le Dr Bizard remarque, à hauteur de la gare de l'Est, des groupes de permissionnaires qui chantent à tue-tête pour se réchauffer. D'autres soldats dorment à même le trottoir, leur sac en guise d'oreiller : un spectacle affligeant auquel il ne parvient pas à s'accoutumer.

Bien qu'il ait connu d'autres matins tout aussi sinistres que celui-ci, bien qu'il ait déjà accompagné nombre de condamnés à mort jusqu'au poteau d'exécution – ses fonctions l'y contraignent, il ne peut se soustraire à l'abominable « formalité » –, le Dr Bizard se sent l'âme en berne et le cœur étreint d'une singulière compassion pour la femme qui va mourir. Il revoit cet effroi qu'il a lu dans son regard, la veille, puis son empressement à satisfaire au prétendu caprice de sœur Léonide, et avec quel bonheur elle s'est mise à danser pour eux, le visage illuminé d'une joie juvénile ! Avant de la quitter, il lui a administré une double dose de chloral afin qu'elle passe une nuit paisible. Sous l'effet de la drogue bienfaisante, la malheureuse doit dormir encore, exemptée de ses tourments et absoute de ses crimes – si elle en a commis –, c'est en tout cas ce qu'il espère.

Il est à peine quatre heures du matin quand le médecin arrive devant Saint-Lazare où quatre berlines aux stores baissés stationnent déjà ; sans doute les voitures du « cortège », se dit-il. Tout est calme et sombre alentour. A l'intérieur de la prison règne en revanche une animation inusitée : civils et militaires se pressent déjà dans le greffe et les couloirs du rez-de-chaussée en un joli tohu-bohu. Il y a là une centaine de personnalités invitées à assister à l'exécution, et ces gens conversent agréablement comme ils le feraient pendant un entracte au foyer de l'opéra. Irrité par ce comportement qu'il juge indigne, le Dr Bizard se fraie un passage à travers la foule bavarde et gagne le cabinet du directeur de la prison où sont réunis les officiels. Là, dans une atmosphère qui commence à tourner à la tabagie, on boit du café chaud et l'on parle à voix basse en attendant que le commandant Jullien donne le signal.

Quand la voix de ce dernier s'élève soudain, tous se taisent et l'écoutent annoncer :

— Voici l'heure, messieurs, on va monter.

Chacun dans l'assistance se croit concerné et s'apprête à lui emboîter le pas, mais le colonel Somprou, qui a présidé le 3e conseil de guerre, intervient alors et signale avec fermeté que seules les personnes autorisées pourront monter jusqu'à la cellule de la condamnée. Les autres devront attendre en bas.

A ce moment précis, Me Clunet s'avance vers le commandant Jullien et l'interpelle d'une voix brisée par l'émotion :

— Commandant, lui dit-il, je ne me sens pas le courage de monter, mais dites-lui bien que je suis là, tout près, et assurez-la que, jusqu'au bout, je ne l'aurai pas abandonnée.

— Je ne suis pas votre messager, maître, rétorque l'officier d'un ton sec. Si vous avez des choses à dire à cette femme, dites-les-lui vous-même !

Pendant ce bref aparté, les autres sont sortis, se sont déjà engagés dans l'escalier. Le vieil avocat, vaincu, baisse la tête et, rassemblant ses dernières forces, se résigne à suivre la funèbre procession qui se dirige maintenant vers la pistole 12.

En un ultime geste de miséricorde, dans l'espoir d'épargner à la condamnée un réveil par trop brutal, les religieuses ont jeté des bouts de tapis et des couvertures sur le sol des couloirs afin d'amortir le bruit des pas de ceux qui s'approchent de sa cellule.

Tout est silencieux, tout dort encore quand sœur Léonide, d'une main tremblante, déverrouille la porte de la pistole 12, puis s'efface devant le commandant Jullien.

Celui-ci, voyant trois femmes couchées, demande dans un murmure :

– Laquelle ?

– Celle du milieu, répond la religieuse.

Mata Hari, abrutie par le chloral, ne réagit pas. Par contre, Marie et Louisette s'éveillent en sursaut et, découvrant les silhouettes dressées au-dessus d'elles, comprennent aussitôt. Tandis qu'elles se glissent hors de leurs couches avec des petits sanglots étouffés, le commandant Jullien se penche sur Mata Hari et, posant la main sur son épaule, la secoue :

– Zelle, lui dit-il, ayez du courage, l'heure de l'expiation est venue.

Elle ouvre sur lui des yeux remplis d'effroi, s'assoit sur son séant, et par trois fois, d'une voix assourdie par la prise des barbituriques, répète : « Ce n'est pas possible ! Ce n'est pas possible ! Ce n'est pas possible ! »

Dans le groupe qui se presse à la porte, elle a reconnu sœur Léonide et l'implore du regard. Alors la vieille religieuse s'approche et, à son tour, l'exhorte à se montrer courageuse. Ceux qui, depuis le seuil, assistent à cette scène ne perçoivent qu'un doux murmure. Mais soudain, Mata Hari se reprend, se redresse, elle passe son bras autour des épaules de la vieille femme et lui dit :

– Ne craignez rien, petite mère, je saurai mourir sans faiblir, vous allez voir une belle mort !

Et quand le Dr Bizard fait deux pas en avant pour lui offrir un flacon de sels à respirer, elle le refuse avec un sourire.

Puis, comme il faut procéder à l'habillage de la condamnée, la plupart des assistants se retirent. Ne demeurent que le Dr Bizard et deux religieuses qui vont aider Mata Hari à se vêtir et doivent se plier à ses exigences car elle veut sa robe la plus chaude et ses plus jolis souliers. Un à un, on lui passe ses vêtements qu'elle enfile à mesure et, à certain moment, comme une des sœurs s'offusque de voir apparaître une jambe nue et tente de la recouvrir, Mata Hari arrête son geste et s'exclame :

– Laissez donc, ma sœur, le moment n'est plus à la pudeur !

Cinq heures viennent de sonner quand Mata Hari, à présent habillée et poudrée, demande à s'entretenir en particulier avec le pasteur Arboux. Quelques minutes plus tard, le pasteur ressort de la cellule, les yeux embués de larmes : il vient d'administrer le baptême à la condamnée qui paraît, coiffée d'un canotier, vêtue d'un tailleur bleu à longue jaquette bordée de fourrure blanche. Très calme, elle enfile ses gants à crispins et déclare à ceux qui l'attendent :

– Messieurs, je suis prête.

Cependant, la loi exige qu'une dernière question lui soit posée et c'est au Dr Socquet, médecin expert, qu'incombe cette tâche.

– Madame, demande-t-il à voix basse, avez-vous quelque raison de vous croire enceinte ?

– Comment voudriez-vous ? s'esclaffe Mata Hari. Il y a presque huit mois que je suis enfermée ici...

Elle se détourne vers sœur Léonide et lui murmure en pouffant :

– Les imbéciles ! Vous avez entendu, petite mère ? Me demander si je suis enceinte... Ah ! Ces Français ! Ah ! Ces Français !

Le cortège s'ébranle enfin, mais quelques mètres plus loin, alors qu'il va s'engager dans le couloir qui mène au greffe, le gardien chef croit devoir soutenir Mata Hari et lui saisit le bras. Elle se dégage d'un geste brusque et s'écrie, d'une voix vibrante de colère :

– Laissez-moi, vous ! Ne me touchez pas ! Je ne suis pas une voleuse... En voilà des façons !

Puis, s'adressant à sœur Léonide :

– Petite mère, je vous en prie, donnez-moi le bras et ne me quittez plus.

Tandis que le cortège continue sa progression dans le dédale de couloirs faiblement éclairés, Mata Hari s'immobilise soudain, lève son bras gauche et, du bout de ses doigts, touche une lyre à gaz placée à plus de deux mètres du sol.

– Je parie que vous n'en feriez pas autant, petite

mère ! dit-elle à sœur Léonide d'un petit ton espiègle. Vous êtes bien trop petite pour ça !

Derrière les deux femmes arrêtées, une voix gronde :
— Allons, Zelle, il faut avancer !

Et la petite procession s'ébranle à nouveau en direction du greffe où doit avoir lieu la levée d'écrou. Cette formalité accomplie, Mata Hari exprime le désir d'écrire quelques lettres. Quand on lui a fourni le nécessaire, elle dégante sa main droite et, penchée sur un pupitre, elle écrit rapidement trois messages qu'elle glisse dans des enveloppes. Posément, d'une main qui ne tremble toujours pas, elle inscrit les noms des destinataires — l'une de ces trois lettres est adressée à sa fille —, les scelle et les remet au directeur de la prison, auquel elle précise, dans un sourire :
— Surtout qu'on ne brouille pas les adresses, ça ferait du joli !

Il est cinq heures et demie. On en a terminé avec les formalités. Conformément à la loi, « Zelle Marguerite-Gertrude, dite Mata Hari, est remise à l'autorité militaire pour être exécutée à Vincennes ».

Il n'est pas encore six heures quand la condamnée prend place dans une voiture en compagnie de sœur Léonide et du pasteur Arboux. Tout au long du trajet, la vieille religieuse l'encourage à la résignation et au pardon :
— Au moment de comparaître devant Dieu, il faut écarter tout sentiment de haine. Vous devez pardonner, mon enfant.

Mais Mata Hari résiste : elle proteste, peste encore contre « ces Français » qui ont décrété sa mort. Comment pourrait-elle leur pardonner ?
— Il le faut pourtant, ma fille, insiste sœur Léonide.

Le jour commence à poindre et l'on arrive à Vincennes. Dans la voiture, Mata Hari serre la main de sœur Léonide, lui dit enfin dans un souffle :
— Puisque vous le voulez, ma chère mère, je pardonne.

Le lugubre cortège vient de franchir le portail du château, il traverse la cour et va s'immobiliser le long du

287

champ de manœuvres, au lieu dit polygone de Vincennes. À proximité de la butte de tir, le carré des troupes est déjà formé, masse indistincte de silhouettes immobiles dans le brouillard. Il fait froid, il bruine un peu quand Mata Hari, la première, met pied à terre et, se tournant vers la voiture, tend la main à sœur Léonide pour l'aider à descendre. Deux gendarmes encadrent aussitôt les deux femmes qui longent le front des troupes et se dirigent vers le poteau d'exécution. Sur le sol détrempé par les pluies récentes, Mata Hari avance, légère, d'un pas de danseuse qui évite les flaques et les ornières. Sans doute ne veut-elle pas gâter ses jolies chaussures. A son côté, la vieille religieuse dont elle n'a pas lâché le bras prie à voix haute. Me Clunet les suit, plus voûté que jamais.

Le poteau est là, à un mètre, quand la condamnée et ses deux compagnons s'arrêtent.

— Embrassez-moi vite et laissez-moi, leur dit-elle. Mettez-vous sur ma droite. Je regarderai de votre côté. Adieu.

Ils s'étreignent. L'avocat et la religieuse s'écartent. Tandis que l'officier qui va donner lecture du jugement s'approche, Mata Hari, très crâne, se place d'elle-même contre le poteau, face au peloton composé de quatre soldats, quatre caporaux et quatre sous-officiers des zouaves. Un petit chasseur à pied s'avance alors vers elle pour lui bander les yeux, mais elle refuse : celle qui a si souvent triché avec la vie veut regarder la mort en face. Elle adresse un geste amical aux soldats attroupés et, le visage tourné vers la droite où sœur Léonide se tient agenouillée près de Me Clunet, croise ses mains derrière elle, autour du poteau. A l'aspirant chargé de commander le feu, qui s'apprête à lever son sabre, elle dit d'une voix claire : « Monsieur, je vous remercie. » Le sabre s'élève et retombe, déclenchant une salve de douze coups. Le corps de Mata Hari s'affaisse doucement et glisse sur le sol. Le coup de grâce est donné par un maréchal des logis des dragons qui lui tire une balle dans l'oreille.

Tandis que le clairon sonne, les troupes défilent en

silence devant la dépouille, à l'exception d'un petit sol-
dat que le Dr Bizard vient de déposer, évanoui, dans
l'herbe mouillée.

Mata Hari a tenu parole : jusqu'au bout, elle a été
brave, jusqu'au bout, elle a regardé du côté droit.

Épilogue

Nul ne réclama le corps de la danseuse espionne qui fut inhumé au nouveau cimetière de Vincennes.

Ses biens, vendus aux enchères le 30 janvier 1918, rapportèrent la modique somme de 14 251,65 francs qui servit à couvrir les frais de justice.

La lettre d'adieu que Mata Hari écrivit à sa fille au matin de son exécution n'arriva jamais à destination. La jeune Jeanne-Louise succomba d'une hémorragie cérébrale le 10 août 1919 alors qu'elle s'apprêtait à partir pour les Indes néerlandaises. Elle était âgée de vingt et un ans.

La Monaltière, 22 mai 1995

BIBLIOGRAPHIE

Gabriel Astruc, *Le Pavillon des fantômes*, Grasset, 1929.

Dr Bizard, *Souvenirs d'un médecin des prisons de Paris*, Grasset, 1925.

Pierre Bouchardon, *Souvenirs*, Albin Michel, 1953.

Fred Kupferman, *Mata Hari*, Éditions Complexe, 1982.

Jean-René Pallas, *Mata Hari*, Albin Michel, 1983.

Monique Saint-Servan, *Mata Hari, espionne et danseuse nue*, Gallimard, 1959.

Léon Schirmann, *L'affaire Mata Hari*, Tallandier, 1994.

Kurt Singer, *Les plus grandes espionnes du siècle*, Gallimard, 1952.

Sam Waagenar, *Mata Hari ou la danse macabre*, Fayard, 1965.

Pour rédiger cette biographie romanesque, l'auteur a consulté les témoignages directs de personnalités ayant approché Mata Hari et puisé nombre d'informations précieuses dans les ouvrages de Fred Kupferman, Sam Waagenar et Léon Schirmann. Qu'ils en soient ici remerciés.

TABLE

Cet ouvrage a été réalisé par la
SOCIÉTÉ NOUVELLE FIRMIN-DIDOT
Mesnil-sur-l'Estrée
pour le compte des Éditions Belfond
en octobre 1995

Photocomposition : FACOMPO

Imprimé en France
Dépôt légal : octobre 1995
N° d'édition : 3299 - N° d'impression : 32221